TROL
romantiek

lsele
4

1

Vrouw des huizes

Van deze auteur verschenen eerder:

MANNEN, MINNAARS EN MEIDEN
DE SPAANSE MINNAAR
DE VROUW VAN DE PREDIKANT
ONDER VRIENDEN

Joanna Trollope

Vrouw des huizes

Van Holkema & Warendorf

Voor Samuel, Charlotte en Thomas

Oorspronkelijke titel: *Next of Kin*

Nederlandse vertaling: E.C. van der Sande

Omslagontwerp: Alpha Design
Omslagillustratie: Humphrey Bennett

ISBN 90 269 7430 2/NUGI 340/CIP

1

Op de begrafenis van zijn vrouw werd Robin Meredith door een hem onbekende vrouw met een hoofddoek op, gevraagd, of hij niet dankbaar was dat zijn vrouw nu veilig bij Jezus was. Hij zei zo beleefd als hij het op dat moment kon opbrengen: 'Nee, dat ben ik niet.' Toen liep hij de kerk uit, de regen in, en keek naar het zwarte gat waarin Caro neergelaten zou worden.

'Geen crematie,' had ze gezegd. 'Ik wil een echte begrafenis. Koperen handgrepen. Ten voeten uit. Op het kerkhof.'

Het was de enige instructie die ze had gegeven en de enige keer dat ze aan haar dood had gerefereerd. Over het graf lagen planken en lange, zwarte stroken geweven band waarmee ze de kist zouden laten zakken.

'Gaat het met je?' vroeg Robins dochter, die zonder hem aan te raken vlak naast hem ging staan.

'Beter hier dan daar,' zei hij, op de kerk doelend.

'Ja, dat vind ik ook.'

Ze zwegen even. Toen zei Judy: 'Maar mam was graag in de kerk.' Haar stem trilde.

'Ja,' zei Robin. Hij stak zijn hand uit om die van Judy te pakken, maar ze stond met beide handen diep in de zakken van haar jas gestoken – haar lange, zwarte, Londense mantel die, zoals al haar kleren, doelbewust liet zien hoe ver ze afstond van het platteland waar ze was opgegroeid.

'Lieve hemel!' siste Judy opeens.

'Sst...'

De begrafenisondernemers, luguber en log, en bijna karikaturaal, kwamen gewichtig hun richting uit. Ze droegen allemaal een bril en orthopedisch-uitziende schoenen. De stoet mensen die er respectvol achteraan liep, stelde zich rustig in een kring op. Robins ouders, zijn broer en schoonzuster, de veeknecht met zijn vrouw, vrienden van Caro, mensen van het sociaal adviesbureau waar ze had gewerkt, de man van de dorpswinkel en de vrouw met de paisley hoofddoek.

Judy begon weer te huilen. Ze liep op haar hoge hakken door het natte gras bij Robin vandaan naar haar tante Lindsay. Lindsay sloeg een arm

om haar schouders. Robin hief zijn hoofd op en zag zijn moeder naar hem kijken op die kalme en licht nieuwsgierige manier zoals ze zijn hele leven naar hem had gekeken, alsof ze zich niet precies meer kon herinneren wie hij was. Hij keek weer naar beneden, naar de kist die nu zowat aan zijn voeten stond. In die kist lag Caro. Hij zag er veel te kort uit, Caro was tenslotte bijna een meter negentig geweest.
De predikant van Dean Cross, een kleine, uitgeputte man die vier parochies onder zijn hoede had en nog nooit een dag vakantie had genomen, liep naar het graf onder de papaplu die door zijn vrouw werd opgehouden.
'"Zalig zijn de doden die sterven in het aangezicht van Christus!"' zei hij zonder veel overtuiging. Hij opende zijn gebedenboek en zijn vrouw bewoog de paraplu, zodat er een hele straal druppels op het opengeslagen boek viel.
'"Te midden van het leven,"' las hij geïrriteerd door, '"aanschouwen wij de dood. Alleen tot U kunnen wij ons wenden, o Heer, U die terecht boos kunt zijn over Uw zondaren."'
Robin keek vluchtig naar Judy. Zij en Lindsay stonden nu beiden te huilen en zijn broer Joe hield een knalgele papaplu met de tekst 'Mid-Mercia Boeren-Coöperatie' in zwarte letters, voor hen op. Joe keek met een strak gezicht voor zich uit, recht over het graf en over Caro heen.
'"Wij vertrouwen onze zuster Carolyn toe aan Gods genade,"' zei de predikant, '"en we vertrouwen nu haar lichaam aan de aarde toe..."'
Robin dacht: Als hij nu gaat zeggen: 'Uit stof zijt gij voortgekomen en tot stof zult gij wederkeren,' spring ik over het graf heen en sla hem tegen de grond.
'"... in de vaste hoop op de Verrijzenis en het Eeuwige Leven gegeven door onze Heer Jezus Christus die voor ons Zijn Leven heeft gegeven en weer is opgestaan."'
De kist daalde, een beetje slingerend aan de zwarte banden, de aarde in.
'"Aan Hem de glorie in alle eeuwigheid."'
De begrafenisondernemers deden een stap terug en rolden de zwarte banden op. Robin sloot zijn ogen.
'"God zal ons op ons levenspad begeleiden."'
Hij deed zijn ogen weer open. Judy deed een stap naar voren en gooide een boeketje sleutelbloemen op de kist en daarna gooide de vrouw met de hoofddoek een kunst-orchidee op de kist die door de harde steel met een klap op het deksel terechtkwam.
'"Zijn Aanwezigheid geeft ons vreugde,"' zei de predikant, '"en aan Zijn

Rechterhand is ruimte voor eeuwige vreugde."'
Vreugde, dacht Robin mat. Plezier. Hij bracht zijn hand omhoog en trok hard aan de knoop van zijn zwarte das. Hij haatte dassen. Net zoals kerken trouwens. De predikant keek hem vanaf de andere kant van het graf verwachtingsvol aan. Robin knikte kort naar hem. Verwachtte de man een dankwoord van hem?
'"Geloof in Hem die ons kan redden,"' zei de predikant, met zijn ogen nog steeds op Robin gericht, '"in de enige wijze Heer, onze Redder, zal glorie en heerlijkheid zijn, heerschappij en kracht, zowel in het heden als in de toekomst en in alle eeuwigheid. Amen."'
'Amen,' mompelde iedereen.
'Mooie dienst,' zei Dilys, de moeder van Robin.
Harry, zijn vader, kwam dichterbij. Hij keek eerst zijn zoon aan en toen naar het open graf van zijn schoondochter. Vreemde vrouw. Amerikaanse. Nooit echt in de boerderij geïnteresseerd geweest en toch... Harry slikte. Hij dacht dat het misschien een afleiding voor Robin zou zijn als hij hem vertelde dat een nieuwe gemotoriseerde eg meer dan zesduizend pond zou gaan kosten, maar hij bedacht zich. Misschien toch maar beter om er even mee te wachten. Niet echt het goeie moment.
'Het pakt Judy erg aan,' zei Dilys, met haar gehandschoende handen voor haar buik ineengestrengeld. Ze keek vluchtig naar haar jongste zoon. 'Trouwens, Joe ook.'
Robin zei scherp: 'Caro was Judy's moeder en mijn vrouw. Niet die van Joe.'
Dilys nam hem op. 'Ik denk,' zei ze kalm en vastberaden, 'dat het allemaal veel harder aankomt als je geadopteerd bent. Zoals Judy. Je zit natuurlijk altijd op de volgende klap te wachten.' Ze zweeg even en keek naar het graf. Toen, op een toon van licht neerbuigend medelijden, die ze altijd bewaarde voor mensen die niet tot de familie behoorden: 'Arme Carolyn.'
Robin stak zijn handen woest in zijn zakken en boog zijn hoofd. 'Ik haal Judy. Ik zie jullie zo wel op de boerderij.'
'Ja,' zei Dilys. 'Natuurlijk.'
Harry boog zich iets naar zijn zoon toe en tikte hem licht op de arm. 'Volhouden, jongen.'

Twee maanden voordat Caro beloofd had om met hem te trouwen, had Robin Tideswell Farm gekocht. Harry had niet aangeboden hem financieel te steunen en Robin had er niet om willen vragen. Met het geld van de verkoop van een klein landhuis dat hij eerder had gekocht met de bedoeling om erin te gaan wonen, plus een enorme banklening was het hem gelukt het zo'n duizend hectare land dat zacht golvend helemaal tot aan de rivier de Dean doorliep en de boerderij, een zeventiende-eeuws stenen huis met wat klungelige Victoriaanse toevoegingen, in zijn bezit te krijgen. Het erf achter de boerderij, zonder een harde standplaats voor het vee, lag er vervallen bij en werd overschaduwd door een enorme kapschuur. In die eerste maanden, bijna een kwart eeuw geleden, had Robin eigenhandig beton staan storten, dag na dag en meestal in zijn eentje.

Het land bleek zoals hij al had verwacht redelijk geschikt voor het telen van veevoeder; gras op de lager gelegen gedeelten en maïs op de hogere. In de lente als de wilgen aan de kant van de rivier, nieuwe, op varens lijkende blaadjes kregen, had het landschap iets lieflijks. En een natte winter, als de rivier buiten zijn oevers liep en een kwart van zijn land overspoelde en de zwanen in paren arriveerden, riep het uitzicht een bijna parkachtige sfeer op. Maar de rest van de tijd – en het was vooral Caro Meredith die dat haatte – waren de velden alleen maar land; stukken aarde en gras, afgescheiden door rommelige heggen en omheiningen met lelijke, voor het vee nuttige, gegalvaniseerde ijzeren hekken, met overal door het vee en tractorbanden gemaakte modderpoelen.

Het huis stond precies tussen de rivier en een B-weg, waarop de melktankauto dagelijks reed om de grote voorraadtank aan de buitenkant van de melkstal te legen. De verbinding naar de weg werd gevormd door een aflopend pad dat of glibberig door de modder was of half verborgen in stofwolken lag en waar Robin in een optimistische bui ooit aan beide kanten afwisselend groene en rode berkenbomen had gepland. Het pad kwam uit op een betonnen stuk dat zich splitste in een weg die naar het erf achter de boerderij leidde en in een weg die doorliep tot aan een groot houten hek dat toegang gaf tot een ronde oprijlaan van grind aan de voorkant van het huis en permanent door een bemoste zwerfkei werd opengehouden. In het midden van de oprijlaan stond een zonnewijzer waarop een plaatje was geschroefd en waarin 'Tel alleen de zonnige uren' was gegraveerd. Caro had de zonnewijzer daar laten plaatsen. Het was het eerste kerstcadeau dat ze aan Robin had gegeven.

De oprijlaan stond nu vol auto's. Vanachter de hoge heg die het erf aan het gezicht onttrok, klonk het doorlopende gekletter en gegons vanuit de melkstal, waar de door het plaatselijke uitzendbureau gestuurde

hulpkecht, een efficiënte, maar sjacherijnig kijkende man, druk bezig was met de voorbereidingen van het melken. Robin die met zijn half losgeknoopte das in de deuropening de gasten stond te ontvangen, onderdrukte zijn drang om te kijken of daar alles goed ging en of Gareth, Tideswells veeknecht, wel volgens zijn instructies het gat in de de slang had gerepareerd.
Achter hem, in de naargeestige eetkamer die zelden door Caro en hem was gebruikt, stond een uitgebreide thee klaar op een met het door Dilys aan hem geleende familielinnen gedekte tafel. Judy, met verwarde rode haren en nog steeds met haar mantel aan, stond thee in te schenken. Lyndsay met de suikerpot in haar vrije hand, reikte iedereen een kop aan. Er hing een discreet opgewonden sfeer bij het zien van de alledaagse, eenvoudige gerechten bij de thee, die op wit kantpapieren kleedjes lagen uitgestald. De kleedjes had Dilys meegebracht en ze had duidelijk laten merken dat ze verwachtte dat ze zouden worden gebruikt. Judy, die moeizaam de typisch Amerikaanse notengebakjes en chocoladecakejes, waar haar moeder zo goed in was geweest, had gemaakt, had Dilys er uitdagend op gewezen dat haar moeder nooit zulke kleedjes gebruikte.
'Maar dit is een begrafenis,' zei Dilys. 'Een familiegebeuren en dat hoort nu eenmaal zo.'
Ze benadrukte het woord 'familiegebeuren'. Zelf had ze – volgens de traditie van de boerinnen die alles wat niet zelfgemaakt was vervloekten – verschillende enorme en perfecte vruchtencake's gemaakt, vol met geglaceerde kersen en gesuikerd fruit. Ze stonden hygiënisch verpakt in plastic dozen op de keukentafel en zagen er zeer professioneel uit.
'Een familiegebeuren, lieverd,' herhaalde Dilys.
Ze had naar Judy gekeken, naar dat lange lijf dat ze van haar beide ouders geërfd had kunnen hebben, als het haar echte ouders waren geweest; naar haar rode, warrige haar en blanke uiterlijk, dat ze duidelijk niet van hen had. Robin was, net zoals Harry vroeger, donker en had de scherpe trekken van Dilys' vader. En aan Caro was zo ongeveer alles bruin geweest – bruin haar, bruine ogen en een lichtbruine huid, zelfs in de winter. Helemaal niet Engels, had Dilys altijd gedacht, en zeker geen Meredith. Zelfs Lindsay, de vrouw van Joe, met die grote bos lichtblond haar en fletse ogen die geen Meredith ooit had gehad, had een huid die op die van Dilys leek. Een mooie, lichtgekleurde huid. Maar Judy leek helemaal niet op een van hen en gedroeg zich ook anders.
'Doe je mantel uit, lieverd,' zei Dilys nu.

'Ik heb het koud gekregen,' zei Judy. 'Van al dat huilen.'
'Laat haar met rust, ma,' zei Joe. Hij sloeg een arm om Judy's schouders. 'Laat haar met rust en ga met de predikant praten.'
Judy fluisterde woest: 'Ik wil nooit zo begraven worden.'
'Ik ook niet.' Hij trok zijn arm weg. 'Verbrand en verstrooid, dat is het voor mij. Met de nadruk op verstrooid.'
Judy pakte de grote theepot, die ze van het dorpshuis hadden geleend. 'Hier op het land?'
'Maak je niet druk,' zei Joe. 'Over de rivier, niet op dat verdomde boerenland hier.'
Robin, die ineens naast hen stond, vroeg: 'Wie is die vrouw met de hoofddoek eigenlijk?'
Joe boog zich voor Judy langs en nam een plak cake van de schaal. 'Cornelius. Ene mevrouw Cornelius. Ze heeft dat oude huis van Chambers gekocht. Rijk en krankjorum. Caro ging met haar om.'
Robin keek hem aan. 'O, ja? Waarom? En hoe weet jij dat?'
Joe haalde zijn schouders op en hield een hand onder zijn plak cake om de kruimels op te vangen. 'Geen idee. Ze deed het gewoon. Ze ging met veel mensen om.'
'Ze hield van mensen,' zei Judy op een bijna agressieve toon. 'Ze híéld van mensen. Alle soorten mensen.' Ze keek even woest naar Robin. 'Dat weet je toch wel?'
Hij ontweek haar blik en richtte zijn aandacht op de mensen aan de andere kant van de tafel. De tafel – mahonie, negentiende-eeuws met prachtig gedraaide poten en die in de schuur als kippenroest werd gebruikt – had hij ooit gered uit de inboedel van een failliete kippenfarm ergens in een andere provincie. Hij zag dat zijn moeder met de predikant stond te praten en mevrouw Cornelius met Debbie, de vrouw van Gareth. Zijn schoonzuster Lindsay die zoals gewoonlijk de kammen in haar grote haardos op hun plaats probeerde te duwen, stond met drie ex-collega's van Caro te praten, alledrie competente vrouwen van midden veertig in de juiste kleding. Hij dacht even met een steek van verlangen of mogelijke opluchting aan de melkstal. Toen moest hij denken aan wat Judy net had gezegd. 'Dat weet je toch wel?' had ze gezegd alsof ze hem iets verweet. 'Dat weet je toch wel?' alsof hij alles over Caro, die een week geleden aan een hersentumor in het ziekenhuis van Stretton was overleden, was vergeten. Vergeten hoe ze was, wie ze was, waar ze van had gehouden en wat ze had gehaat. De moeilijkheid is, dacht Robin, die met moeite zijn blik van Lindsay's haar op de slecht

gelapte ramen richtte, dat het allemaal te kort geleden was. Het is veel te kort geleden om je nu al dingen te gaan te herinneren. Omdat ze nog niet echt weg was. Ze was er nog steeds, in ieder geval door wat er nog van haar was overgebleven. Hij hield zijn theekopje op naar Judy. 'Mag ik nog een kop, alsjeblieft?'

'Is er niemand van Carolyns familie?' vroeg de predikant aan Dilys. 'Helemaal niemand uit Amerika?'
Dilys hield hem de schaal met sandwiches voor. 'Haar vader is dood en haar moeder zit in een rolstoel. Twee beroertes. En nog geen zeventig.'
De predikant, die veel liever een plak cake had gehad omdat hij dat thuis nooit kreeg, pakte een sandwich. 'Geen broers of zusters?'
'Niet dat ik weet.'
'Het is toch triest,' zei de predikant, mismoedig naar zijn sandwich kijkend, 'om in een vreemd land dood te gaan met niemand van je eigen familie erbij.' Hij had hetzelfde de avond ervoor tegen zijn vrouw gezegd, die had geantwoord dat dat bij Victoriaanse missionarissen vast vaak was voorgekomen. Ze had een verlangende klank in haar stem gehad. Ze had altijd de vrouw van een missionaris willen zijn, maar toen hij duidelijk had laten merken dat hij aan een plattelandsgemeente de voorkeur gaf had ze zich in haar eigen zendelingenwerk-op afstand voor Afrika gestort. De zitkamer van de parochie van Dean Cross hing en stond dan ook vol met Afrikaanse kunstvoorwerpen, maskers, beeldjes en rood met zwarte kralen wandtapijtjes. De predikant had veel liever aquarellen van boten aan de muur gehad.
'Heel verdrietig,' zei Dilys, die totaal niet aan Caro dacht, maar aan zichzelf als zij het zou zijn die ver van de boerderij en zonder de Merediths in de buurt, dood was gegaan.
'Ik ben nog nooit in Amerika geweest,' zei de predikant met zijn ogen op de schaal met cake gericht.
'Ik ook niet,' zei Dilys.
'Maar soms kreeg ik het gevoel dat ik het kende,' zei de predikant. 'Door Carolyn.'
'O?' zei Dilys. Ze stond naar Lindsay te kijken in de hoop dat die eens ophield met kletsen en de gasten ging bedienen. Het was belangrijk dat er na een begrafenis goed gegeten werd. Om jezelf eraan te herinneren dat je nog leefde. En te drinken trouwens ook. Ze hoopte dat Robin nog aan de sherry had gedacht.
'Ja,' zei de predikant. Hij dacht aan de keren dat Caro in zijn studeer-

kamer had gezeten en hem had gevraagd of hij wist hoe ze zich kon leren aan te passen zonder zichzelf totaal weg te cijferen, zonder haar diepste gevoelens op te offeren.
'Het zijn goede mensen,' had hij haar over de Merediths verteld.
'Wat bedoelt u met goed? Omdat ze geen overspel plegen of de zwakkeren de grond in trappen?'
'Ik heb het over integriteit,' had hij gezegd. 'En principes. Ze doen hun plicht.'
Bedroefd had ze toen geantwoord: 'Maar dat is toch niet genoeg? Of wel?' en toen hij was blijven zwijgen, had ze het nog eens gevraagd, maar dwingender. 'Nou? Nou?'
Hij keek naar Dilys met haar grijze, gepermanente haar en in haar donkere, geborstelde mantelpak, die zich op het hele reilen en zeilen van de thee stond te concentreren. En zonder het te willen zei hij hardop: 'Nee, genoeg is het niet.'
Dilys hoorde hem niet. Ze stond naar Robin aan de andere kant van de tafel te gebaren en maakte met haar verzorgde, maar ruwe werkhanden snel een klein drinkgebaar.
'Sherry?' vroeg ze geluidloos. 'Tijd voor een glaasje sherry.'

Later, toen ze weer met de auto op weg waren naar hun moderne stenen huis aan de rand van Dean Place Farm, zei Lindsay: 'We hadden Judy met ons mee terug moeten nemen.'
'Nee, beter van niet,' zei Joe. 'We kunnen Robin niet alleen laten.'
Lindsay nam de kammen uit haar haar en stopte ze tussen haar tanden. Toen boog ze haar hoofd zo, dat het haar over haar hele gezicht viel. Joe had gelijk. Natuurlijk had hij gelijk. Maar Robin had iets dat zijn eigen eenzaamheid in de hand scheen te werken en dat je het gevoel gaf dat je hem beter alleen kon laten, of je hem nu wel of niet wilde helpen. Op de een of andere manier dacht ze altijd aan hem in z'n eentje: in zijn auto, bezig op de boerderij of op de veemarkt, als hij zijn kalveren aan de man bracht. Hij was trouwens de eerste Meredith die in vee deed. Harry en Joe waren landbouwers, net zoals Harry's vader en grootvader voor hem. Pachtboeren, op ditzelfde stuk land, zelfs nu het land niet meer door een eigenaar werd beheerd maar door een bedrijf in de buurt was opgekocht, een productiebedrijf dat in de beginjaren zeventig, toen de prijzen van land laag waren, verschillende boerenbedrijven had opgekocht. Maar Robin had niet willen pachten. Robin had willen kopen.
'Dat moet hij zelf weten,' had Harry gezegd. 'Ik zal hem niet tegenhou-

den, maar helpen doe ik hem ook niet.'
Maar toen Joe en Lindsay een huis wilden hebben, had Harry dat wel betaald. Hij had het met de eigenaar op een akkoordje kunnen gooien en aan Lindsay de schets laten zien die hij op de tafel in Dean Place Farm had uitgespreid.
'Kijk, een bijkeuken,' had Dilys gezegd. 'Op het zuiden. Het is een prachtig huis.'
Lindsay nam de kammen uit haar mond en schoof ze weer in haar grote haardos. Terwijl ze aan Robin dacht kwam het bij haar op dat Joe, op zijn manier, ook een eenling was. Ze wist nooit echt waar hij aan dacht of wanneer hij zich gelukkig of verdrietig voelde. Ze wist dat hij blij was als hij betere oogsten had dan de boeren uit de buurt, maar dat had niet veel met geluk te maken, dat was meer een triomfantelijk gevoel. En dat was niet vreemd, in ieder geval niet in deze buurt. Het mocht dan moeilijk zijn om Joe over iets anders dan de alledaagse feiten aan het praten te krijgen, maar zo waren de meeste boeren; trouwens de meeste boeren zeiden helemáál niets. Tenminste niet zoals vrouwen spraken. Of liever gezegd zoals sommige vrouwen. Dilys sprak ook niet zo. Ze sprak, net zoals Harry en Joe, alleen over wat er op de boerderij of in het dorp voorviel. Wat Dilys betreft waren geluk en verdriet als het weer, dacht Lindsay – emoties die wel of niet naar boven kwamen, maar in ieder geval onvoorspelbaar waren en waarmee je, boven alles, moest zien te leven. Als Dilys ooit de neiging had gehad – zoals elke vrouw wel eens had – om Harry te wurgen, zou ze alleen maar wachten tot dat gevoel weer over was, net zoals je wachtte tot het zou ophouden met regenen. Als je naar Dilys ging om te zeggen dat je het onverklaarbare, maar duidelijke gevoel had dat je ten einde raad was, gaf ze je het advies om chutney te gaan maken of om dekens te gaan wassen. Je moest er nu eenmaal mee leren leven, je moest doorgaan, grote brokken al dan niet verwerkte spanning moest je gewoon wegduwen. Tegen het leven moest je niet vechten, aan die boerderij had je je handen al vol.
'Denk er niet meer aan,' zou Dilys tegen Lindsay zeggen. 'Zit niet zo te piekeren.' Zou ze zulke dingen ook tegen Caro hebben gezegd?
'Denk je dat hij het een beetje redt?'
'Robin?' vroeg Joe. 'O, de tijd heelt alle wonden...'
'Jij was ook dol op Caro, hè?' vroeg Lindsay verlegen.
Er viel een stilte. Toen zei Joe: 'Ze was anders... omdat ze een Amerikaanse was.'
Na de landbouwhogeschool was Joe een jaar in Amerika geweest. Harry

scheen niet van Joe te verwachten dat hij in dat jaar serieus aan de slag zou gaan – dat was Robin opgevallen – dus had Joe dat jaar gebruikt om door heel Amerika te reizen. Hij had onderweg als barman, in restaurants of als boerenknecht gewerkt om zijn tocht te betalen. Er was een moment geweest dat hij had willen blijven – toen hij verleid was door een meisje én de bergen van Colorado – maar na een paar weken had hij zijn zinnen weer bij elkaar en had vanuit Denver naar huis gebeld om te zeggen dat hij met de kerstdagen weer thuis zou zijn.
Rond dezelfde tijd had Robin aangekondigd dat hij in rundvee zou gaan doen. Op een avond, toen ze aan de maaltijd zaten, vertelde hij dat hij tot een besluit was gekomen en dat hij uit huis zou gaan om zijn eigen melkveehouderij op te starten. Misschien ook wat slachtvee. Harry had zijn mes en vork neergelegd en in het felle licht van de lamp boven de tafel, waar Dilys nooit een wat minder sterke lamp in wilde draaien omdat je er zo lekker bij kon werken, keek hij naar zijn vrouw. Daarna keek hij nog eens vluchtig naar Robin en ging toen door met eten.
'Je sommen gemaakt?' vroeg hij.
'Ja.'
Dilys hield hen een schaal met gestoofde witte kool voor.
'Joe komt weer naar huis,' zei ze.
'Dat weet ik.'
Robin wachtte totdat een van zijn ouders zou zeggen dat er voor alledrie de Meredith-mannen geen plaats op Dean Place Farm was, maar ze zeiden niets. Hij schepte wat kool op en zei op scherpere toon dan zijn bedoeling was: 'Ik wil dit nu eenmaal en ik maak dan meteen plaats voor Joe.'
Harry gromde wat. Sinds Joe naar Amerika was gegaan hadden hij en Dilys het vaak gehad over hoe het verder moest als Joe weer terug zou zijn.
'Ik heb al een plek gevonden. Het land is redelijk, maar het erf moet nodig opgeknapt worden. Ik zal in ieder geval een melkstal moeten bouwen.
Harry keek op en kauwde door. 'Wij hebben nooit in vee gedaan. Nooit.'
Robin zei: 'Maar dat is juist wat ik wil.' Bijna had hij gezegd: 'Je zal zien wat een winst ik zal maken,' maar hij wilde het lot niet tarten noch zijn vader provoceren. Dus zei hij enkel: 'Ik heb al een lening geregeld en een koper voor het landhuisje gevonden.'
Dilys stond op en zette een groot stuk kaas en een pot augurken op tafel.

'Nou, geluk ermee, schat,' zei ze rustig en glimlachte erbij alsof ze had geweten dat hij haar probleem zou oplossen.
Joe kwam thuis en bracht even een opgewonden Amerikaans sfeertje in huis. Hij zag dat Robin een betonmolen voor Tideswell Farm had gehuurd en ontdekte dat Robin een vriendin had, een lang, bruinharig meisje in jeans en cowboylaarzen die de raamkozijnen van de boerderij aan het verven was.
'Ze is een Amerikaanse,' zei Dilys. 'Ze hebben elkaar op de Jonge Boerenclub ontmoet.' Ze zat aan de tafel de boekhouding van de boerderij te doen; de tafel lag vol ordners en stapels papieren, op hun plaats gehouden door jampotjes die als presse-papiers werden gebruikt en waarin ze het geld voor verschillende doelen bewaarde – een potje onvoorzien, een potje voor abonnementen, geld voor de kerk en een potje voor schoenreparaties. 'Ze lijkt wel aardig.'
Joe vond haar meer dan dat. Ze had een aureool van vrijheid om zich heen dat hij zich uit Amerika herinnerde, een air van altijd met iets bezig zijn, altijd op zoek naar nieuwe dingen. Een gevoel dat hem korte tijd, als een soort koorts, had geïnfecteerd. De eerste weken na zijn thuiskomst wilde hij haar met het schilderen van het houtwerk helpen, wilde op die manier het Amerika-gevoel behouden, maar ze stuurde hem altijd weg om Robin te helpen of terug naar huis, naar zijn vader. Zelfs later, toen Robin en zij getrouwd waren, hield zij altijd een speciaal plekje in Joe's hart; een herinnering dat er plekken op de wereld waren waar het leven anders was dan het leven hier, waar de kansen voor het opscheppen lagen.
Lindsay keek door het autoraampje naar de nevelige avondlucht en zei: 'Ik heb haar eigenlijk nooit echt leren kennen. Ik bedoel, we gingen met elkaar om, maar we waren nooit echt intiem met elkaar.'
'Ze was een stuk ouder,' zei Joe. 'Zij en Robin waren al vierentwintig jaar getrouwd. Judy is al tweeëntwintig.'
Toen ze door de bocht van het pad kwamen zagen ze de lichten in hun huis branden. Mary Corriedale die in de papierfabriek in Stretton werkte en in een bungalow in Dean Cross woonde, zou hun kinderen in bed doen. Rose zou al in haar ledikant liggen en speelgoed op de grond gooien omdat ze niet wilde dat de dag voorbij was, en Hughie zou zijn pyjama en kikker-
pantoffeltjes aan hebben en Mary dwingen om te kijken hoe goed hij al op één been kon staan. Zijn nieuwste kunstje.
Arme Caro, dacht Lindsay ineens en voelde een steek van oprecht

medelijden door zich heen gaan, arme Caro die geen kinderen had kunnen krijgen. Wat zou zij hebben gedaan als dat haar was overkomen? Of als Joe geen kinderen had kunnen verwekken. Omdat ze zoveel jonger dan Joe was, was ze er altijd van uitgegaan dat ze kinderen kon krijgen wanneer ze maar wilde. En dat was ook gebeurd.
'Wist Robin eigenlijk...' begon Lindsay, '... wist Robin vóór hun trouwen al dat Caro geen kinderen kon krijgen?'
'Dat weet ik niet,' zei Joe. Hij stuurde de auto van het pad af het stuk beton op dat naar het huis liep. 'Ik weet het niet en ik heb het ook nooit gevraagd. Het is niet iets waar je over praat, vind je ook niet?'

Na de laatste dagelijkse afspuitbeurt, lag de melkstal er rustig, nat en schoon bij. De rubberen en metalen leidingen van de melkmachine hingen netjes opgerold naast de glazen containers waarvan sommige – dat ontging Robin niet – met smurrie waren bespat, en de geribbelde geulen die langs de stallen liepen waren nat en schoon. In de kuil tussen de stallen lag de slang losjes opgerold, precies zoals Robin het wilde. De spuitbussen met jodium en glycerine stonden netjes naast elkaar op de treden naar de kuil en aan de achtermuur hingen de trapriemen op een rij aan spijkers. In de winter als de rivier flink was gestegen, stroomde de kuil vol en werden Gareth en hij, hevig vloekend en tot aan hun borst in het water, behoorlijk belemmerd in het uitvoeren van de voorbereidingen voor het melken.
Hij deed de neonverlichting uit, controleerde de voorraadtank en liep de veestal in. Het weinige licht kwam van de spaarverlichting, verder was het er donker. De meeste koeien lagen in hun afgeschotte hok met hun kop naar de muur, hun grote, zwartwitte lichamen uitgedijd tussen de schotten. Sommige stonden rechtop, met hun poten net buiten het stro en in de modderige geul. Er waren een paar koeien die zo klein waren dat ze zich hadden weten om te draaien en in hun hoofdeinde stonden te poepen om er daarna in te gaan staan. Niet vergeten om Gareth eraan te herinneren er wat ongebluste kalk op te strooien.
Buiten, op een van de weiden, waaraan een paar koeien de voorkeur schenen te hebben geven om er hun doelloze dagen door te brengen, lagen nog wat voederresten. Toen Robin eraankwam sprongen er een paar katten weg en vluchtten naar de opslagschuur waar hun rantsoen aan knaagdiertjes woonden. Robin keek naar de lucht. Er waren wat sterren en er was een maan, maar met vage contouren, wat regen voorspelde. Tijdens zijn drukke werkdagen had hij geen tijd om naar het

weerbericht, voor anderen een bijna obsessief moeten, te luisteren. Hij snoof met flinke teugen de lucht in. Er woei een zachte bries, maar hij kon de regen al ruiken.
Hij liep door de veestal en de melkstal weer terug naar het betonnen gedeelte en vervolgens over het erf naar de huisdeur. Bij de deur lag de huiskat, een lapjeskat, al op hem te wachten. Zij was de enige die naar binnen mocht omdat ze zindelijk was, een vriendelijk karakter had en een zeer goede muizenvanger was. Robin bukte zich om zijn laarzen uit te doen en haar op de kop te krabbelen.
'Hallo,' zei hij.
Ze kroelde onder zijn hand en murmelde wat terug. Toen hij de deur opendeed schoot ze als een speer voor hem uit naar binnen.
Judy zat nog net zo aan de keukentafel waar Robin haar twintig minuten geleden had achtergelaten. Ze had de afwas wel gedaan, maar zat nu met haar ellebogen op tafel naar het glas rode wijn te staren dat Robin voor haar had ingeschonken. Ze keek niet op toen hij binnenkwam.
Hij stapte met zijn natte sokken in een paar slippers.
'Alles is oké,' zei hij.
'Fijn.'
'Honderdtien al. Ik wil me wat meer richten op het Hollandse vee. Drie gaan er volgende week kalveren.'
Judy, met haar ogen nog steeds op de wijn gericht, vroeg: 'Wat gebeurt er als het stierkalfjes zijn?'
'Dat weet je toch wel,' zei Robin. Hij schonk voor zichzelf een glas wijn in en ging tegenover haar zitten. 'Je bent hier opgegroeid.'
'Ik ben het vergeten.'
'Die gaan naar de markt.'
'En dan?'
'Dat weet je ook. Of ze worden mestvee of ze gaan rechtstreeks naar het abattoir.'
'Mam heeft me eens verteld dat een van de eerste dingen die ze over het boerenleven leerde was dat een mannetje, wat voor mannetje dan ook, alleen maar vanwege zijn zaad belangrijk was... en het vlees.'
Robin gaf geen antwoord. Hij draaide zijn glas rond. Hij had het tijdens de maaltijd al moeilijk genoeg gehad gehad omdat hij niet wist wat Judy van hem wilde. Op een bepaald moment, toen ze in het eten dat Dilys voor hen had gemaakt, zat te prikken, had ze gezegd: 'Ik geloof niet eens dat we om dezelfde persoon zitten te rouwen.'

'Hoe kom je daarbij,' had hij geantwoord. Het was allemaal heel duidelijk voor hem en het verbaasde hem ook niet. Hij wist dat hij haar had beledigd door niet op de juiste manier te reageren bij haar duidelijk aanval op hem. Ze koesterde haar verdriet en hield het bij hem vandaan alsof hij het zou kunnen bevlekken en niets van haar verdriet zou begrijpen.
Nu zei ze: 'Pap...'
'Ja?'
'Ik wil je iets vragen.'
'Ja?'
Haar lippen trilden. 'Heb je ooit van haar gehouden? Heb je wel van mam gehouden?'
'Ja.'
'Dat zeg je veel te vlug.'
Robin stond op, steunde met zijn handen op de tafel en keek haar aan. 'Ik denk dat ik op dit moment niets tegen je zou kunnen zeggen dat je voldoening geeft.'
Ze keek naar hem op. 'Als je van haar hebt gehouden...'
Hij wachtte.
'Als je echt van haar hebt gehouden...'
'Ja?'
'Waarom ben je dan zo kwaad?'

2

Carolyn Bliss was in een klein, zachtblauw geschilderd huis in Sausalito, aan de Marin-County kant van de Golden Gate Bridge in San Fransisco, geboren. Haar vader was een schilder, een vredige, marihuana-rokende man zonder een bepaald doel in zijn leven en met zo'n overdreven ethisch gevoel voor betrekkelijkheid, dat hij, volgens Carolyns moeder, nog nooit in zijn leven iets had kunnen besluiten. Zij kwam uit een klein, nietszeggend dorp vlak bij de provinciale grens van Washington en was een stevig meisje van Zweedse boerenafkomst. Het was haar wens geweest om met haar schilder en de baby naar Oregon te verhuizen en een wijngaard te beginnen. Een kleine wijngaard, twaalf hectare groot en beplant met Cabernet Sauvignon-druiven. Het houten, blauwe huis uit Caro's jeugd stond volgepropt met boeken over wijnbouw en snoeitechnieken, en de muren hingen vol foto's van bestofte druiven in de late najaarszon.

Caro groeide op in het besef dat het leven – en daardoor de wereld en de toekomst – aan de andere kant van de Golden Gate Bridge lag. Het silhouet van San Fransisco aan de overkant van de baai lag in de zon te trillen als een groep grillige torens uit een mythologisch droomverhaal, met de belofte dat als je eenmaal de overkant kon bereiken je je eigen heilige graal had gevonden. Haar moeders verhalen over Oregon versterkte het gevoel dat het blauwe huis alleen maar een beginpunt was, niets meer dan een studeerkamer, en dat er letterlijk en figuurlijk niets achter het blauwe huis lag, dat er verder niets was dan de baai, de brug en de stad aan de overkant die naar hen lagen te wenken. Dat was de enige realiteit. 's Zomers werd de prachtige kustlijn rond het blauwe huis overspoeld door mensen uit de stad die daar hun tweede huis hadden. Mensen met kinderen van wie de vader niet de hele winter in een bedwelmende mist de vissers in de haven in de weg liep en met moeders die zeilden en zwommen en barbecuefeestjes gaven, in plaats van het hele jaar door achter het blauwe huis in de grond te hakken, zoals de hare, alsof ze vastbesloten was om alleen al door brute kracht enige vorm van productiviteit los te wrikken.

Ze hadden zich een paar weken bijna gelukkig gevoeld omdat Caro's

vader was weggegaan. Hij was zomaar verdwenen met zijn tubes verf, een voorraad marihuana (die hij met de grootste zorg voor zichzelf in een hoekje op zijn vrouws land had gekweekt) en haar kleine beetje spaargeld, bedoeld voor de wijngaard in Oregon. De politie zette zijn naam op de eindeloos lange lijst van vermiste personen, maar waarschijnlijk voelden ze aan dat noch zijn vrouw, noch zijn dochter hoopten dat hij snel zou worden gevonden. En na een paar maanden, zonder zich er verder druk over te hebben gemaakt, namen zij aan dat hij, ook al was hij nog in leven, zeker nooit meer thuis zou komen. Caro had een waterverfschilderijtje van hem, een klein, langegerekt stuk blauw zeewater. Soms keek ze naar dat stukje water en vroeg zich dan af of hij vredig op de bodem van de baai zou liggen, met in één hand een joint en in de andere zijn penseel. Ze miste hem niet. Hij had niet genoeg van zichzelf gegeven om gemist te worden.
Caolyns moeder verkocht het blauwe huisje aan een Chinese familie uit San Fransisco die het als tweede huis wilden hebben en verdween met haar dochter naar het noorden. Caro was toen elf. Tijdens de reis deed haar moeder een vriendin op, een kleine, harde vrouw die Ruthie heette en die ook sterk in de droom van de wijngaard geloofde. Ze kochten een oude, gedeukte caravan, knapten hem op en tijdens de volgende vier jaar reed Caro over de wegen van noord-west Amerika, op zoek naar de twaalf hectaren. Tijdens deze reis kwam het zo nu en dan in haar op dat ze nooit over de Golden Gate Bridge was gekomen op weg naar de toekomst, en alhoewel ze Marin County nu wel definitief had verlaten, ze dus nog steeds beheerst werd door het blauwe huisje, wachtend op het begin van het ware leven.
Ze vond Ruthie niet aardig. Als ze ergens een tijdje stonden en zij daar naar school ging, hoorde ze wel eens van de andere meisjes dat haar moeder en Ruthie met elkaar sliepen. Caro kon er nooit iets van merken, maar ze zorgde er wel voor dat ze niet te nauw keek, net zoals ze net deed alsof ze de voedselbonnen niet zag, noch het voor Ruthie en haar moeder zware, rondtrekkende, harde leven: het snoeien van wijnaanplant in januari, erwtenpluk in juni en de rugbrekende oogsttijd aan het einde van de zomer. Ze bewaakte met hevige bezitsdrang haar eigen hoekje in de caravan en tekende eindeloos dezelfde tekeningen van huizen met tuinen en appelbomen en hondenhokken. Huizen die een voorbeeld waren van een gezapig, burgerlijk leven.
Toen ze vijftien was had ze er genoeg van. Op een winderige dag in augustus vlocht ze haar haar, trok schone kleren aan die ze had gestre-

ken door ze keurig op te vouwen en een nacht onder haar matras te leggen, en vroeg aan de boerin voor wie haar moeder en Ruthie maïskolven kapten, of ze die winter op de boerderij mocht blijven wonen zodat ze voortaan regelmatig in Harrisburg naar school kon gaan. Ze zei dat ze in haar onderhoud zou voorzien door het huis schoon te houden, de kippen te verzorgen, de afwas te doen en op de kinderen te passen. De boerin keek vermoeid naar haar vijf zonen onder de negen en zei ja. Een enorme ruzie was het gevolg. Ruthie probeerde haar in de caravan op te sluiten en haar moeder verstopte haar schoenen. Maar voor het einde van de maand verhuisde Caro naar de boerderij en bekeek, met uiterste tevredenheid, haar sober en zeer stoffig kamertje.
Ze verbleef daar een jaar. Daarna mocht ze bij een schoolvriendinnetje wonen en toen, in haar eindexamenjaar van haar middelbare school, verhuisde ze naar het huis van haar geschiedenislerares. Haar moeder en Ruthie doken een paar keer per jaar op en bezochten haar op deze adressen en werden altijd met koekjes en gemberbier, of pizza en calorie-arme cola onthaald. Op een gegeven moment vond Caro dat ze zich nu lang genoeg met haar leven hadden bemoeid en liet hen uit haar leven verdwijnen. Hoe ouder ze werden hoe meer ze op elkaar gingen lijken, beiden waren grof in de mond en gedroegen zich mannelijk. Geen van beiden had ooit gevraagd of ze bij hen terug wilde komen, maar als ze dat hadden gevraagd had ze toch nee gezegd.
Op haar achttiende won ze een beurs en mocht ze een cursus grafische kunst gaan volgen op een kunstacademie in Portland. Een gevolg van haar eigen drang naar perfectie en het artistieke talent dat ze van haar vader had geërfd. Helaas viel de cursus haar tegen en kreeg ze het gevoel dat ze, als ze iets wilde bereiken, op de verkeerde plaats zat, en dat ze, als ze niet als de verdommenis weer terug naar het zuiden ging en aan de andere kant van de Golden Gate Bridge terechtkwam, nooit iets in haar leven zou bereiken en dat alles waar ze in haar jeugd voor had gevochten voor niets geweest zou zijn.
Om het buskaartje terug naar Californië te kunnen betalen en een beetje geld in haar zak te hebben, verkocht ze bijna al haar bezittingen. Terug in Sausalito bezocht ze uit nostalgie haar oude, blauwe huis – nu felroze geschilderd – en liep toen met haar rugzak helemaal over de Golden Gate Bridge de stad in. In precies zevenentwintig minuten. Daarna, en door de herinnering aan de verwelkoming van de academische bevolking van Harrisburg, lifte ze naar de universiteit van Berkeley en vond een baantje in een van de futon-winkels die tussen de banken en boek-

winkels en leveranciers van hippie-kralen, ginseng en geestverruimende paddestoelen, lag.
Als resultaat gebeurde er twee belangrijke dingen in Caro's leven. Het eerste was dat ze met een Engels echtpaar bevriend raakte – hij, professor in semantiek, zij natuurkundige, beiden voor een jaar in Berkeley gestationneerd als onderdeel van een academisch uitwisselingsprogramma. Ze kwamen de winkel binnen om een paar futons voor hun flat te kopen, zodat ze hun kinderen te logeren konden hebben. En in de hoge, lichte winkel tussen de bleekgekleurde rollen beddegoed ontsprong een vriendschap. Caro werd voor etentjes uitgenodigd en later voor hele weekenden.
Het tweede was dat Caro voor het eerst verliefd werd. Op een Japanse student van de universiteit die op zaterdag en soms op een doordeweekse ochtend in de winkel werkte, waar hij met de manager die geen Japans sprak en sommige facturen niet kon lezen, de orderboeken bijhield. Hij heette Ken. Voor een Japanner was hij behoorlijk groot, maar toch nog een stuk kleiner dan Caro. Ze vreeën in de voorraadkamer achter de winkel, op de futons die wegens stikfoutjes teruggestuurd moesten worden. Ze vond zijn huid en haar ontzettend aantrekkelijk en ze viel op zijn beleefde manieren. Hij vergezelde haar naar de studentenarts om haar eerste recept voor de pil te halen. Ze begon te geloven dat ze nu eindelijk de brug over was.
Maar toen werd ze ziek. In het begin voelde ze zich moe en misselijk, hetgeen ze toeschreef aan het gebruik van de pil. Toen begon ze zich veel zieker te voelen en haar menstruatie was ook gestopt. Ze had geen zin meer om te vrijen en Ken, onverstoorbaar beleefd, maakte het haar duidelijk dat hij geen zin had om alleen maar op de futons een sigaretje met haar te roken. Hij trok zich een beetje terug en kondigde toen aan dat hij een andere uitlaatklep voor zijn natuurlijke behoefte moest zien te vinden. Hij veranderde van baan en nam voor de zaterdag een baan aan in een sushi-bar, waar hij in een groen vest met bijpassend vlinderstrikje achter de kassa de dollars van de klanten in ontvangst nam.
Drie dagen na zijn vertrek viel Caro op haar werk flauw. Toen ze was bijgebracht mompelde ze dat de pijn onverdraaglijk was en viel weer flauw. Ze werd naar het ziekenhuis gebracht, waar testen uitwezen dat haar beide eileiders door een infectie geblokkeerd waren en dat haar beide eierstokken door dezelfde infectie waren aangestoken. Direct na de operatie werd haar verteld dat ze helaas onvruchtbaar was geworden. Ze werd ontslagen en werd door het Engelse echtpaar liefdevol

opgevangen om te herstellen op een van de futons die zij aan hen had verkocht.
Ze waren goed voor haar. Ze was, zeiden ze, net zo oud als hun oudste dochter, die rechten studeerde op een Engelse universiteit die Exeter heette en waar Caro nog nooit van had gehoord. Ze verzorgden haar tot ze weer beter was, bezorgden haar een baantje in de boekwinkel van de universiteit en gaven haar toen voor haar twintigste verjaardag een retourticket naar Londen. Ze hadden genoeg vrienden en familieleden in Londen waar ze zou kunnen logeren, zeiden ze. En zo kreeg ze de kans om haar leven en haar land vanuit een ander perspectief te bekijken. Het zou haar helpen, zeiden ze, met het maken van de juiste keuzes. In Caro's opvatting was dit het meest bijzondere cadeau dat ze ooit had gekregen; niet omdat het zo'n duur cadeau was, maar omdat, niettegenstaande Ken en de operatie waarvan de consequenties nauwelijks tot haar waren doorgedrongen, het bewees dat de belofte van de Golden Gate Bridge werkte.

In april 1971 arriveerde Caro Bliss in Engeland, met een bescheiden koffer met kleren en met een lijst adressen op zak. Ze logeerde tien dagen bij familie van haar weldoeners in een buitenwijk van Richmond Park en verhuisde daarna naar een chaotisch studentenhuis – een gehuurde boerderij met lauw water en met regelmatig onderbroken elektriciteit – net buiten Exeter. De cultuurschok tussen de beide plaatsen was enorm. Zelfs de taal scheen meer te verdelen dan te verbroederen. Caro verdroeg een week of drie de voor haar onbegrijpelijk lawaaierige stoeipartijen van de studenten – in elk opzicht zo verschillend van hun altijd onder de dope zittende tegenhangers in Berkeley – en verliet met achterlating van een stijf bedankbriefje in haar Amerikaanse handschrift de boerderij, om de mysteries van de Engelse spoorwegen te leren kennen op weg naar haar derde adres, een boerderij in de Midlands.
Het bleek een groot handelsbedrijf te zijn, waar varkens en runderen werden gefokt voor hun vlees en waar voor een keten dorpswinkels fruit werd geteeld en groente verbouwd. De familie die het leidde – vader, moeder, volwassen zoon en twee dochters – kende de natuurkundige in Berkeley vanaf de tijd dat ze nog een kind was. De schoonmoeder van de boer, nu overleden, was haar peetmoeder geweest. Ze namen Caro op alsof ze lange, Amerikaanse meisjes zonder huis en zonder speciaal doel, elke dag van de week binnenhaalden, en betrokken

haar gewoon bij hun leven en werken.
Ze spraken ook niet de hele tijd, zoals die studenten in Exeter. Ze spraken alleen wanneer ze het nodig vonden en meestal over dingen die met hun werk te maken hadden. Dat vond Caro prima. Ze had sinds haar vijftiende zo in de marges van het leven van anderen geleefd dat ze eraan gewend was geraakt niet veel te praten, alsof ze door te praten zichzelf in het voetlicht zou plaatsen, of de aandacht van mensen van wie ze afhankelijk was op zich zou vestigen. Ze durfde niet het risico te nemen dat ze door een verkeerd woord de mensen van zich zou vervreemden. Zelfs voor haar vijftiende had ze geen welbespraakt leven geleid. Het helder verwoorden van haar vader had in zijn schilderijen gelegen, van haar moeder in het gejaagde van haar handelingen, bedoeld om een of andere realiteit uit haar romantische dromen los te wrikken. En hier, op dit grote, efficiënt geleide bedrijf ergens in de Midlands, begon Caro zich veilig en thuis te voelen. In het begin bleef ze op haar hoede en probeerde ze aan de onbekende ritme's van de dag en het vreemde eten te wennen, maar ze begon zich al gauw, niettegenstaande zichzelf, te onspannen.
Op sommige avonden of weekenden werd ze door de zoon des huizes en zijn vriendin – een dierenarts, gespecialiseerd in varkens – mee op sleeptouw genomen naar de lokale Jonge Boerenclub. Ze volgde cursussen in het beheren van boerenbedrijven, zat in de jury van een veecompetitie en bracht ontzettend veel avonden in het café door, waar ze leerde hoe ze darts moest spelen en nooit het lauwe, zware Engelse bier leerde waarderen. Er kwamen praktisch altijd dezelfde vriendelijke, vrolijke en gezonde mensen, een jongerengroep van een soort dat Caro totaal niet kende. Het waren de kinderen van de boerenfamilies en voor de meesten was het besluit om ook op het land te gaan werken nauwelijks een besluit geweest, maar meer een aanvaarden van het al uitgestippelde pad. Terwijl ze in de rokerige bars en cafés in het rond zat te kijken begreep Caro op een gegeven moment met iets van verbijstering dat zij, de zwerfster, eindelijk tussen de kolonisten haar plek had gevonden; tussen mensen die zichzelf meer met een plaats identificeerden dan met een bepaalde persoonlijkheid of baan. En, tot haar eigen verbazing vond ze dat prettig.
Robin Meredith had al vijf weken een oogje op haar gehad voordat hij haar aansprak. Omdat hijzelf zo lang was, werd hij geïmponeerd door haar lengte en hij viel ook op haar ietwat exotische accent. Ze was anders gebouwd dan de Engelse meisjes en ze gebruikte haar lichaam

en haar handen ook op een andere manier. Hij had gehoord dat ze werkte in de winkel van de boerderij in Thripps End, dus vermoedde hij dat ze in een of ander internationaal uitwisselingsprogramma zat waar men de terugreis naar huis zo lang mogelijk uitstelde en daardoor ook het onder ogen zien van de toekomst. Toen hij uiteindelijk een glas cider voor haar bestelde, ontdekte hij pas dat ze helemaal geen studente was, noch dat ze een baan had. Ze was naar Engeland gekomen, vertelde ze hem, op aanraden en de goedgevigheid van anderen.
'Waarom?' vroeg hij.
Ze haalde haar schouders op. 'Ik denk dat ik het wel eens wilde zien. Om vanuit hier naar daar te kijken.'
'Waarom?' vroeg hij weer.
Ze had even gezwegen en in haar glas cider gekeken. Toen had ze met haar net verworven zelfkennis gezegd: 'Misschien wilde ik wel ontdekken of ik echt een nomade was.'
Hij begreep totaal niet waar ze het over had, maar hij vroeg haar toch mee uit. Hij reed met haar over het platteland en wees haar verschillende soorten boerderijen en gewassen aan en de speciaal voor het kweken van fazanten beboste terreinen. Hij nam haar mee naar de bioscoop, waar hij met zijn dij tegen de hare zat aangedrukt maar niet haar hand pakte; hij bracht haar naar de lokale jaarlijkse paardenmarkt, waar ze de eerste zigeuners van haar leven zag en toen naar de top van Stretton Beacon, vanwaar hij haar het land toonde dat nu als een lappendeken, netjes in vakken, en met de akkers geaccentueerd door heggen, boerderijdaken en kerktorens, onder hen lag uitgespreid. Daar, boven op de berg, in de wind, kuste hij haar en vertelde hij dat hij het ouderlijk huis ging verlaten om een melkveebedrijf voor zichzelf te gaan beginnen.
'Kijk, daar beneden,' zei hij en wees naar de grijze bochten van de rivier de Dean onder hen. 'Daar beneden.'
'Ik heb nog nooit een koe aangeraakt,' zei Caro.
'Ik begin met twintig koeien,' zei hij. 'Twintig. En ik bouw mijn eigen melkhuis.'
Ze keek naar het landschap beneden. Ze had mooiere landschappen gezien, zeker meer dramatischer, krachtiger. Maar had ze ooit een landschap gezien dat er zo voor gemaakt leek te zijn om er te wonen en te werken? Had ze ooit een plek gezien dat er zo vriendelijk, makkelijk hanteerbaar, harmonieus uitzag? En het lag daar maar gewoon, zo maar aan haar voeten. Tussen de veertig en vijftig vierkante kilometer van vredig, handelbaar bouwgrond, met een vredelievende mensheid, niet

verscheurd door overdreven weersgesteldheden of aardbevingen, niet ongrijpbaar door onmogelijke afstanden. Het was een echte wereld daar beneden, een complete wereld voor man en land en beest onder een onopvallende, niet-bedreigende Engelse hemel. Caro stopte haar handen diep in de zakken van haar jack en sloot haar ogen. Hoe kon ze haar kans van slagen, zonder enige hulp behalve haar gezonde verstand, inschatten?

Een week later reed Robin haar naar Tideswell Farm. Ze inspecteerden de boerderij en het in slechte staat verkerende erf en wandelden door het verwaarloosde land naar de rivier, waar de eenden, koeten en korhoenders zachtjes tussen het riet kwaakten. Het was eind maart en de wilgen droegen hun geelgroene lentewaas en op de oever aan de overkant werd de roodbruine aarde door een tractor in keurige ribbels, net als ribfluweel, omgeploegd.
'Wat denk je van het huis?' vroeg Robin.
Caro keek naar de tractor. Achter de tractor aan vloog een groepje zeemeeuwen over de pas omgeploegde grond om te zien of er wat van hun gading te halen was. Robins huis was bijna te vreemd voor haar om er een mening over te geven, zo oud en zo solide met die dikke stenen muren, maar ook zo grillig met de sombere, kille Victoriaanse aanbouwsels. De lange gang met de mozaïekvloer in rood en oker, en de kamer met de grote erker en de houten wanden die haar aan een gotische kerk deed denken.
'Ik weet het niet,' zei ze. 'Ik heb nog nooit zo'n huis gezien.'
'Maakt dat wat uit?'
Ze keek hem aan.
'Nee,' zei ze langzaam. 'Ik denk het niet. Maar als je zoals ik altijd aan het trekken bent, blijf je vergelijken. Dat kun je niet helpen. Het zijn juist de verschillen die je maken tot wat je bent, hoe je denkt.'
Hij reikte met zijn hand in de wilgenboom en brak er een lange, gladde, buigzame twijg af.
'Wat is de fijnste plaats geweest waar jij hebt gewoond?'
'O,' zei ze. 'Die heb ik nog niet gevonden. Ik ben er nog steeds naar op zoek.'
Robin boog de twijg tot een cirkel, een wilgenkroon, en zeilde hem als een werpring over het water.
'Je hoeft niet te blijven rondzwerven,' zei hij. 'Dat hóéft niet.'
Ze keek naar hem. Ze keek naar zijn ruige, bijna zwarte haar en naar zijn

onbuigzame gelaatstrekken, naar zijn ribfluwelen broek, zijn laarzen en zijn oude windjack met de kraag tot aan zijn oren omhooggetrokken. Ze dacht: Ken ik die man eigenlijk wel? En toen er meteen achteraan: Wie heb ik eigenlijk ooit gekend?

Hij draaide zich om, om haar aan te kijken. 'Ik zei tegen je dat je niet meer hoeft rond te zwerven. Nooit meer.' Hij gebaarde naar de richting van het huis. 'Je zou hier kunnen leven. Ik geef je een plek waar je kunt leven. Je zou...' Hij zweeg even en zei toen: 'Je zou met me kunnen trouwen.'

3

Velma Simms stond aan het keukenaanrecht op Tideswell Farm de ontbijtboel van Robin af te wassen. Hoewel Caro een afwasmachine had laten installeren gebruikte Velma die nooit. Hoofdzakelijk omdat het elektriciteit kostte. Dat gold ook voor de rolveger die ze prefereerde boven de stofzuiger. Bovendien hield ze ervan om de huishoudelijke klussen in het schemerdonker te doen. In haar woningwetwoning zat nog een elektriciteitsmeter die op munten werkte; ze beschouwde hem als een soort kwade geest die haar door hoger hand was opgedrongen. Alles wat ze maar zonder de tiran die elektriciteit heette kon doen, gaf haar een zegevierend gevoel, alsof ze het gevecht met een duistere geest had gewonnen.

Aan de keukentafel achter haar zat Gareth een sandwich met bacon te eten. Debbie maakte 's avonds een hele stapel voor hem klaar en Gareth had er de gewoonte van gemaakt ze na het eerste melken, in de keuken van de boerderij op te eten, zodat hij niet naar huis hoefde te gaan. 'Huis' was een stenen bungalowtje met vier kamers dat Robin voor de vorige veeknecht had laten bouwen en dat nog op geen tweehonderd meter afstand lag, maar hij vond de keuken van de boerderij gezelliger en vijftien minuten met de werkster betekende dat hij op de hoogte werd gehouden van alles wat er gebeurde. Toen Caro nog leefde had hij dat nooit gedaan. Hij had altijd vaag het gevoel gehad dat hij op verboden terrein kwam, dat hij inbreuk maakte op de privacy van iets dat zowel vrouwelijk als mysterieus was. Soms had hij in zijn ketelpak en op zijn sokken vanuit de deuropening briefjes voor Caro die ze aan Robin moest doorgeven, afgegeven. Over een koe met een ontstoken uier of de mislukking van een kunstmatige inseminatie. Maar verder dan de deuropening was hij nooit gegaan. Hij was altijd onder de indruk geweest van de koelkast. Als hij met Caro sprak dwaalden zijn ogen doorlopend naar dit enorme Amerikaanse wonder met de dubbele deuren en haast net zo groot als een klerenkast.

'Je zou hem eens moeten zien,' zei hij tegen Debbie. 'Je kunt er met gemak twee kerels in stoppen.'

Hij zat er nu, rustig kauwend, met zijn rug naartoe. Zonder Caro en met

in de donkere hoeken van de grote keuken alleen maar Robins gereedschap, had de grote koelkast zijn magie verloren. Hij leek er hoofdzakelijk nog te staan om Velma te pesten. Ze kon de deuren nauwelijks openkrijgen en als het haar lukte, floepten er binnen de lichten aan en dat haatte ze.
Dan riep ze: 'Zonde van al dat elektra!' en gooide de deur nog bijna voor ze de melk eruit had gepakt weer dicht.
Nu zei ze: 'Hij wil niet meer uitgebreid ontbijten.' Ze zette met een klap een schaaltje in het afdruiprek. 'Tot haar dood heeft hij altijd voor zichzelf iets lekkers klaargemaakt. Maar nu doet hij het niet meer. Bekers kouwe thee, die hij vergeet op te drinken en overal in het huis staan en die eeuwige cornflakes.'
'Beter dan de fles,' zei Gareth. Hij bestudeerde de achterkant van Velma. Ze droeg een paarse legging onder een zwarte trui, allebei te kort. En groene gympen. 'Me toffels,' noemde ze die. Ze had net zo'n groot achterwerk als zijn moeder, bedacht Gareth.
'Hij aanbad de grond waarop ze liep,' zei Velma. 'Hij aanbad haar gewoon.'
'Dacht je dat?' vroeg Gareth. De Robin die hij kende was helemaal geen man om voor wie of wat dan ook de grond te aanbidden. Zo ver zou hij nooit gaan. Het enige wat hij wilde was dat alles op rolletjes liep en dat zijn mensen een behoorlijk stuk werk afleverden. Als Debbie weer eens klaagde – en dat gebeurde regelmatig – dat hij alleen maar aan zijn koeien dacht, was zijn antwoord steevast: 'Ja, natuurlijk, dat moet toch ook!' En met Robin de hele tijd op zijn nek, kon hij moeilijk anders. Debbie wilde helemaal niet dat hij veeknecht bleef en probeerde hem cursussen te laten volgen. Ze wilde dat hij bedrijfsmanagement ging studeren en een computercursus volgde. Ze wilde dat hij meer de zakelijke kant van een boerenbedrijf onder de knie kreeg, ze wilde hem niet in een vieze overall zien lopen en met dingen bezig zijn waar ze liever niet aan dacht. Maar Gareth hield van koeien. Hij vond de lange uren geen punt en hij kon goed met Robin opschieten. De gedachte alleen al aan computers gaf hem de zenuwen.
'Waar is hij eigenlijk naartoe?' vroeg Velma.
'Naar een vergadering over melkquota.'
'Wat een onzin, al dat gedoe over quota!'
'Ja,' zei Gareth. Hij stond op en maakte van het stuk zilverpapier waarin Debbie zijn brood had verpakt een prop. 'Vreemd is het hier nou, hè? Zo zonder Caro.'

Velma haalde haar handen uit het sop en droogde ze aan een theedoek af. Ze keek de grote ruimte rond met die eigenaardige Amerikaanse kleuren, naar de enorm grote koelkast en naar de poster van een geweldig grote brug, zwart tegen een zonsondergang, met de tekst 'California Dreamin'.
'Ze heeft hier nooit kunnen wennen,' zei Velma. 'Niet echt. De zuster van mijn moeder was net zo. Ging naar Nieuw-Zeeland om met een schapenboer te trouwen, maar ze kon er niet wennen. Vreselijke heimwee. Tot aan haar dood. Altijd doodziek van de heimwee. Maar ja, mijn tante wist tenminste waar ze heimwee naar had. Ik denk niet dat onze mevrouw dat wist.'
'Wie is dat?' zei Gareth. Het was tijd om weer aan het werk te gaan. Hij moest drie koeien die onderzocht moesten worden in de kraal zien te drijven, maar om de een of andere reden kon hij zich niet losrukken van dit gesprek. En nu, over Velma heen kijkend, zag hij door het raam bij de gootsteen een Land Rover op het erf staan.
'Joe,' zei Velma. Ze trok haar trui naar beneden. Knappe gozer die Joe. 'Wat moet die hier?'
Velma liep de keuken door naar de veranda waar de laarzen stonden en riep naar Joe : 'Hij is er niet!'
'Dat geeft niet.' Hij kwam naar de veranda en liep door naar de keuken. Net zoals Gareth gekleed in een blauwe overall maar met legerkistjes aan.
'Goeiemorgen, Gareth...'
Gareth knikte. Hij pakte zijn thermosfles en zijn krantje, die veel over voetbal had te melden en waarin elke dag een foto van een blote meid stond afgedrukt. Debbie had ook eens echte tieten gehad maar het leek wel of die in het niets waren verdwenen. Bij elk kind dat werd geboren een beetje minder. Jammer. 'Ik ga maar weer eens...'
'Ja,' zei Joe.
Velma kwam de keuken weer binnen en vroeg: 'Koffie?'
'Nee, bedankt,' zei Joe. 'Ik moet alleen even iets pakken.' Hij zweeg even en zei toen: 'Boven.'
'Zal ik even met je meegaan?'
'Nee,' zei Joe. Hij hief zijn hand op alsof hij haar wilde tegenhouden. 'Ik weet waar het ligt. Tot kijk, Gareth.'
Ze keken hem na toen hij de keuken uit liep.
'Doe die schoenen uit,' gilde Velma nog.
Ze hoorden zijn zware stap de trap op naar boven gaan.

'Wat moet die hier verdomme...'
'Weet ik veel,' zei Velma. 'Geen idee. Ik had hem moeten tegenhouden. Maar hoe had ik dat dan moeten doen? Hij is toch Robins broer?'
'Sst...' zei Gareth. Hij keek omhoog. Velma ook. Boven hun hoofd hoorden ze de vloerplanken kraken. Ze hoorden hem langzaam rondlopen en toen stilhouden.
'Hoe haalt-ie het verdomme in zijn kop?' zei Velma. 'Hij is in haar kamer! Daar heeft-ie verdomme niks te zoeken!'
Ze hoorden de voetstappen weer, heel langzaam en voorzichtig.
'Hij is in haar kamer!' herhaalde Velma. 'In Caro's kamer? Ik ben er na haar dood niet meer in geweest, alleen om een beetje af te stoffen en zo. Ik denk dat ik maar beter kan gaan kijken...'
'Nee,' zei Gareth. Hij legde een hand op haar arm. 'Laat hem nou...'
'Maar hij...'
'Je weet wel niet wat hij van plan is, maar je weet ook dat hij niets weg zal pakken. Misschien...'
'Wat?'
'Laat hem met rust,' zei Gareth. Hij gaf een kneepje in haar arm. 'Als hij iets kwaads van plan zou zijn, zou hij toch niet zo openlijk binnen komen vallen? Laat hem nou maar.'
Hij liep naar de deur met de thermosfles onder zijn arm en zijn opgerolde krantje in zijn hand. 'Tot kijk, Velma.'
Ze pakte de theedoek en schudde haar hoofd. 'Vreemd,' zei ze.

In Caro's slaapkamer leunde Joe tegen het voeteneinde van haar bed en staarde naar de plek waar ze had gelegen. Hij had haar daar meer dan eens zien liggen tijdens de snelle en angstaanjagende voortgang van haar ziekte; in haar gestreepte slaaphemd en met haar haar in een vlecht opzij zodat ze gemakkelijk kon liggen. Tenminste, toen ze nog haar had. Vóór de kuur.
Hij leunde met zijn handen op het glimmende houten voeteneinde en staarde naar de bobbel van het kussen onder de roodwitte patchwork quilt. Hij wist eigenlijk zelf niet zo goed wat hij hier kwam doen, wist alleen dat hij gevolg had gegeven aan de plotselinge opwelling om afscheid van Caro te willen nemen. Om haar uit te leggen – meer door zijn aanwezigheid daar dan door hardop iets te zeggen – dat zijn mentale afwezigheid bij haar begrafenis en alles wat met haar overlijden had te maken, niets met háár te doen had. Het lag veel en veel dieper, had met angst te maken, een gevoel dat over hem was gekomen op het

moment dat Robin hem uit het Stretton ziekenhuis had gebeld om hem te vertellen dat Caro twintig minuten daarvoor was overleden. Dat gevoel was hij daarna niet meer kwijtgeraakt. En later, aan haar graf, toen hij de gele paraplu voor Lindsay en Judy had opgehouden, was hij bijna panisch geworden. Sindsdien had hij dat gevoel af en aan gehad. Hij maakte zelfs een hele omweg via Dean Cross, om maar niet langs het kerkhof te hoeven rijden en blafte Lindsay iedere keer af als ze Caro's naam gebruikte. Tien minuten geleden, op weg naar huis, toen hij over de weg reed die van Dean Place naar Tideswell liep, raakte hij zo in paniek dat hij bijna, misschien een fractie van een seconde, was flauwgevallen.

'Ik moet dit onder controle krijgen,' had hij hardop tegen zichzelf gezegd, terwijl hij het stuur bijna fijnkneep. 'Ik ga naar haar slaapkamer en zál het onder controle krijgen.'

Maar haar slaapkamer deed hem niets. Het was er netjes, bijna streng gemeubileerd met verschillende spullen die ze her en der op veilingen had gekocht; keurige dingen, zelfs een beetje stijf. Er was totaal geen spoor van Robin in die kamer, geen enkel bewijs dat hij ooit samen met haar onder de patchwork quilt had gelegen. Maar ja, er was geen enkel bewijs van iets anders ook, laat staan het teken van leven waarop Joe zo wanhopig had gehoopt.

'Caro,' zei hij hardop in de ruimte.

Niets bewoog. Hij liep naar het raam en keek uit over de weilanden – een uitzicht dat ze duidelijk had uitgekozen – en zag daar ook niets bewegen, zelfs geen koeien. Er hing iets bijna letterlijk ondraaglijks door haar afwezigheid, iets ontzettends wreed en ook zo fataal. Hij leunde met zijn voorhoofd tegen het glas. Het was de fataliteit dat zo ondraaglijk was. Zonder Caro daar, zonder haar lichamelijke aanwezigheid als proef van die andere wereld, dat andere leven van hoop en beweging dat altijd als een aura rond haar hing, leek het alsof het lot niet bestond. Hij slikte moeilijk. Iets aan Caro, wie ze was en waar ze vandaan was gekomen, had hem een gevoel gegeven – waarom had ze dat verdomme gedaan? – dat hij zijn lot had kunnen ontlopen, dat hij – zolang hij dat lot maar voorbleef – altijd op vleugels zou kunnen lopen. Ze had hem zelfs het gevoel gegeven dat geld onbelangrijk was, dat zijn zogenaamde flair met het beheren van het bedrijfskapitaal gezond was. Hij had nooit openlijk met haar over zijn angsten gesproken, over de geheime leningen die hij had afgesloten, over zijn neiging om te denken dat hoeveel geld hij ook spendeerde, het automatisch een rendement

zou opleveren. Hij had haar af en toe wel een hint gegeven. En dan glimlachte ze naar hem. Een kalme, maar misleidende glimlach. En dan zei ze dat hij nooit bang voor de korte termijn moest zijn. De korte termijn visie gaf vaak een verkeerd beeld; men moest zich op de lange termijn richten. En nu ze er niet meer was, was de troostrijke gedachte aan de lange termijn met haar verdwenen, en hij was, inclusief de verkeerde beelden, hier achtergebleven.
Hij rechtte zijn rug en wreef over zijn voorhoofd. Hij zag Gareth een eindje weg beneden hem voorbijkomen, met in elke hand een koe aan een halster. Robin was goed in het trainen van koeien aan halsters. Hij had een constructie gebouwd dat op een waslijnmolen leek en waarmee de vaarskalveren werd geleerd aan halsters te worden geleid. Hij zei dat je de koeien dan beter kon showen en dat een welopgevoede koe op de veemarkt snel het oog van de koper trok. Robin... Wat zou Robin wel denken als hij nu ineens zou thuiskomen en Joe, zonder aanwijsbare reden, in de slaapkamer van zijn overleden vrouw zou vinden? En hij zou het ook niet kunnen uitleggen, in ieder geval niet op een concrete manier en zeker niet om je al sceptische broer te kunnen overtuigen, die zich uiteraard wel totaal aan zijn rouw mocht overgeven. Terwijl hij, die alleen maar een zwager van de overleden vrouw was, maar wel de echtgenoot en vader van levende wezens, niet dat recht had. Totaal geen recht, behalve dat angstaanjagende gevoel dat zij op de een of andere manier de sleutel voor zijn toekomst in handen had gehad, maar met haar mee de dood in had genomen.
Hij liep naar de overloop. Het was doodstil in huis. Velma zou nog wel in de keuken zijn, zogenaamd met de afwas bezig, maar in werkelijkheid wachtend tot Joe naar beneden zou komen om haar een en ander uit te leggen. Velma was niet naar de begrafenis geweest. Ze zei dat ze dat nooit deed omdat ze er niet tegen kon. 'Zo morbide,' zei ze. 'Dood is dood. Begrafenissen zijn ziek.' Joe vroeg zich af wat ze tegen Robin had gezegd, als ze al iets had gezegd. 'Gecondoleerd met uw verlies?' of 'Ik mis haar wel, hoor' of alleen maar 'Moet ik nog een pot oploskoffie kopen? Deze is bijna leeg.'
Robins deur aan de andere kant van de overloop stond open. Zijn bed was enigszins opgemaakt, maar Joe zag dat de beide houten stoelen vol kleren lagen en dat er schoenen, kranten en agrarische maandbladen over de hele vloer verspreid lagen. Gek eigenlijk, Robin was juist altijd zo netjes geweest. Op de ladenkast tegen de muur stond een foto van Caro. Een zwartwit-foto, waarop ze tegen een hek stond geleund die

een afscheiding vormde tussen de tuin en het weiland erachter waar de jonge vaarskalveren het eerst werden losgelaten. Vlak bij het huis waar men een oogje op de kalveren kon houden. Van deze afstand kon Joe de foto niet echt goed zien, maar Caro droeg haar haar los en ze droeg iets met een ruitje.
'Heb je het gevonden?' riep Velma van beneden.
Ze stond beneden aan de trap met een stofdoek en een spuitbus in haar hand. 'Heb je het nog kunnen vinden?'
'Nee,' zei Joe, 'maar het geeft niet.'
'Dan kun je maar beter naar beneden komen,' zei ze.
Hij liep langzaam de trap af, terwijl ze naar hem keek.
'Robin komt zo voor het eten thuis...'
'Ja.'
'Ik heb een lekkere quiche voor hem gemaakt,' zei ze, en liet er meteen op volgen: 'Ik zorg goed voor hem.'
Bij mij thuis, dacht Joe, heeft Lindsay een uitgebreide warme maaltijd bereid, zoals ze altijd deed en zoals ze vond dat ze moest doen. Voor hem en de kinderen. Met veel verse groenten. Dan zaten ze allemaal rond de keukentafel, hij en Lyndsay en Hughie en Rose in haar kinderstoel. Dan aten ze gebraden vlees of een kaas-en-aardappel-taart en Lindsay zou haar best doen het gesprek gaande te houden en zou hem aanmoedigen zich wat meer met Hughie bezig te houden. Ze probeerde hem altijd van de radio af te houden, zodat hij niet naar het agrarische nieuws en het weer kon luisteren. Ze zei dat hij dat maar in de Land Rover of op de tractor moest doen en dat de maaltijden ervoor waren om met elkaar te praten en elkaar wat aandacht te schenken. Rose kon nog niet praten, maar ze maakte dat goed door hard te schreeuwen of met haar lepel op het blad van haar kinderstoel te slaan. Tijdens de dagen dat Joe zich depressief voelde was hij dankbaar dat Rose er was.
'Dan ga ik maar,' zei Joe tegen Velma.
Ze keek naar hem op. Hij had altijd al dat air van een jonge John Wayne gehad. Dat ruige. Ze zei: 'Er kan toch wel een lachje af, Joe, het leven gaat door, weet je.'
Hij hield even stil, glimlachte met een glimlach die nooit zijn ogen bereikte en liep langs haar heen de keuken uit, het erf op.

Het stuk quiche voor Robin dat in een stuk krimpfolie verpakt zat, stond naast het peper- en zoutvaatje en lag tezamen met een half brood onder de gazen tafelparaplu. Caro had van Dilys een paar van deze koe-

pelvormige voedselbeschermers gekregen, ideaal tegen vliegen in de bijkeuken, maar Caro had ze nooit gebruikt. Ze had trouwens de hele bijkeuken nooit gebruikt, sinds ze alles dat beperkt houdbaar was, in de grote Westinghouse koelkast bewaarde, die Robert voor haar via een importeur in Londen had gekocht toen ze twaalf jaar getrouwd waren. De huiskat had duidelijk, zonder succes, een paar pogingen ondernomen om bij de quiche te komen. Ze zat nu op een stapeltje kranten bij de achterdeur op Robin te wachten en op de dingen die zouden kunnen gebeuren. Robin wees naar het bord.
'Voor mij,' zei hij.
De kat deed net alsof ze het niet had gehoord. Ze staarde hem onafgebroken aan. Robin keek naar de quiche. Het zag er niet erg smakelijk uit, zoals het meeste voedsel dat op kamertemperatuur werd bewaard en dan verkleurde. Maar Velma prefereerde dit boven het gebruik van de koelkast en daardoor de elektriciteit. Robin trok de krimpfolie eraf en rook eraan. Er kwam een sterke geur vanaf, niet echt zuur, maar wel ranzig. Hij pakte het bord en zette hem naast het stapeltje kranten.
'Helemaal voor jou,' zei hij.
Hij pakte een stuk kaas uit de koelkast. Het leek wel alsof hij de laatste tijd alleen maar op kaas leefde, kaas en cornflakes. Het vulde en het was gemakkelijk. Toen hij nog een jongen was had Dilys haar eigen huiskoe gehad die hen van alle melk en boter voorzag die ze nodig hadden. Zelfs de afgeroomde melk gebruikte ze bij het maken van brood. Nu kocht Dilys haar kaas en brood, net zoals iedereen. Het loonde trouwens de moeite niet meer om je eigen huiskoe te houden.
Velma had een boodschappenlijst op tafel achtergelaten: 'Man belde over agrarisch ontwikkelingsschema. Zei dat je wist waar het over ging. Gareth zei dat de nieuwe slikpijp is afgeleverd en dat hij vier koeien aan 't kalveren heeft. Verkoper van mest is langsgeweest, ik zei kom woensdag maar terug. Joe is ook langsgeweest maar ik heb geen idee wat hij wilde. Moet morgenochtend naar de dokter, maar kom meteen daarna. De schoorsteen in de zitkamer moet geveegd worden.'
Robin deed de radio aan, hoorde dat er een sterke westenwind werd voorspeld, wat hij al op de weg naar huis had gehoord, en zette hem weer af. Hij trok de voedselbeschermer weg en keek naar het brood. Wat zou Joe gewild hebben? Waarom had hij het niet over de telefoon kunnen zeggen? Hij pakte een mes en sneed geroutineerd dikke, gelijke sneden van het brood af. De vergadering was deprimerend geweest, zoals de laatste tijd alle vergaderingen. Aan alle kanten klaagden de zuivel-

producenten dat hun omzetten sinds het laatste half jaar dalende waren, terwijl de overheid bij het publiek door middel van reclamecampagnes eropaan drong minder vette zuivelproducten te kopen. Om dat te horen had hij niet naar de vergadering hoeven gaan, noch om zout in zijn kwetsbare wonde gewreven te krijgen. In de beginjaren had hij gedacht dat hij het gemaakt had; met winsten uit de verdubbeling van zijn kudde vee elk jaar, zodat de slaapverstorende leningen in die korte en gezonde tijd gewoon vanzelf leken op te lossen. Geen hoop meer, dacht hij, terwijl hij kaas tussen zijn brood deed. Totaal geen hoop meer met al die rijzende kosten en Gareth die hem dertienduizend pond per jaar kostte plus diens woning, de koeien die elk jaar bijgevoederd moesten worden, hogere belastingen... en nu, met die natte lente, zou hij zijn maïs ook veel later kunnen inleggen. Hij nam een hap maar legde zijn sandwich meteen weer neer. Het smaakte naar niets en was zo droog als gort.

Buiten was alles doodstil. Gareth zou de koeien over een uurtje weer naar de verzamelweide terugbrengen en daarna met de tractor met de nieuwe slikpijp alle aangekoekte smurrie achter het huis verwijderen. Het was een hele oude tractor, de eerste die Robin had gekocht en toen al derdehands. Tegenwoordig zou je niet eens een tractorband voor dat geld kunnen kopen. Hij hield van oude dingen, net als de ervaren koeien, vaak zo dwars als de hel, die steeds in dezelfde stal, in hun eigen nis stonden tijdens het melken; alles met de regelmaat van een klok. Ze hadden een autoritair air over zich dat hij respecteerde, een air dat de jonge dieren rustig hield. Juist om die reden zette hij altijd een paar van die oude dames tussen het jonge goed. Hoewel oud tegenwoordig niet meer het juiste woord was. Hij had ze graag een jaar of dertien, veertien in bedrijf willen hebben, zolang behoren ze mee te gaan, maar tegenwoordig haalden ze maar een jaartje of vijf.
Toen hij in zijn Land Rover klom om over het pad dat langs de weidegrond liep naar de rivier te rijden, werd hij op de rustige, familiaire manier door de koeien nagestaard. Door de vele regen die deze lente was gevallen waren de mensen die de watervervuiling controleerden, in alle staten. Benauwd, hoeveel er van de smurrie in de rivier was terechtgekomen. En als het deze mensen niet waren, dan was het wel de inspecteur van de gezondheidsdienst die op zijn nek zat. Het betekende altijd een extra kostenpost die hij niet kon opbrengen.
'Ik heb geen eigen geld,' had Caro al jaren geleden tegen hem gezegd.

'Niets. Geen cent.'
'Ik ook niet.'
'Maar...' Ze gebaarde naar het golvende land achter hen, waar het huis op het vervallen erf stond.
'Allemaal geleend,' zei hij, haar gebaar begrijpend. 'Alles, behalve de zesduizend pond die ik er zelf in heb gestopt. De rest heb ik allemaal moeten lenen.'
Hij reed de Land Rover van het pad en parkeerde hem voor een hek in het veld. Het land, zo dicht bij de rivier, had tot begin maart blank gestaan en lag er desolaat en onvruchtbaar bij, verlangend naar warmte en nieuw gras. Leningen! Daar was het allemaal mee begonnen. Het hoorde bij het leven als het dagelijks brood. Leningen voor vee, voor machines, voor bijgebouwen, tractors, mest en de installatie voor het melkhuis. Alles werd op huurkoop gedaan, alles was verouderd of onbruikbaar geworden voordat het was afbetaald.
Keer op keer had Harry hem geadviseerd om zelf te melken. 'Dat spaart je een veeknecht uit. Wat moet je eigenlijk met een knecht met zo weinig vee?'
Voor Caro, zou het antwoord geweest moeten zijn, maar hij had dat nooit hardop gezegd. Hij had het nooit gezegd, omdat Caro er zelf niets mee te maken had gehad. Ze had hem nooit gevraagd om meer tijd aan haar en Judy te besteden. Ze klaagde nooit, zoals Lindsay altijd deed, dat ze zich buitengesloten voelde met het tijdrovende, eeuwig in beslagnemende boerenleven dat hij leidde. Dat was zijn keus geweest, net zo goed dat het zijn keus was geweest een knecht in dienst te nemen die hij zich eigenlijk niet kon veroorloven. Hij wilde deel uitmaken van Caro's leven, er voor haar zijn, een paar uur per dag iets anders dan boer zijn.
'Waarom wil je eigenlijk boer worden?' had ze hem in het begin gevraagd. Hij had haar bijna verlegen gezegd: 'Omdat ik het fijn vind om zelf te produceren, dingen te zien groeien.' Ze had hem toen een hele tijd met een medelijdende blik aangekeken, wat hij helemaal niet had begrepen.
Hij stapte uit de Land Rover en liep dwars over het veld naar de heg, die nodig eens onderhanden moest worden genomen, en naar het smalle beekje, niet veel breder dan een greppel, die achter de heg van de smurrie-verzamelkuil naar de rivier liep. Hij wist dat de verzamelkuil moest worden uitgediept. Dat wist hij trouwens al een paar jaar, net zo goed dat hij wist dat hij tot de aanschaf van een nieuwe vuilwaterpomp

zou moeten overgaan. Voordat hij het wist zou hij weer een stapel boetes van de rivier-autoriteiten krijgen, die hij dan weer keurig in de trommel bij de andere rekeningen zou stoppen en waar hij alleen naar keek als hij herhaalde aanmaningen had gehad.
Caro had zich nooit met de boekhouding bemoeid. Hij had de boeken met de grootste moeite uit de handen van Dilys weten te houden in de hoop dat Caro de boekhouding zou overnemen. Zodat de prijzen van het voer, de waterbelasting en de strobalen een realiteit voor haar zouden worden, dat het hele boerenleven een realiteit voor haar zou worden en dat zij samen net zo betrokken zouden zijn bij dit leven als hij alleen. Maar ze had hem vriendelijk maar beslist afgewezen. Ze zei dat ze nooit gevoel voor cijfers had gehad.
'Maar je zou het toch kunnen leren.'
'Nee,' glimlachte ze. 'Absoluut niet.'
Ze had voor hem een kamertje ingericht dat hij als kantoor kon gebruiken. Een smalle kamer, meer een stuk gang, met een klein raam dat op de oprit uitkeek. Ze had zelfs eigenhandig planken voor hem aan de muur bevestigd en kussens en gordijnen gemaakt, alsof ze hem als een kind zag dat geleerd moest worden dat huiswerk leuk is. Dus had hij gehoorzaam twintig jaar lang, tot aan Caro's dood, in dat kleine kamertje het papierwerk zitten doen. Hij had zich daar ook teruggetrokken om de agrarische maandbladen, overheidsberichten, marktrapporten of artikelen over nieuwe voedersystemen te lezen. En als het niet anders kon, om cheques uit te schrijven. De cheques die hij uit een speciaal chequeboekje scheurde en waarvan Caro dacht dat het hun spaarpot was, terwijl hij wist dat het alleen maar geleend geld betekende.
Toen hij bij de heg kwam wurmde hij zich er door en liep naar de beek. Het water dat vrij door de smalle beek stroomde zag er schoon genoeg uit, maar dat betekende niets. Ergens in de drassige grond zou er iets kunnen doorlekken en hij wilde dit zelf ontdekken, vóór de autoriteiten dit officieel voor hem zouden doen. Hij had geen idee dat als hij inderdaad de beek aan het vervuilen was, wat zijn volgende stap zou zijn. Maar ja, hij had ook geen idee van hoe het nu met alles verder moest.
Hij richtte zich op en keek naar de eindeloze heg die helemaal tot aan de horizon leek door te gaan, tot daar waar de daken van het boerenbedrijf zich scherp aftekenden tegen de altijd grijze lucht. Als sinds de dag dat Caro was overleden was het grijs geweest, dag na dag, dodelijk voor de geest en de naar warmte snakkende aarde. En net zoals op haar begrafenis had het vaak geregend; een koude, prikkende regen waar-

door het bemesten telkens moest worden uitgesteld. Het gaf hem de op een of andere manier het gevoel dat er iets mis was, dat hij gestraft werd. Judy had hem bijna voor zijn voeten geworpen dat hij haar moeder nooit had liefgehad. Hij had dat ontkend, op een slechte manier, niet omdat hij niet in zijn eigen ontkennen geloofde, maar omdat het allemaal al zo lang geleden en ingewikkeld was. Misschien had hij toch, niettegenstaande zijn vermoeidheid van hart en geest na de begrafenis, het Judy moeten uitleggen, in ieder geval moeten proberen uit te leggen dat er een tijd was geweest dat hij ontzettend van Caro had gehouden en dat hij zelf nog steeds niet snapte waar het nu was misgegaan, wanneer de verkeerde afslag was genomen. Hij wist nog steeds niet hoe dat had kunnen gebeuren. Als hij nu terugkeek op die jaren van inspanning wist hij dat hij dat met zijn hele inzet had gedaan, maar dat hij wat Caro betrof, zich op een bepaald moment had gerealiseerd dat hij liever op zichzelf was en dat hij zich erbij had neer gelegd – zelfs onverschillig was geworden – dat hij haar nooit zou kunnen begrijpen. Judy zou het waarschijnlijk verraad noemen; dat was de manier waarop ze altijd tegen hem sprak – opstandig en ongelukkig. Robin wist dat hij Caro nooit iets had voorgespiegeld. Er was geen oneerlijkheid of geestelijke verwaarlozing geweest; hij wist wel dat hij een eindeloos gevecht had moeten leveren om te overleven met iets dat hij vrijwillig had gekozen en wat zo anders bleek te zijn en duizendmaal harder dan zij zich beiden hadden voorgesteld.
Hij begon met gebogen hoofd, zijn ogen op het water en de modder gericht, langs de ongelijke oever van de beek te lopen. Judy had hem verweten dat hij altijd kwaad was. Goed, dat was op een bepaalde manier waar en had te maken met dat eeuwige en moeizame gevecht om te overleven. Hij was ook een lange tijd boos geweest over bepaalde dingen die gebeurd waren. Bijvoorbeeld dat Caro hem pas na hun huwelijk had verteld dat ze geen kinderen kon krijgen of toen ze hem ineens voor het feit stelde dat ze van hem verwachtte dat hij haar moeders ziekenhuisrekeningen in Amerika zou betalen. Maar die boosheid was allang verdwenen. Of was dat niet zo? Maar hij was wel kwaad op haar ziekte geworden. Dat iemand zo moest sterven, op zo'n vreselijke, zo'n langzame en wrede manier. Dat was iets dat hij nog steeds niet kon vatten. Maar was hij daardoor niet juist kwaad op haar, omdat ze hem had verlaten door dood te gaan en hem jarenlang voor haar dood bloot te stellen aan een leven zonder kameraadschap? Was het dat? Hij boog zich voorover en pakte een jonge, sappige spruit in de heg en draaide

hem rond een paar andere uitstekende takken. Nee, daar was hij niet boos over, misschien had het wel zijdelings met al zijn bittere pijn en diepe gekrenktheid te maken. En dat was dat zij nooit, van begin af aan en niettegenstaande al zijn moeite, van hem had gehouden. En wat meer was, vroeg hij zich nu af, had ze er ooit wel enige moeite voor gedaan?
Hij draaide zich om en keek uit over de beek, zag het glinsterende water tussen de modderige oevers stromen. Afgebrokkelde oevers, de ravage veroorzaakt door de overstroming. Een beetje naar rechts, bij de plek waar zijn heg bijna de rivier raakte begon de verwilderde rij wilgen, die op hun vreemde, bijna oosterse manier, gebogen en reikhalzend over het water hingen. Het was daar waar hij Caro ten huwelijk had gevraagd, haar verteld had dat ze in zijn huis kon wonen omdat hij ervan uitging dat zij dan wel begreep dat hij voor haar wilde zorgen. En dat had hij gedaan. Zelfs toen ze zich in die kleine slaapkamer boven de keuken had teruggetrokken, wilde hij nog steeds voor haar zorgen. Was dat liefde geweest? Judy zou het bezitten noemen, of macho-gedrag. Zou ze gelijk hebben? Was het niet zo dat het verlangen om iemand te willen koesteren en beschermen, zelfs tot in het aangezicht van de dood, met liefde te maken had?
Hij draaide zich resoluut om en begon terug te lopen. Op dit moment was vervuiling zijn probleem, móést zijn probleem zijn; hij moest maar eens ophouden met het uitpluizen van zijn verleden door deuren te openen die Caro zo zorgvuldig had gesloten en paden te betreden die zij al had verlaten voordat hij er een stap op had gezet. Verdriet, had de predikant tijdens zijn kort, gênant en enige bezoek na de begrafenis aan Robin gezegd, uit zich in vele vormen en hij moest vooral niet vergeten dat zelfs de meest verwarrende reactie absoluut normaal was.
'Absoluut,' zei hij, en stond op om aan te geven dat er, tot zijn grote opluchting, een eind aan het gesprek was gekomen. 'Helemaal niet nodig om jezelf schuldig te gaan voelen.'
Robin had zwijgend naar hem staan kijken, net zoals hij op de begrafenis had gedaan.
'Het antwoord ligt,' zei de predikant, terwijl hij het koordje in de donkerblauwe anorak strak trok, 'het antwoord ligt in jouw geval in je werk. Werk is een grote genezer. Werk is meestal het antwoord op elk geestelijk probleem.' Hij stak zijn hand naar Robin uit die hem heel kort even drukte.
'Dat weet ik,' zei Robin. Zijn stem klonk vol minachting die hij niet eens probeerde te onderdrukken. 'Dat weet ik al mijn hele leven.'

4

Judy Meredith keek uit het raam van haar kantoor naar een vuile witstenen muur en een stukje van een klein balkon dat te klein was om op te staan en waar iemand ooit een onherkenbare plant in een plastic pot had achtergelaten, die duidelijk voor zichzelf moest zorgen. Verder kon ze nog net een stukje blauwe lucht zien boven een roodstenen muur iets verderop. Dat stukje lucht was het enige van haar uitzicht dat doorlopend veranderde, maar in de winter bleef ook dat vaak in gebreke. En inderdaad was dat stukje hemel deze laatste winter terwijl haar moeder op sterven lag, niet van plan om haar droevige lot ook maar enigszins op te vrolijken door bijna continu grijs en vroeg in de middag al donker te zijn of er zwaar van de regen uit te zien, als het al niet goot.
Het bureau van Judy was van grijs, net zoals haar computer en toetsenbord. Het scherm vertoonde de teksten die zij moest redigeren voor het binnenhuisarchitectuurblad waarvoor ze werkte. Soms mocht ze zelf een artikeltje over sjabloneren of tinnen voorwerpen schrijven, of over de terugkerende belangstelling voor de achttiende-eeuwse strepen en ruitjes. Haar laatste artikel, dat ze voornamelijk voor Caro had geschreven en over het Amerikaanse patchwork ging, had zevenentwintig brieven van lezers opgeleverd die haar feliciteerden en er veel meer over wilden weten, plus een paar warme regels van haar redacteur op een van haar favoriete zachtgele memokaartjes. Judy had die memo bewaard om aan Caro te laten zien als ze weer eens een weekend naar Tideswell zou gaan, maar dat weekend was nooit meer gekomen. Wel dat telefoontje van Robin op die donderdagavond vanuit het Stretton ziekenhuis toen hij zei dat ze onmiddellijk moest komen. Toen ze na de begrafenis weer op kantoor terugkwam had ze meteen de gele memo verscheurd en in haar grijze plastic prullenbak gegooid. Het deed haar te veel aan Caro denken. Aan de dingen die ze samen hadden gedeeld.
Naast haar computer stond een stapel in- en uitgaande postbakjes, er lag een stapel van de laatst verschenen maandbladen en er stond een reclamebeker van een porseleinbedrijf dat op promotie hoopte en die ze voor haar pennen en potloden gebruikte. Ook stonden er twee foto's op haar bureau, een van Caro en een van Tideswell Farm, de laatste in de zomer

genomen met de wei voor de boerderij vol kalveren. Dat kleine figuurtje voor de kapschuur zou Robin wel kunnen zijn, of misschien Gareth. Caro had haar de foto gestuurd toen ze nog maar pas in Londen was en had erachter op geschreven 'Zoals het klokje thuis tikt...!' Judy vroeg zich nu af of dat uitroepteken misschien wel sarcastisch was bedoeld.
Haar bureau was altijd keurig opgeruimd. Links en rechts van haar werkten nog twee redactie-assistentes, beiden aan onvoorstelbare rommelige bureaus – papieren, koffiebekers, vaasjes met dooie bloemen, drukproeven, lege pakjes chips, stofmonsterboeken en overal opgeplakte gele memoblaadjes. Uit deze rotzooi rezen hun computers kalm als periscopen omhoog. Toen Caro op sterven had gelegen hadden de meisjes van deze bureaus, Tessa en Bronwen, Judy aan alle kanten opgevangen en haar bedolven onder kleine attenties. Ze kwamen met fruit, bloemen en gebakjes aanzetten, alsof zíj invalide was geworden. Maar nu Caro dood was wisten ze niet meer wat ze moesten doen en deden dus niets meer. Ze keken zelfs niet naar Caro's foto en spraken alleen nog maar fluisterend aan de telefoon, alsof ze door hun gedrag zowel respect als meedeleven wilden tonen.
'Waardeloos,' zei Zoe.
Zoe was Judy's nieuwe kamerbewoonster. Ze was een week na de begrafenis bij haar ingetrokken op voorspraak van een zusje van Judy's laatste kamerbewoonster. 'Een enige meid,' hadden ze gezegd. 'Je kan vast ontzettend goed met haar opschieten.'
Zoe had superkort, donkerbruin haar met een wijnrode kleurspoeling. Haar eigendommen zaten in plastic tassen en dozen gepakt en werden eigenhandig de vier trappen opgedragen. Het enige wat ze los meenam was de Chinese fuchsia-rode, zijden quilt, die eenmaal uitgerold, twee houten reigers bleek te verbergen, die minstens half zo groot als echte waren.
'Ik kook nooit,' had ze tegen Judy gezegd. 'Dat kan ik niet, dus ook geen last van stinkende kookluchtjes.'
Judy had haar al op de eerste avond over Caro verteld.
'Ik kan er niks aan doen, maar ik kan gewoon nergens anders meer aan denken. Ik heb het gevoel alsof ik een bordje om mijn nek heb hangen met "Mijn moeder is net overleden" erop. Ik weet dat ik er niet over moet praten. Het schrikt mensen af, iedereen is bang dat ik er over begin en de meisjes op kantoor doen net alsof ik er niet ben tot ik er overheen ben en alles weer normaal is.'
'Waardeloos,' zei Zoe. Ze nam Judy even op. 'Je ziet er doodmoe uit.'

'Ik kan niet slapen. Ik ben doodmoe, maar toch kan ik niet slapen.'
'Het is verdriet,' zei Zoe. Ze zette de reigers elk aan een kant van de dichtgemetselde openhaard in hun kleine zitkamer. 'Gewoon verdriet. Veel erger dan stress. Vind je het goed dat ik ze daar zet?'
'Heb jij ooit meegemaakt dat iemand die je heel na was doodging?'
Zoe richtte haar blik van de reigers weer op Judy. 'Mijn vader.'
Judy leek van medelijden ineen te schrompelen. 'O.'
'Drie jaar geleden. In Australië. Hij had mijn moeder in de steek gelaten toen ik acht was, dus ik heb hem eigenlijk nooit echt gekend. Toen ik zeventien was heb ik hem twee dagen achter elkaar meegemaakt. Mijn moeder werd zowat hysterisch toen ze het hoorde, maar ik ben toch gegaan en hij was fantástisch. Ik heb ontzettende lol met hem gehad en hij heeft tijdens die twee dagen geen kwaad woord over mijn moeder gezegd. En toen ging hij weer terug en ging dood, de lul. Ik had hem wel kunnen vermoorden.'
Op dat moment had Judy willen zeggen: 'Ik ben geadopteerd,' maar ze kon zich met moeite nog net inhouden. Als ze het had gezegd, had ze meteen weer aan Caro moeten denken, die, toen ze vijf was en ze voor het eerst naar school ging, tegen haar had gezegd: 'Luister eens schat, ik heb jou uitgekozen. Echt uitgekozen!' En dan zou ze weer in huilen zijn uitgebarsten. En hoe sympathiek Zoe als medebewoonster leek te zijn, je moest natuurlijk nooit zo'n relatie met een stroom tranen beginnen.
En nu, aan haar bureau en druk bezig aan een artikel over het tweede huis in Bretagne van een modeontwerper – dat vol stond met witte sofa's, iets dat Judy als het handelsmerk van de rijken beschouwde – bekeek ze tussendoor even het lijstje dat Zoe voor haar had opgesteld. Het was geschreven op een lange strook groen papier in Zoe's vrij kinderlijke handschrift. Bovenaan stond in grote letter VERDRIET. Eronder en precies onder elkaar had Zoe de volgende woorden geschreven: 'Leed, Bedroefd, Ellende, Kwelling, Smart, Pijn, Narigheid, Ongelukkigheid, Vertwijfeling, Gebroken hart, Beproeving, Shock, Depressie, Slecht humeur, Geestelijk lijden'.
'Daarom voel je je zo rot,' had Zoe gezegd toen ze de lijst in Judy's handen stopte. 'Dat is verdriet voor je. En dat zijn nog maar een páár van de symptomen.'
Judy hield de lijst omhoog. 'Waarom geef je me dit?'
'Om je ermee te confronteren. Het beste is het om alle woorden goed tot je te laten doordringen. Alleen op die manier zul je je beter gaan voelen.'

Zoiets zou Caro nooit hebben gezegd. Caro zou gezegd hebben: 'Het leven gaat door. Zo zit dat gewoon, schat. Vergeten en doorgaan. Geloof in jezelf en kijk vooruit.' Zoiets had ze tegen Judy gezegd na de twee in Londen verbroken liefdesaffaires. Geen van beide spectaculair, meer een product van Judy's hoop dan realiteit, maar beide door de man afgebroken.

'Sorry, Judy, je bent lief, hoor. Ik vind het vevelend, maar...'

'Judy, ik ben nog niet klaar voor zo'n relatie. Het gaat hier niet om jou, hoor, maar ik wil mezelf nog niet binden...'

Beide keren was ze regelrecht naar huis, naar Caro gevlucht en had ze de schuld gegeven aan haar lengte, haar rode haar, haar truttigheid, aan het feit dat ze een geadopteerd kind was en aan alles wat haar maar te binnenschoot. Ze móést een reden vinden waarom eerst Tim en later Ed met haar had gebroken. Zo maar uit haar leven gestapt. Aarzelend, dat wel en vol excuses, maar zo maar ineens wég. Caro had naar haar geluisterd – Judy herinnerde zich dat ze altijd naar haar luisterde – maar toen simpel, met haar rustige, kalme stem, die nooit die Californische klank was kwijtgeraakt, tegen haar zei, dat Judy een nieuwe kaars moest aansteken en met nieuwe moed de duisternis in moest gaan. Caro hield van dat soort gezegdes met kaarsen. Ze sprak vaak in zulke bewoordingen. Zelfs toen Judy nog heel klein was, had Caro haar verteld dat ze van binnen een brandende kaars had die niemand kon uitblazen, níémand. Dat het haar eigen kaarsje was. Caro had nooit geweten hoeveel moeite Judy had moeten doen om dat soort dingen te geloven, dat ze zich nauwelijks kon voorstellen dat ze echt een innerlijke vlam had. Ze geloofde heilig dat ze daardoor Caro op de een of andere manier tekort had gedaan, en het feit dat die twee jongens haar in de steek hadden gelaten was voor haar, hoe onlogisch ook, bewijs genoeg van haar tekortkomingen.

Na Tim en Ed probeerde ze een tijdje als een vamp te leven. Ze begon felrode lippenstift te dragen en sliep met mannen die ze nauwelijks kende. Ze had Caro over deze episode nooit durven vertellen. Ze had het gevoel dat als ze er maar niet over zou spreken ze een ietsje losser van Caro zou komen en los van het brandende feit dat ze, hoewel uitgekozen, nooit haar echte dochter zou worden. Caro had eens tegen Lindsay gezegd: 'Wij maken nooit ruzie.' Zelfs Judy had zich toen afgevraagd of dat nu net niet het punt was – en een bijna fataal punt – in hun relatie, die beleefdheid, als de beleefdheid tussen de kiezer en de gekozene. Ze kon zich nog herinneren hoe aandachtig Lindsay haar had

opgenomen. Lindsay was toen zwanger van Hughie geweest en droeg een wijd, gebroken wit hes met stijve blauwe korenbloemetjes erop dat Caro voor haar had gemaakt. Caro was Lindsay toen heel behulpzaam geweest.
Maar ja, deze lijst... Judy hield de groene strook op en keek ernaar. Ze kon het niet uitleggen, maar ze was erdoor onder de indruk. Het was nu niet direct sympathiek, maar het was godzijdank zo anders dan de angstige, slappe, líéfdevolle blikken van haar collega's als zij ze in de lift of bij de drankenautomaat, per ongeluk aankeek. De lijst van Zoe was praktisch, bijna opgewekt. Hij leek aan te geven dat als je door een gebeurtenis overmeesterd werd, je automatisch allerlei gevoelens kreeg en dat er iets aan je mankeerde als je géén gevoelens had. Dat het normaal was om je rot en in de war te voelen. Zoe's lijst scheen haar te zeggen dat alleen zombies geen gevoelens hadden als hun moeder was doodgegaan. Mislukking – een gevoel dat Judy maar al te goed kende – zat misschien wel in het feit dat je je kaars brandende wilde houden, terwijl je eigenlijk best een tijdje in die diepe, zwarte put mocht blijven zitten.
Judy legde de lijst met een licht gevoel van respect op haar bureau en richtte haar aandacht weer op het scherm. De modeontwerpster zei dat haar hart absoluut elke keer weer in haar schoenen zonk als ze haar paradijs in Bretagne aan het eind van haar vakantie moest verlaten om terug naar haar zaak in Bond Street te gaan. 'Afgrijselijk,' zei ze. 'Er is geen ander woord voor. Het breekt elke keer weer mijn hart.' Judy had de neiging om er tussen haakjes een sarcastische zin bij te schrijven over het effect dat deze biecht op de loyale cliënten van de modeontwerpster zou hebben, die er natuurlijk vanuit gingen dat het ontwerpen van hun kleding het hart van haar bestaan was en wier volle kledingkasten hadden meebetaald aan het schitterende huis vol witte sofa's in Bretagne. Ze keek vluchtig naar Zoe's lijst naast haar computer. 'Vertwijfeling' las ze. 'Gebroken hart. Beproeving'. Ze richtte haar ogen weer op het scherm. 'Stom wijf,' zei ze hardop tegen de modeontwerpster. 'Jij stomme, achterlijke trut!'

Die avond bracht Zoe na haar werk – ze was de assistente van een fotograaf – een spinazietaart mee naar huis.
'Ik kwam toevallig langs die winkel. Ze hadden hem afgeprijsd omdat ze gingen sluiten. Of haat je spinazie?'
'Nee,' zei Judy. 'Ik lust alleen geen koolraap.'
Sinds ze thuis was had ze al twee glazen witte wijn gedronken en een

halve doos matzes gegeten, die gek genoeg zowel lekker als vies smaakten. Ze had daarbij naar het nieuws op de de televisie gekeken dat gevolgd werd door een spelletjesprogramma en daarna door een programma, waarin werd bewezen dat planten ook gevoel hadden. Zelfs koolraap?
'Goeie dag gehad?' vroeg Zoe. Ze was net als Judy helemaal in het zwart gekleed, maar zag er jongensachtiger uit met haar zware laarzen en leren motorjack.
Judy trok een gezicht. 'Niet echt goed, misschien minder akelig. Ik heb ook een opdracht gekregen om een artikel over marmer te schrijven.'
'Hallen?'
'En muren. En badkamers en keukens en misschien bestaan er zelfs wel knusse kleine marmeren slaapkamertjes.'
Zoe stak de taartdoos vooruit. 'Zal ik dit opwarmen?'
'Ja.'
'Ik weet niet hoe je de oven aan moet doen.'
Judy hees zichzelf uit haar stoel overeind, waardoor de matzekruimels over de grond vlogen. 'Je bent echt hopeloos.'
'Dat zegt mijn baas ook. Ik denk dat ik een avondcursus Spaans ga volgen.'
'Waarom?'
'Dan kan ik mijn eigen ezeltjes en hete dorpjes gaan fotograferen in plaats van de spullen bij elkaar te zoeken voor een ander die kunstfoto's staat te maken van vuilnisbakken en metro's.
Judy liep naar de keuken. Het was een hele kleine keuken die ze California-geel had geverfd als een hommage aan Caro, maar ze had hem zo slecht geverfd dat de schaduw van het vroegere koningsblauw er doorheen scheen. Zoe had sinds ze hier woonde geen enkele bijdrage aan de keuken geleverd. Geen beker, geen lepel, zelfs geen affiche. Ze kocht wel iedere dag iets te eten, altijd kant-en-klaar voedsel dat ze , waar ze ook was, vaak staande opat. En ze dronk uit een van Judy's bekers water uit de kraan.
'Houd je niet van koffie?'
'Ja, natuurlijk wel.'
'Maar...'
'Als je zin hebt gaan we ergens koffiedrinken. Liters als je wilt. Ik heb nooit zin om het zelf te zetten.'
Judy deed de oven aan en schoof de taart op een bakplaat. 'Heb je zin in een glas wijn?' riep ze.

Zoe verscheen in de deuropening met de doos matzes in haar hand. 'Ik drink niet.'
'Jemig. Echt niet?'
'Ik lust het niet. Judy...'
'Ja?'
'Heb jij een vriend?'
Stilte.
'Nee,' zei Judy toen, en er vlug achteraan: 'Ik wed dat jij er wel een hebt.'
Zoe pakte een van de matzes. 'Ja. Maar het werkt niet. Er gebeurt niets. Het is zelfs niet eens een beetje interessant. Hij heet Ollie.'
'Als een uil,' zei Judy en schonk zichzelf weer een glas wijn in.
'Nee, meer als een platgereden ooievaar. Maar hij was heel aardig tegen me toen mijn vader overleed.' Ze keek Judy recht aan. 'Hoe zit het eigenlijk met jouw vader?'
'Hij is boer,' zei Judy vlug.
'Een boer? Wauw.'
Judy opende een kastje om een paar borden te pakken. 'Hoezo wauw?'
'Nou ja, een bóér. Ik bedoel, de meeste vaders zitten in verzekeringen of zoiets, of banken of doen iets met computers. In ieder geval nooit iets met tractors. Ik hoef trouwens geen bord.'
'Hij is melkveehouder. Hij heeft koeien.'
'Waar?'
'In de Midlands. Een beetje richting Wales.'
'Ben je daar opgegroeid?'
'Ja.'
'Kun je melken?'
Judy zei kortaf: 'Dat gebeurt met machines.' Ze bukte zich, opende de overdeur en legde haar vinger op de taart.
'Dus je vader woont daar nu alleen met die koeien sinds je moeder dood is?'
'Nee, Gareth is er ook. En Joe en Lindsay. En mijn oma en opa.'
'Klinkt als een soapserie,' zei Zoe. 'Waarom krijg je er nu de pest in? Waarom praat je over die mensen alsof je ze haat?'
Judy deed de over weer dicht en liep met een glas wijn in haar hand langs Zoe naar de zitkamer.
'Ik voel me daar niet thuis. Ik hoorde er niet bij. Maar het was oké toen mam er nog was, want zij hoorde er ook niet echt bij. Het is ook niet mijn thuis, het is gewoon een adres waar ik ben opgegroeid. Dat is alles.'
Ze zweeg. Zoe draaide zich op de drempel van de keuken om zodat ze

Judy weer kon aankijken. Ze hing onverschillig tegen de deurpost aan. 'Ben je dan geadopteerd?'
Judy knikte heftig.
'Poe, je hebt het nogal zwaar te verduren gehad, zeg. Eerst geadopteerd en dan verlies je je moeder. Dat is een hoop narigheid voor één persoon. En je echte moeder?'
'Die woont in Zuid-Afrika. Ze stuurt me verjaardagskaarten met een zinnetje over het weer daar erop, enzo.'
Zoe zette de doos matzes op de grond, liep op Judy af en ging vlak voor haar staan. 'Je moet al die rotzooi op een rij zien te krijgen,' zei ze. 'Je moet op de een of andere manier proberen je armen eromheen te slaan. Het is niet goed om net te doen alsof er niets aan de hand is, weet je.'
Judy kneep met twee handen in haar wijnglas. 'Ik maak geen deel uit van die familie. Jij weet niets van boerenfamilies af. Ze zijn anders. Het is een echte gesloten kliek en je moet erin geboren worden om erbij te horen.'
'Mag ik er eens naartoe?' vroeg Zoe.
Judy staarde haar aan. 'Wat bedoel je?'
'Nou gewoon, ik wil die boerderij wel eens zien. En je vader en al die koeien.'
Judy vroeg: 'Bedoel je dat je echt naar Tideswell wilt?'
'Ja.'
'Voor een weekend?'
Zoe haalde haar schouders op. 'Weet ik veel.'
'Die taart staat aan te branden,' zei Judy ineens en duwde Zoe opzij. Vanuit de keuken riep ze: 'Het is er doodsaai hoor, op de boerderij. Er is helemaal niets, alleen maar velden en koeien.'
'Niets is echt saai,' zei Zoe en toen er nadenkend achteraan: 'behalve Ollie misschien. Mag ik dan een keer mee?'
Judy verscheen op de drempel. In de ene hand had ze een bord met een halve taart en in de andere de kartonnen doos met de andere helft. Ze gaf de doos aan Zoe.
'Oké.'
Zoe liet zich in Judy's leunstoel vallen en balanceerde de doos op haar knieën. 'Wat is jouw vader voor iemand?'
'Groot. Donker. Humeurig.'
'Humeurig...'
'Bijna alle boeren zijn humeurig.'
Zoe pakte de halve taart uit de doos en nam een grote hap uit het mid-

den. 'Mag ik er het komende weekend al naartoe?'
'Oké.'
'Bel je dan? Bel je je vader dan?'
Judy zette haar bord op een stapel tijdschriften. Ze had Robin de laatste tien dagen niet meer gebeld, maar ze was zich er elke dag scherp van bewust dat ze dat eigenlijk wel zou moeten doen. Ze zag in gedachten de keuken van Tideswell Farm met Robin aan de warme maaltijd – waarschijnlijk een kop soep uit blik, of misschien had Dilys iets voor hem gekookt – en dan ging de telefoon. Ze zag hem opstaan met een zacht geïrriteerd gemompel, nadat hij eerst zijn leesbril op de plek waar hij in het artikel van zijn agrarisch maandblad was gebleven, had neergelegd. 'Ja,' zou hij kortaf aan de telefoon zeggen. 'Ja? Met Tideswell Farm' Wat zou hij van haar verzoek denken? Om maar niet te praten over Zoe met haar wijnrode haar en haar knokkels vol zilveren ringen die hem onmiddellijk met haar grote ogen doordringend zou aankijken.
'Ik ben niet moeilijk,' zei Zoe. 'Ik kan overal pitten.'
'Daar gaat het niet om...'
'Kijk,' zei Zoe kauwend, 'ik neem gewoon een retourtje en als het een ramp wordt, ga ik meteen de volgende dag naar huis. Goed?'
Judy knikte. Ze zei, alsof ze iets had goed te maken: 'Er is ook een rivier in de buurt, en een vrij hoge heuvel. Soms is het daar best mooi...'
'Bel hem dan gewoon. Bel je vader op en zeg dat je het komende weekend een vriendin meeneemt. Dat kan toch? Waarom doe je het nu niet meteen!'

Robin was tijdens het negen uur nieuws voor de televisie in slaap gesukkeld. Hij had sinds Caro's dood de televisie, net zoals zijn administratie, in de keuken staan. Ook had hij er een elektrisch kacheltje neergezet. Hij had de televisie zo geplaatst dat hij hem vanaf zijn plaats aan de tafel goed kon zien, terwijl hij zijn best deed om iets van de door Dilys gekookte, via Velma of Joe gebrachte, quiches en stoofpotten te eten. Maar meestal viel hij op de plek waar hij zat in slaap en werd dan zo'n half uurtje later met zijn hoofd op zijn arm en het eten koud, weer wakker. Het gekke was dat hij, als hij uiteindelijk naar bed ging, nadat hij zijn eten aan de kat had gegeven en zijn laatste ronde langs de herkauwende, soezende koeien had gemaakt, hij niet meer kon slapen. Als hij zich dan uiteindelijk, moe als een hond en met pijnlijke ledematen in bed liet vallen, was hij klaarwakker. Tijdens stille nachten lag hij dan te luisteren naar het regelmatige slaan, uur na uur, van de Dean Cross

kerkklok, heel in de verte. Meestal viel hij dan pas een half uurtje voordat de wekker met veel lawaai om kwart voor zes afliep in een onrustige slaap. De gedachte aan Caro hing zwaar in het schemerige ochtendlicht in de slaapkamer en vergezelde hem naar de badkamer en naar beneden naar de keuken, zelfs buiten als hij naar de in de voorraadschuur geparkeerde tractor liep. Niet haar gezicht of haar stem, het was veel subtieler, maar het was pijnlijk aanwezig. Afgelopen, riep hij vaak tegen zichzelf. Afgelopen.
Toen de telefoon ging bevond Robin zich in een diepe put van slaap, waarbij het geluid van de televisie op een vreemde manier met zijn slaap was verweven. Hij kwam omhoog alsof hij door dikke olie moest waden en zat even volkomen daas naar het interview met de Minister van Buitenlandse Zaken op de televisie te staren en zich af te vragen waarom niemand die telefoon opnam. Langzaam drong het tot hem door dat het zijn eigen telefoon was die zo hardnekkig rinkelde. Het was de draadloze telefoon die hij had gekocht toen Caro zo ziek was geworden en hij bereikbaar wilde zijn en die nu ergens onder een stapel kranten en een oude trui op tafel lag.
'Ja?'
'Pap...'
'Judy?' zei hij.
'Klink niet zo verbaasd.'
'Sorry,' zei hij, 'maar ik was in slaap gevallen boven oma's vispasteitje.'
Er viel een stilte. In Londen zat Zoe naar Judy te kijken en op Tideswell werd Robin door de televisie aangestaard. Beiden wachtend tot de ander zou vragen: 'Hoe gaat het met je?'
'Ik vroeg me af...' begon Judy.
'Wacht even,' zei Robin. 'Ik kan je niet goed horen, ik zet even het geluid van de televisie zachter.' Toen hij weer terugkwam, vroeg hij: 'Wat kan ik voor je doen?'
'Is het goed als ik dit weekend kom?'
'Tuurlijk!' zei hij. Zijn stem klonk te hartelijk in zijn eigen oren. 'Fijn!'
'En mijn vriendin meeneem...?'
'Je vriendin?'
'Mijn nieuwe kamerbewoonster. Ze is fotografe.'
'Waarom niet,' zei Robin. 'Waarom niet.'
'Goed.'
'Fotografe?'
'Ja. Je ziet ons vrijdag. We nemen de bus tot Stretton.'

'Dan pik ik jullie daar wel op,' zei Robin. 'Zeg maar met welke bus je komt en dan zie je me daar.'
'Bedankt. Dat geef ik je nog wel door. Maar doe geen moeite, ik bedoel niets extra's of zo...'
'Velma kan de bedden opmaken,' zei Robin, 'en ik weet zeker dat oma het niet erg vindt om in plaats voor een, voor drie mensen te zorgen.'
'Dan zie ik je vrijdag,' zei Judy.
'Ja, ja,' zei Robin gretig, zich ineens bewust van hun armzalige conversatie. 'Dan zie ik jullie vrijdag.'
Hij legde de telefoon weer op tafel. Hij dacht met een abrupt gevoel van medelijden: Arme Judy, arme sodemieter met zo'n vader als ik; een vader die ze minacht vanwege al zijn tekortkomingen, zijn verkeerde houding, zijn verkeerde gevoelens. Ze had hem haar hele leven al op een afstand gehouden, alsof ze wist, al vanaf een hele jonge leeftijd, dat hij altijd een vreemde voor haar zou blijven. Een vreemde die haar nooit begreep, iemand waar ze altijd agressief op reageerde, haar soms zelfs vervulde met afkeer. Vanaf het moment dat ze als een wantrouwige, roodharige baby van acht maanden bij hen was gekomen had Joe beter met haar kunnen opschieten. Joe kon heel ontspannen met haar omgaan en had op een heel natuurlijke manier, die Robin nooit had kunnen opbrengen, met Caro over haar kunnen praten. Hij kon zich nog herinneren dat toen hij op een dag was thuisgekomen, Joe in zijn overall op de grond had gelegen met Judy in zijn handen, hoog in de lucht. Ze had het uitgegild van pret en haar kleine beentjes spartelden als pistons. Robin had zoiets nooit gedaan, wist dat het onecht zou zijn als hij zich zo zou gedragen. Maar hij had haar proberen voor te lezen en haar dingen om en op de boerderij willen laten zien, had haar kleine handje op de brede, natte neus van een koe gelegd. Maar ze verdroeg hem nauwelijks en het duurde maar een paar minuten voordat ze zich, met haar gezicht en ogen vlak bij hem, vastbesloten uit zijn armen probeerde los te worstelen om terug naar Caro te gaan.
Maar Caro suggereerde – en haar suggesties waren net zo duidelijk als andermans uitspraken – dat Robin lang voordat het kind bij hen in huis was gekomen, al niets van haar had willen weten. Caro had op een dag, op haar eigen rustige manier, aangekondigd dat ze graag een baby wilde adopteren. Na Robins verbaasde en verwarde vraag waarom, had ze kalm geantwoord dat sinds ze zelf geen kinderen kon krijgen, maar wel een baby wilde hebben, het dan op deze manier wilde doen.
Ze had dit als terloops gezegd, toen ze naast hun eerste, door Robin ge-

installeerde, koelsysteem stond. Zij was geen type om met dit soort gesprekken te wachten tot ze aan tafel zaten, integendeel, als ze iets belangrijks had te vertellen ging ze op haar vreemde langzame manier naar hem op zoek, en deelde het hem dan tussen neus en lippen door mee. Hij had haar aan staan staren, zijn handen slap naar beneden, alsof ze niet meer bij zijn lichaam hoorden.
'Kun je geen kinderen krijgen?'
'Nee,' zei ze. Ze stond voor hem in haar spijkerbroek en -hemd en met haar cowboylaarzen aan. Aan het einde van haar vlecht had ze een rode zakdoek geknoopt. 'Sinds ik op mijn negentiende vanwege een infectie geopereerd moest worden. Ik ben dus onvruchtbaar.' Ze spreidde haar handen uit. 'Er werkt niets meer bij mij.'
Hij probeerde zichzelf onder controle te houden, probeerde op deze bom die ze zomaar had laten vallen, beschaafd te reageren. Maar zonder het te willen begon hij tegen haar te schreeuwen. 'Waarom heb je me dat niet eerder verteld? Voordat we getrouwd waren... Waarom heb je er helemaal niets over gezegd?'
'Ik dacht dat je met mij wilde trouwen en niet met mijn vermogen om kinderen te produceren.'
'Dat was ook zo, Caro, dat was ook zo, maar...' Hij zweeg, overmeesterd door een totale verwarring.
Ze verwoordde zijn gedachten. 'Maar alle normale mannen willen kinderen. En alle normale vrouwen willen kinderen. Dat bedoel je toch? Geef het maar toe.'
'Ik bedoel helemaal niet dat je niet normaal bent, dat bedoel ik helemaal niet...'
'Maar ik ben niet normaal. Ooit was ik het wel, maar nu niet meer. Maar nog wel normaal genoeg om een kind te willen. Dat is alles.'
Hij vroeg het haar nog eens, fluisterend: 'Waarom heb je me nooit iets verteld?'
'Daar heb ik nooit aan gedacht. Ik wilde gewoon stoppen met rondzwerven en hier blijven wonen en verder heb ik nooit gedacht.'
'Vind je niet dat je me dat wel had moeten vertellen? Vind je niet dat je wel eens aan mij had kunnen denken?'
Ze overwoog het even en zei toen vriendelijk: 'Misschien wel.'
Hij was toen weer gaan schreeuwen. Over dat ze hem in de maling had genomen, over de onmogelijkheid om met een vrouw getrouwd te zijn die zich zo eenzelvig gedroeg, over het feit dat er geen erfgenaam voor de boerderij zou zijn die hij met zijn eigen handen, met zijn eigen geld

en door keihard te werken had opgebouwd. Toen schreeuwde hij erachteraan: 'En ik wil geen kind adopteren!'
'Het is de enige manier om een kind te krijgen,' zei ze. 'Wil je dan echt dat we altijd kinderloos blijven?'
Hij had zich toen van haar weggedraaid en was met zijn handen plat tegen de muur van het melkhuis gaan staan, waar de lichtblauwe kleur die hij erop had geschilderd al van af begon te bladderen.
'O, god, ik weet het niet,' had hij wanhopig gezegd. 'Ik was er altijd van uitgegaan dat we een eigen kind zouden krijgen. Zo gauw als jij je hier had thuisgevoeld. Ik geloof dat ik alleen maar zat te wachten tot je er klaar voor was.'
'Maar ik ben er klaar voor,' zei ze op een redelijke toon tegen zijn rug. 'Daarom ben ik juist over adoptatie begonnen. Ik wil nu wel een kind hebben.'
Hij sloot zijn ogen. Hij dacht aan het vrijen met haar – ze vree nooit uit zichzelf en onderging altijd alles – en hoe hij al die tijd maar aan één ding had kunnen denken en dat zij intussen iets heel anders wist. Het had geen zin om nog tegen haar te schreeuwen; zij had een soort meedogenloze kracht in zich die geen andere wetten tolereerde dan de hare. Hij duwde zich van de muur af. 'Oké,' zei hij.
'Je wilt het dus?'
'Nee,' zei hij met opeengeklemde tanden, 'dat bedoel ikt niet. Ik bedoel dat je toch precies doet waar jij zin in hebt. Dus ga je gang en doe wat je wilt. Maar verwacht niet meteen van mij dat ik naast je sta. Ik kan niet in één seconde net doen alsof er niets veranderd is, dat kan ik niet...' Hij zweeg.
'Waarom kun je dat niet?'
Hij draaide zich langzaam naar haar toe en keek haar aan. 'Zijn er nog meer dingen die je me niet hebt verteld?'
Ze zei: 'Je weet alles van mij. Ik ben dit gewoon vergeten, Robin. Zeg, ik wil het liefst een dochter. Ik zou echt heel graag een dochter willen hebben.'
Hij opende zijn mond om te zeggen dat hij niet veel van meisjes afwist, maar sloot hem weer. Waarom zou hij moeite doen om iets wat de laatste twintig minuten zo duidelijk was geworden, nog eens extra te benadrukken? Hij wist niets van meisjes, absoluut niets. Hij had geen idee wat ze nu eigenlijk wilden, hij kon niet eens bij benadering zeggen waar ze over dachten. Maar hij wilde het wel. Staande in het melkhuis op die zomermiddag en kijkend naar het bruine gezicht van Caro, had hij alles

wel willen geven om haar te begrijpen, te begrijpen waarom ze sommige dingen op een bepaalde manier deed en andere dingen naliet. Een plotseling gevoel van wanhoop overviel hem, een grote, zwarte golf van wanhoop, toen hij weer besefte dat hij nooit een kind bij haar zou krijgen en dat ze eigenlijk nooit essentiële dingen samen zouden doen. Abrupt draaide hij zich van haar af en liep door het melkhuis naar de verzamelweide waar de koeien stonden te wachten om gemolken te worden.

Arme Judy. Wat een start had dat kind gehad... zo nonchalant verwekt en toen opgelucht weggegeven. Robin stond op en probeerde de rotzooi op de keukentafel een beetje te ordenen, zodat Velma hem de volgende ochtend niet aan zijn kop zou gaan zitten zeuren. Zoals de zaken nu stonden kon ze zowat uit zijn theeblaadjes zijn manier van leven lezen. Velma. Hij moest nog een briefje voor haar maken, dat ze de bedden voor die meisjes in orde moest maken en een paar badhanddoeken klaar moest leggen. Gapend en met zijn leesbril als een haarband in zijn haar ging hij op jacht naar een stukje papier.

5

Rose probeerde uit alle macht tegen een schone tuinbroek te vechten. Haar gezicht, omlijst door de blonde krullen die haar zo'n misleidend engelachtig uiterlijk gaven, was knalrood van vastberadenheid en ze lag gillend en trappend in Lindsay's armen.
'Wat doet ze vervelend,' zei Hughie, die met zijn piratenhoed op die hij van zwart papier op de peuterspeelzaal had gemaakt, naar zijn zusje stond te kijken.
'Zeg dat wel,' zei Lindsay.
'Nah, nah, nah,' gilde Rose.
'Kun je haar dan niet gewoon in haar luier laten?'
'Nee,' zei Lindsay, in gevecht met een stijf beentje en een broekspijp. 'Dat kan niet, want Judy komt zo met haar vriendin op bezoek en Rose heeft die tuinbroek voor kerst van Judy gekregen.'
'Ik geloof,' zei Hughie, die aandachtig de rose tuinbroek met bloemetjes bekeek, 'dat dat een echte meisjestuinbroek is, hè?' Hij boog zich nog meer naar voren alsof hij iets wilde vaststellen. 'Ik zou geen broek met bloemetjes willen!'
'Dat hoef je ook niet. Rose, wat ben je toch een duvel!' Lindsay boog zich over de schreeuwende baby, hield haar met één arm tegen en trok de broek over haar achterste omhoog.
'Ik was vast een hele lieve baby, hè?' zei Hughie.
'Ja, dat was je.'
Hij bukte zich en pakte de grijze pluche zeehond waarvan Joe niet wilde dat hij daar aldoor mee in zijn armen liep.
'Hij is nog maar drie,' zei Lindsay. 'En nu, met Rose erbij...'
'Met drie jaar ben je een jongen en geen baby meer,' zei Joe.
Hughie propte de zeehond liefdevol onder een arm en stak zijn duim in zijn mond.
'Hughie...'
'Dat moet,' zei hij, met zijn mond om zijn duim heen.
'Dat vindt papa niet leuk.'
Heftig zuigend keek hij haar aan, draaide zich toen om en liep de kamer uit. Ze hoorde hem over de kleine overloop naar zijn eigen kamertje

gaan en toen de lichte deur in het slot vallen. Ze wist dat hij nu, met zijn papieren hoed op en Zeehond tegen zich aangedrukt, zou zitten zuigen en zuigen.
Rose, moe van het gevecht, begon zich nu uit haar armen los te worstelen. Ze was een grote baby, een zware, bijna vierkante baby met het uiterlijk en de bouw van de Merediths. Dilys had nog een fotootje van Joe op zijn eerste verjaardag en gekleed in een matrozenpakje, waar hij verbijsterend veel op Rose leek. Zij leek helemaal op hem wanneer ze lachte en dat deed ze vaak. Het zonnetje in huis óf een grote donderstraal, dat was Rose. Kon Joe maar eens weer een beetje luchthartig en vrolijk zijn, verzuchtte Lindsay, toen ze de vuile kleertjes van Rose bij elkaar raapte. Maar het leek wel alsof hij dat wat hem dan ook dwarszat niet meer van zich kon afschuddent. Het trok hem mee de diepte in en het maakte hem thuis inert en zwijgzaam, onrustig.
Het leek net alsof hij op een ontzettende manier door iets bitters in beslag werd genomen, iets waar hij geen oplossing voor wist. Ze had een paar keer geprobeerd hem te vragen – een beetje verlegen want ze wist niets van het boerenbedrijf af – of hij moeilijkheden met zijn werk had of financiële moeilijkheden, met leningen of zo.
'Nee,' had hij kortaf en beslist gezegd. 'Nee, dat heeft er helemaal niets mee te maken.' Hij had bijna boos geklonken. 'Dat heeft er helemaal niets mee te maken.'
Lindsay liet Rose kruipend achter op de overloop, die onmiddellijk op het hekje voor de trap af kroop om ertegen te slaan en te schreeuwen, en liep de badkamer in om zich op te maken. Ze keek naar zichzelf in de spiegel boven de wastafel en zag, voordat ze eraan dacht haar gezicht in een wat optimistischer plooi te trekken, de gespannen uitdrukking erop. Maar ja, ze wás gespannen. Ze had zich van tevoren nooit kunnen indenken dat ze zich zo vaak gespannen zou voelen in haar huwelijk met Joe. Integendeel, ze had verwacht dat een man die vijftien jaar ouder was juist een verzekerde rust in haar leven zou brengen. Hij had zo zeker geleken, zo kalm, groot en geruststellend en volwassen. 'Sterk en zwijgzaam,' had haar moeder gezegd en ze had het als een compliment bedoeld.
Maar dat zwijgzame was nu juist het probleem. Lindsay deed haar haar los en borstelde langzaam de lichtbruine, volle massa. Toen stak ze de kammen er weer in. Ze hadden afgelopen week maar één keer met elkaar gesproken en dat was zo vaag en zo onbevredigend geweest, dat het haar nog onrustiger had gemaakt dan ze al was. Ze had hem een paar

dagen geleden, toen hij na de lunch in de bijkeuken zijn schoenen weer aandeed, zo'n beetje klem gezet. 'Joe, Joe, alsjeblíéft, vertel me wat er aan de hand is.'
Hij had alleen maar iets gegromd terwijl hij zijn veters vastmaakte.
'Wat is er toch, waar zit je mee?'
'Niets.'
'Wel waar. Er ís iets aan de hand, dat zie ik toch! Je doet bijna geen mond meer open en je zit elke avond als een zombie naar de televisie te staren. Heeft het met de boerderij te maken?'
Joe trok de galgen van zijn ketelpak over zijn schouders en maakte ze vast. 'Misschien.'
'O, Joe, vertel het me toch. Het maakt me niet uit wat het is, zolang je het me maar vertelt!'
Hij stak zijn handen uit en pakte haar bij de schouders. Toen duwde hij haar heel zachtjes, maar heel beslist, van de deur weg.
'Ik heb het altijd veel te gemakkelijk gehad,' zei hij zonder haar aan te kijken. 'Altijd. En het leven op de boerderij is nu een stuk harder geworden.'
'Heeft het met Caro te maken? Omdat ze dood is gegaan?' riep ze uit.
Hij keek haar even doordringend aan maar deed toen de deur open. 'Geen idee,' zei hij ongeduldig. 'Hoe zou ik dat nou kunnen weten?'
En toen was hij, bijna rennend, de deur uitgelopen.
Lindsay deed het badkamerkastje open en pakte er een doosje met grijze ogenschaduw uit. Ze had haar diploma schoonheidsspecialiste en had er ooit van gedroomd een eigen salon te beginnen. Maar toen had ze Joe ontmoet. Ze had zich nog nooit in haar leven zo door een man aangetrokken gevoeld en het had haar geen klap uitgemaakt wat voor werk hij deed. Een boerenbedrijf, ook al had ze er helemaal geen idee van, leek haar prachtig. En hij deed het goed, hij was de eerste boer in het district die zulke hoge prijzen voor zijn veevoeder kreeg. Bovendien zou hij er altijd zijn, ze zou hem de hele dag kunnen zien, altijd bij hem kunnen zijn. Maar de realiteit was heel anders. Hij was er dus nooit en vanaf het allereerste begin had ze gevoeld dat ze nooit een claim op hem kon leggen. De eerste kerst die ze samen vierden, hun allereerste kerstdag, was hij de hele dag aan het mesten geweest, alleen maar omdat de aarde en de weercondities precies goed waren op die dag. Toen ze had geprotesteerd zei hij: 'Dit kan ik niet voorbij laten gaan, Lyn. Ik kan zomaar geen tijd en geld weggooien.'
Ze pakte de lipgloss uit het kastje. Het ritueel van kleuren, smeren en

stiften gaf haar een bepaalde rust, een beetje troost. Op de overloop lag Rose nog steeds te gillen en te schreeuwen, terwijl ze met een vuistje tegen het traphekje ramde, maar ze had er plezier in. Ze was gek op herrie. Lindsay's moeder zei dat Rose onhandelbaar was geworden. Ze zal wel gelijk hebben, dacht Lindsay, terwijl ze nauwkeurig de lijn van haar lippen volgde. Ze had Rose allang niet meer in de hand. Joe trouwens ook niet, haar fantastische Joe die haar hele wereld was – en ze had totaal geen idee wat ze met hen beiden aan moest.

Dilys zag vanuit haar keukenraam Judy in Robins auto de oprit van Dean Place Farm oprijden en nogal onhandig de auto parkeren bij de schuur waar Dilys vroeger haar kippenvoer bewaarde. Er was ooit een tijd geweest dat er op het erf van Dean Place Farm vele kippen liepen. Ze had heel bijzondere soorten gehad en vaak prijzen op pluimveetentoonstellingen gewonnen, vooral met haar zwarte Orpingtons. Maar die drukke tijden waren reeds lang voorbij. Het erf lag er kaal en opgeruimd bij. Alleen in de zomer stonden er twee tonnen met knalrode geraniums. Opvallend in hun uniformiteit en kleur.
Dilys vond Judy's vriendin er heel vreemd uitzien. Ze stapte de auto uit en keek met haar kortgeknipte hoofd geïnteresseerd om zich heen. Ze droeg leggings, waar Dilys zo'n ontzettende hekel aan had, met een vreemd jasje erboven dat meer op het bovenstuk van een uniform leek. Dilys moest aan een boek uit haar kinderjaren denken, waarin een prent stond van de rattenvanger van Hamelen. Judy droeg een zwarte spijkerbroek en een lange groene sweater met een georgette sjaal strak om haar nek gebonden. Dilys vond dat groen Judy goed stond. Volgens haar was het dé kleur voor roodharigen. Ze vond het ook leuk dat ze Judy met een vriendin zag en ze had intussen wel geleerd dat je tegenwoordig mensen niet meer op hun uiterlijk kon beoordelen. Niet zoals men vroeger deed, je moest wachten totdat de mensen zichzelf blootgaven, als ze dat tenminste wilden.
Ze liep, vergezeld door Harry's oude spaniël, die sinds er niet meer gejaagd werd tot huishond was gepromoveerd, naar de achterdeur om hen te verwelkomen.
'Oma,' zei Judy. Ze boog zich voorover om Dilys een kus te geven en rook weer de bekende lucht van pas gestreken was en meel, waar haar oma, zo lang ze zich kon herinneren, naar had geroken. 'Dit is Zoe.'
'Hallo, schat,' zei Dilys en stak haar hand uit.
'Hallo,' glimlachte Zoe. Ze had praktisch het hele weekend glimlachend

doorgebracht. 'Het is hier fantastisch, vind je niet?' had ze keer op keer tegen Judy gezegd. 'Ik snap niet waarom jij het hier niet heerlijk vindt.'
'Kom binnen,' zei Dilys. 'Ik heb de ketel al op staan.'
'We hebben net thee gedronken,' zei Judy. 'Bij Lindsay.'
Dilys keek haar onderzoekend aan. 'Heb je Joe gezien?'
'Nee. Hij was aan het werk. Waarom?'
'Hij is de laatste tijd een beetje depressief. Dat is alles,' zei Dilys. De avond ervoor had ze tegen Harry gezegd, terwijl ze hun kopje thee voor het naar bed gaan zette: 'Ik maak me ontzettend veel zorgen om Joe. Echt waar. Hij is zo afwezig. Gewoon niet normaal.' Ze deed de deksel op de theepot. 'Niet dat er iets is om je zorgen over te maken. In ieder geval niet wat de boerderij betreft. Ik hou de hele boekhouding bij, dus kan ik het weten.' Ze tilde de pot op. 'De boeken kloppen perfect, zoals altijd.'
Dilys liep voor de meisjes uit naar de keuken. Op een hoek van de lange tafel lag een blauwwit geruit kleed waarop een schaal koekjes stond.
'Oma, ik denk niet...'
'Ik weet zeker dat jullie nog een kop thee lusten,' zei Dilys. Ze keek Zoe aan en knikte naar de schaal koekjes. 'Die heb ik vanochtend gebakken.'
'Heerlijk,' zei Zoe. 'Ik doe hier niets anders dan eten. Ik heb vandaag al twee keer ontbeten, dus ik zie niet in waarom ik niet twee keer thee kan drinken.' Ze ging aan de tafel zitten en leunde ontspannen met haar ellebogen op het geruite kleed. 'Normaal drink ik nooit zo uitgebreid thee.'
'Wat vond je van je vader?' vroeg Dilys aan Judy, terwijl ze kokend water in de bruin geglazuurde theepot schonk – bruin geglazuurd met bloemetjes op een crème ondergrond en zó bekend, dat het Judy bijna pijn deed om ernaar te kijken.
'Ik weet het eigenlijk niet,' zei Judy. 'Het is moeilijk te zeggen. Hij is wel magerder geworden.'
'Ik stuur hem elke dag een warme maaltijd,' zei Dilys op een verwijtende toon. 'En dan geeft hij het aan de kat. Velma vindt zijn bord elke morgen op de keukenvloer.'
Zoe pakte een koekje en beet erin. De kruimels vlogen in het rond. 'Waarom moet hij eten als hij aan het rouwen is?' vroeg ze.
Dilys' mond verstrakte. Waar bemoeide dat kind zich mee? 'Hij is een werkende man,' zei ze tegen Zoe en zette de theepot op een kralenmatje.
Onverstoorbaar zei Zoe: 'Dat betekent toch niet dat hij geen gevoelens heeft?'

'Als je boer bent,' zei Dilys vastbesloten, 'kun je je nooit laten gaan. Dan kun je je niet aan je gevoelens overgeven. En zeker een man niet... Het werk wacht niet.'
Judy die tegenover Zoe aan de tafel zat probeerde haar met blikken te vertellen dat ze haar mond moest houden.
Zoe deed alsof ze het niet zag. 'Maar hij laat zich helemaal niet gaan, hij gaat juist gewoon door. En je kunt duidelijk zien dat hij lijdt.'
'Zoe...' zei Judy.
Zoe keek Judy met haar grote ogen aan. 'Dat zou jij moeten weten, dat zou je ook moeten begrijpen.'
Judy sloeg haar ogen neer. Dilys schonk thee in kopjes met Indiaase fazanten erop die nog van haar trouwservies over waren. Ze haatte bekers. Harry mocht alleen 's ochtends thee uit een beker drinken, als hij binnenkwam nadat hij Joe doorlopend voor de voeten had gelopen en met hem had gebekvecht over de moderne manier van dingen doen. Dilys had hem al tientallen keren verteld dat hij Joe niet zo op zijn nek moest zitten. 'Joe weet heus wel waar hij mee bezig is. Joe denkt nu eenmaal op lange termijn en dat is iets dat jij nooit heb kunnen doen.' Ze wilde niet dat Harry's ouderwetse, obstinate mening Joe uit zijn doen bracht. Dilys had altijd Harry's of Robins kwalijkheden kunnen verdragen, maar aan Joe mocht niemand komen. Als iemand aanmerkingen op Joe had voelde ze zich persoonlijk aangesproken.
'We praten hier nooit over lijden en zulke dingen, schat,' zei ze. 'Wij geven ons niet aan zulke gevoelens over. Wij zijn praktische mensen.'
Zoe keek de armoedige maar kraakheldere keuken rond, vol spulletjes, alles keurig in rijen aan haakjes opgehangen. Elk kopje en kannetje aan zijn eigen haak. 'Ja, ik begrijp het,' zei ze op een neutrale toon.
Judy zei vlug: 'Het zal wel met de boerderij te maken hebben. Hij heeft misschien donderdag een slechte dag op de markt gehad. Hij moest weer drie kalveren mee terugnemen omdat ze diarree hadden. Zoiets had de veilingmeester tenminste gezegd.'
Dilys klakte met haar tong. Ze duwde de schaal koekjes Zoe's richting uit. Werk je samen met Judy, schat?'
'Nee,' zei Zoe. 'Ik ben fotograaf. Tenminste, bezig om het te worden.'
Ze was die ochtend al om half zes opgestaan om foto's van Gareth in het melkhuis te maken. De dubbele rij grote witzwarte lichamen, allemaal vast aan die melkslangen, en de grote glazen flessen die zich langzaam vulden met melk, warm en bijna geel van kleur. Gareth had het plezierig gevonden haar daar te hebben en had gewillig geposeerd toen ze

erom vroeg... terwijl hij de slangen vastmaakte, toen hij de tepels schoon sponste en later toen hij de lange rij koeien in het bleke ochtendlicht het erf opdreef. Ze had net zoals hij een overall gedragen, die ze voor haar slaapkamerdeur had gevonden toen ze om half zes naar het toilet moest. Keurig opgevouwen met een paar dikke sokken erbovenop, net zoals haar vader had gedragen in zijn favoriete, zware bergschoenen. Ze vermoedde dat Robin die voor haar had klaargezet en daaraan merkte ze dat er in ieder geval iets van contact tussen hen bestond. Zoe stelde dat erg op prijs.

Om Judy gerust te stellen zei ze nu tegen Dilys: 'Ik heb vanochtend foto's in het melkhuis genomen, en zonet een paar foto's van Lindsay's kinderen. Wat een schattig zoontje heeft ze.'

'Ja, het is een schat,' zei Dilys. 'Lijkt precies op zijn moeder. Maar Rose is een echte Meredith. Door en door.'

Judy staarde met gebogen hoofd in haar theekopje. Ze wilde eigenlijk weg, ze wilde dat er een einde kwam aan dit vreemde en vervelende bezoek. Ze wilde Zoe naar een plek meenemen waar ze geen regels kon breken, regels waar Zoe zich helemaal niet van bewust was. Ze merkte dat Dilys ontdaan maar ook geïrriteerd was door Zoe's openhartigheid. Om over haar uiterlijk maar te zwijgen. Lindsay had haar al gewaarschuwd dat dat zou gebeuren.

'Maak oma nu niet overstuur,' had ze gezegd.

'Daar kan ik niets aan doen, we moeten nu eenmaal naar haar toe.'

Ze vroeg, met haar gezicht nog steeds over haar kopje gebogen: 'Waar is opa?'

'De heggen aan het repareren. Vier kilometer heg. Hij wilde die heg eruit halen zodat het ploegen gemakkelijker zou gaan, maar dat wilde Joe niet.'

Judy zette haar kopje neer en stond op. 'Zullen we kijken of we hem ergens kunnen vinden?'

'Dat zal hij leuk vinden,' zei Dilys. 'Dan kun je meteen een thermosfles thee voor hem meenemen. De zijne is natuurlijk allang leeg.' Ze keek Zoe aan. 'Leuk je ontmoet te hebben, schat.'

Zoe beantwoordde haar blik. 'Van hetzelfde,' zei ze.

'Jezus,' zei Judy, toen ze de auto van het erf afreed, 'sorry hoor.'

'Wat bedoel je?'

'Oma, natuurlijk. Ze heeft van die ouderwetse ideeën...'

'Ik vond haar aardig,' zei Zoe. 'Misschien denkt ze dat ze mij niet aar-

dig vindt, maar dat neemt niet weg dat ik haar wel aardig vind. Jij bent toch ook heel anders dan ik.'
'Ja,' zei Judy jaloers. 'Dat is zo.'
'Over aardig vinden gesproken,' zei Zoe, terwijl ze haar knieën optrok en haar armen om haar benen sloeg, 'waarom vind jij het hier niet fijn?'
'Zoe, je kent het helemaal niet...'
'Natuurlijk ken ik het niet. Maar ik heb ogen in mijn hoofd. Ik zie heus wel dat het leven hier hard is. Maar niet zo dat je het zou moeten haten.'
'Ik haat het ook niet,' zei Judy.
Zoe nam haar even vluchtig op en keek toen door het raampje naar buiten. 'O, nee? Nou, voor iemand die zegt het leven te haten, doe je wel verdomd veel moeite dat te verbergen.'

Harry was helemaal aan het einde van zijn land aan de heggen bezig, op een plek waar de noordoostenwind altijd in je gezicht leek te waaien. Hij droeg nog steeds de leren handschoenen die hij speciaal voor het werken aan de heggen veertig jaar geleden van zijn vader had gekregen. Als hij ze aantrok waren ze zo stijf als een plank en zaten vol barsten, tot ze door zijn lichaamstemperatuur wat warmer werden. Hij had allang nieuwe kunnen kopen, maar hij hield ervan om deze oude te gebruiken. Er kleefden zoveel herinneringen aan.
Hij was niet zo goed in het onderhouden van de heggen, nooit geweest ook. Zijn vader had hem nog de oude manier van de Midlands geleerd, waarbij je de dikste takken met het snoeimes bijna helemaal moest insnijden om ze daarna bijna horizontaal door te buigen zodat de heg sterk en ondoordringbaar werd. Maar er zaten altijd te veel versplinterde eindjes in zijn heggen en hij weefde de takken niet strak genoeg om een echt goede windvanger te zijn. Maar hoe dan ook, ze waren goed genoeg. En goed genoeg was altijd zijn motto geweest, in alles. Hij had niet de neiging om, zoals Dilys, de dingen beter te doen, of zelfs het beste. Joe was net zoals Dilys, maar Robin was anders. Volgens Harry wilde Robin altijd alles op een andere manier doen. Je kon hem niets voordoen; het beste was om hem maar zijn eigen gang te laten gaan, zelfs als dat betekende dat het een moeizaam geploeter werd op een weg vol zware leningen. Als hij het voor het zeggen had, zou Robin de hele boel moeten verkopen, de melkquota, het melkhuis en de melkkoeien, en het land als pachter terughuren om het als akkerland te gaan gebruiken. Laat een ander maar hoofdpijn krijgen. Maar dat zou hij nooit zeggen, net zoals hij tegenwoordig ook alleen maar aan Joe vroeg:

'Gaat het, jongen?' Je kan ook niet alles maar zeggen, dan kan gewoon niet. Het was niet alleen respect hebben voor iemands privacy, ook al waren het je zonen, het had ook te maken met het recht van een man die, wat er ook op zijn pad kwam, het op zijn eigen manier moest oplossen. De auto die hij al had zien aankomen stopte bij het hek, een meter of vijftien bij hem vandaan. Harry rechtte zijn rug. Het was Robins auto. Wat zou die hier nu op een zaterdagmiddag te zoeken hebben? Twee deuren sloegen dicht. Harry zag Judy's rode haar boven de heg uitkomen, toen ze over het hek klom, met naast haar nog een hoofd, een ietsje donkerder.
Judy sprong van het hek en hield de thermosfles omhoog. 'We brengen je nog wat thee!'
'Fantastisch!' schreeuwde Harry terug. 'Fantastisch!'
Hij liep stijf maar snel langs de heg op hen af; ondertussen trok hij zijn handschoenen uit en stopte ze in de zak van zijn overall. Hij was helemaal vergeten dat Judy zou komen, dat kwam door die ruzie met Joe vanochtend over die rotheg.
'Ik heb dat in een paar dagen gepiept. Met een graafmachine.'
'Nee, pa. Nee, néé. Ik wil het zo houden. Ik wil die heg niet kwijt. Kun je dan helemaal niet verder dan morgen denken. Kun je verdomme niet verder dan je neus kijken?'
'Opa,' zei Judy blij. Ze sloeg haar armen om hem heen en voelde zijn harde, magere ribbenkast, net als bij een boom, of een oud meubelstuk.
'Dag meisje,' zei Harry en klopte haar op haar schouder. 'Dag meisje.'
'En dit is Zoe.'
Harry grinnikte. 'Hallo, Zoe.'
Wat een raar kind. Meisjesgezicht onder een kop jongenshaar. Ze stond naar het stuk heg te kijken waaraan hij had gewerkt. Naar die meters gesplitste en verweefde takken.
'Is dat moeilijk?'
'Niet zoals ik het doe,' zei Harry. 'Hebben jullie oma al gezien?'
'Ja.'
'En Joe?'
'Wat is er toch met Joe? Oma vroeg ook al op zo'n speciale manier naar hem,' zei Judy. 'Nee, we hebben hem niet gezien. We hebben alleen Lindsay en de kinderen gezien.'
Harry bromde iets. Hij richtte zijn ogen weer op Zoe. 'Is het de eerste keer dat je op een boerenbedrijf bent?'
'Ja,' zei ze.

'Een vreselijk leven,' zei Harry. 'We moeten wel gek zijn om dat te willen.'
'Dat denk ik ook,' zei Judy.
'Als jullie dat vinden, waarom doen jullie het dan?' vroeg Zoe.
Harry grinnikte naar haar. 'Kan gewoon niks anders. Het zit in ons bloed, van vader op zoon. Zelfs toen ik tijdens de oorlog in Italië was, was die rotboerderij het enige waaraan ik kon denken. En toen was ik nog geen negentien.'
'Mam...' begon Judy, maar hield op.
Zoe keek haar aan. 'Ga door.'
'Mam vertelde me dat pap zelfs op hun vakantie altijd naar het land keek om te zien hoe er geboerd werd. Ze zei, dat de enige keer dat hij dat niet heeft gedaan was, toen ik zeven was en hier logeerde en zij in Tunesië waren. Maar daar was ook niet veel boerenland te zien, alleen zand en kamelen.'
'Obsessies,' zei Zoe, 'zijn altijd interessant.'
Judy zei: 'Maar ook vervelend en angstig.' Ze gaf de thermosfles aan Harry. 'Je thee, opa.'
Hij keek haar even aan toen hij de thermosfles aannam en ze zag dat zijn ogen er ineens heel oud uitzagen, een beetje verschoten in het midden met een vale ring eromheen. Het schoot pijnlijk door haar heen dat hij de leeftijd had bereikt dat hij dood kon gaan, de leeftijd had waarop alles achteruit ging, niet zoals bij Caro, niet op een leeftijd dat je nog van alles moest doen en er nog mensen waren die je nodig hadden.
Harry zei vriendelijk: 'Ik moet weer eens aan het werk, meisjes.'
'Ja.'
'Anders krijg ik ruzie met je oom Joe.'
Judy boog zich voorover en gaf hem een kus. 'Misschien zien we je morgen nog.'
'Goed,' zei Harry. Hij stak zijn hand op naar Zoe. 'Tot ziens, meid.'
Ze glimlachte naar hem. 'Dag.'
Toen de twee meisjes weer naar hun auto liepen zag hij Zoe naar zijn werk gebaren. Hij hoorde haar tegen Judy zeggen: 'Ik wed dat ik dat ook zou kunnen. Ik weet zeker dat ik dat kan.'

'Denken jullie dat we daar met z'n drieën iets van kunnen maken?' vroeg Robin.
Op de keukentafel lag een in plastic verpakte, opgebonden kip uit de supermarkt.

'Ik kan er wel een stuk van opeten,' zei Zoe, 'maar koken kan ik niet.'
'Zo is het ook met mij gesteld. En jij Judy?'
'Oké,' zei Judy. 'Maar dan moeten jullie afwassen. Zijn er nog ergens aardappelen?'
Robin wees naar een plastic vaatje met cider dat op het dressoir stond.
'Ik denk in de bijkeuken,' zei hij. 'Willen jullie wat drinken, meisjes?'
'Zoe drinkt niet,' zei Judy.
'O, nee?'
'Nee,' zei Zoe. 'Ik lust het niet.'
Robin keek haar aan. 'Dat hoor je niet vaak.'
'Nog bedankt voor de overall en de sokken,' zei ze.
'Graag gedaan.'
'Ik vond het melken leuk,' zei Zoe. Ze ging op de rand van de keukentafel zitten. 'Ik denk dat ik morgenochtend weer ga kijken.'
'Nadat je aardappelen hebt geschild,' zei Judy.
Robin draaide aan het kraantje van het plastic vaatje en vulde een glas met cider. Hij gaf hem aan Judy. Toen ze het glas aanpakte keek ze hem bijna aan. 'Bedankt.'
'Je ziet er een stuk beter uit,' zei hij tegen haar.
Ze draaide zich van hem af en begon het plastic van de kip af te trekken. 'Wat weet jij nu daarvan!'
Zoe leunde over de tafel naar haar toe. 'Jemig, je hoeft zijn hoofd er niet af te bijten, hoor.'
Judy zweeg. Ze vond Robin er vanavond ook beter uitzien. Minder moe, niet zulke zwarte kringen onder zijn ogen. Hij moest nodig naar de kapper – tenminste, volgens zijn eigen standaard. Zij vond dat lange haar hem wel staan, haalde dat scherpe wat weg. Maar ze wilde met Zoe in de buurt geen aardige dingen tegen hem zeggen. Dat zou niet eerlijk zijn.
'Ik zal de aardappels even pakken,' zei Robin. 'Hebben we veel honger?'
'Niet erg. We hebben de hele middag van alles gegeten. Eerst bij Lindsay en toen bij oma. En voordat jij het ook vraagt... nee, we hebben Joe niet gezien.'
Robin, met zijn hand op de deurknop, opende zijn mond om te zeggen dat niemand Joe de laatste tijd veel zag, maar sloot hem weer. Hij was eerlijk gezegd vanmiddag, direct nadat de meisjes daar waren weggegaan, even langs Joe gegaan, maar had alleen Lindsay aangetroffen, die Hughie aan de keukentafel leerde zijn naam te schrijven, terwijl Rose met een hoop lawaai in haar looprek door de keuken banjerde.

'Kijk,' zei Hughie. 'Een grote J. Die grote H ben ik.'
'Heel goed, jochie.'
Lindsay had er moe uitgezien – zo'n doorzichtige moeheid die alleen blondharigen schenen te hebben.
'Ik ben bang dat Joe er niet is. Ik kan me niet meer herinneren wat hij vanmiddag nog allemaal ging doen, maar ik verwacht hem in elk geval niet voor donker terug.'
'Het is niet belangrijk,' zei Robin. 'Het kan wachten.'
Rose stopte in haar looprek en strekt haar armen naar Robin.
'Hallo, Rosie.'
'Ze is ontzettend vervelend geweest,' zei Lindsay. 'De hele middag al.' Ze voelde zich in de nabijheid van Robin altijd een beetje verlegen, door zijn lengte, zijn donkere uiterlijk, zijn teruggetrokkenheid, met als gevolg dat ze zich vaak verontschuldigde, als ze dacht dat dingen hem zouden irriteren, zoals een vervelende Rose. Maar hij bukte zich en tilde Rose uit het looprek.
Rose vond het prachtig. 'Jap,' zei ze tegen hem. 'Jap, jap, jap.'
'Jij bent een stevige vrouw,' zei Robin tegen haar. Ze straalde.
'Wat denk jij van Judy's vriendin?' vroeg Robin
'Leuk,' zei Lindsay. 'Apart. Hughie is gek op haar.'
'Helemaal niet,' zei Hughie nadrukkelijk.
'Ik denk dat het goed voor Judy is. Maakt alles wat lichter voor haar. Ze was trouwens al om half zes op om naar het melken te kijken.'
Rose legde haar handje tegen Robins wang.
'Je kleeft,' zei hij tegen haar.
'Ze kleeft altijd,' zei Lindsay, en toen, alsof ze door het ongewone beeld van Robin met haar baby in zijn armen, geïnspireerd werd, zei ze op een vertrouwelijke toon: 'Robin, Ik ben een beetje...' Ze besefte plotseling dat Hughie er was en hield op. 'Joe,' vormde haar lippen zonder geluid te maken. 'Ik maak me zorgen om Joe.'
Hij knikte. 'Dat weet ik.'
'En je moeder...'
'Ja.'
'Kun jij... kun jij misschien eens met hem praten? Horen wat er aan de hand is?'
Rose begon te spartelen en te brullen om weer losgelaten te worden. Robin bukte zich en zette haar weer in haar looprek. 'Ik kan het altijd proberen.'
Linday stond op. Ze keek naar Robin die in zijn werkkleren in haar keu-

ken stond en kreeg ineens de neiging een stap naar voren te doen, kinderen of geen kinderen, en om haar gezicht in zijn overall te drukken en te zeggen: 'Help me alsjeblieft, help me, ik weet niet meer wat ik moet doen, maar ik kan gewoon niet meer.'
'Ik ga er weer eens vandoor,' zei Robin. Hij legde zijn hand op het hoofd van Hughie. 'Leer jij maar goed schrijven, hoor. En zeg maar tegen je papa dat ik hem wil spreken. Wil je dat doen?'
'Waarover?' vroeg Hughie, die achter elkaar met een rood potlood grote H's aan het produceren was.
'Mest,' zei Robin. Hij raakte Lindsay's arm aan. Hij had even gedacht dat ze daarnet op het punt had gestaan om in tranen uit te barsten. 'Ik zal zien wat ik kan doen.'
Het zou niet veel zijn, dacht hij nu, toen hij de deur van de bijkeuken opendeed. Hoe kon het ook, als hij niet eens wist wat hij moest vragen en Joe waarschijnlijk geen antwoord had. Je kon weinig aan Joe merken, het leek erg goed met hem te gaan. De velden van Dean Place lagen er fantastisch bij, de hekken waren allemaal gerepareerd en de rekeningen werden op tijd betaald. Tenminste, dat nam Robin aan. Daar zou Dilys wel voor zorgen. De zwijgende afspraak was, dat Joe en Robin nooit over geld zouden spreken. Eerder het tegendeel. Het leek wel alsof ze deden dat het niet bestond. Maar het was ondenkbaar dat, met het boerenbedrijf in zo'n goede staat en met Dilys die de boekhouding deed, Joe in financiële moeilijkheden zou zitten. Als Caro er nog was geweest had ze waarschijnlijk al instinctief geweten wat er met Joe aan de hand was. Maar ja, als ze er inderdaad nog was geweest, was er misschien helemaal niets met Joe aan de hand geweest. We gaan naar de verdommenis door onze gereserveerdheid, dacht Robin ineens, en hij verbaasde zichzelf door te vloeken. Het is net zo erg als geketend te zijn. Hij bukte zich om de aardappelen uit hun stoffige, papieren zak te pakken. Hij kon Judy in de keuken horen lachen, waarschijnlijk om iets wat Zoe had gezegd. Hij vond Zoe aardig. Ze had iets stoutmoedigs over zich en een openheid die men gewoonlijk alleen in dieren tegenkwam. Of in kleine kinderen. Zoals Rose vanmiddag toen ze opgetild wilde worden, of neergezet. Geen gedoe, geen gecompliceerd gedoe, zoals bij hen.
Hij liep terug naar de keuken en dumpte de aardappelen in de gootsteen. 'Allemaal voor jou,' zei hij tegen Zoe.
'Oké,' zei ze. 'Waarmee kan ik ze schillen?'
'Met een dunschiller.'
'Gewoon of onder de kraan?'

Robin keek haar aan. 'Waar kom jij eigenlijk vandaan?'
'Uit een flat in Tottingham. Ik ben het originele kant-en-klaar-voedselkind. Daarom zie ik er zo uitgedroogd uit, net een soldaat uit de eerste wereldoorlog. Ik ben echt ondervoed.'
'Let maar niet op wat ze zegt,' zei Judy. 'Ze eet de hele dag door, net een paard.'
Robin grinnikte. Hij trok een la open op zoek naar een dunschiller. 'Alsjeblieft,' zei hij, en hield hem voor haar op.
'Eng ding,' zei ze. 'Ziet eruit als iets dat ze gebruikten voor een gewelddadig onderzoek bij negentiende-eeuwse prostituees.'
'Zoe!'
'Ga bij die gootsteen staan en laat hem vol koud water lopen,' zei Robin.
'Kóúd water?' vroeg Zoe. 'Ik wíst dat ik niet van koken zou houden.'
'Schiet nu maar op.'
Ze liep naar de gootsteen en deed de stop erin.
'In Londen zien aardappelen er heel anders uit. Daar zijn ze gevuld met kaas en wonen in warme ovens tot ze afgehaald worden.' Ze keek naar Robin. 'Vooruit dan maar, laat me maar zien hoe het moet.'
Judy die bezig was de kip met een halve citroen en een kluit boter – 'verse boter,' zei Caro altijd – te vullen, stopte even en keek naar het tafereel aan de andere kant van de tafel. Robin stond een beetje over de gootsteen gebogen met de dunschiller in zijn ene en een aardappel in zijn andere hand. Vlak naast hem hing Zoe op haar ellebogen op het aanrecht en stond, als een klein kind voor de televisie, gefixeerd naar Robin te kijken. Nam ze hem in de maling? Of was ze met hem aan 't flirten? En hoe kwam het dat sinds zij hier was, de schaduwen zwakker leken, dunner, alsof er iets van leven was teruggekeerd, tegelijkertijd met de herinneringen? Ze draaide de kip om en legde hem op zijn borst in de ovenschaal. Precies zoals Caro het altijd deed, precies zoals Caro haar had geleerd.
'Goed,' zei Robin. Judy hoorde het opspatten van het water toen de dunschiller erin werd gegooid. 'Goed. Nu is het jouw beurt.'

6

De veemarkt van Stretton lag net van de ringweg af, tussen een ijsfabriek en de kantoren van het gemeentelijk energiebedrijf. Het rommelige complex van veilinghuizen en parkeerplaatsen besloeg een behoorlijk grote oppervlakte en had een goede reputatie opgebouwd met het veilen van gezond vee.

Aan de ene kant stond een nieuw gebouw dat voornamelijk gebruikt werd voor vee en kalveren. Aan de andere kant spreidde zich een enorm dak over hokken uit, waarin schapen en varkens als sardientjes in een blik stonden. Tussen de twee gebouwen door liep een winkelstraat met banken en winkels voor land- en tuinbouwproducten en dierenvoedsel. Aan ieder eind van de straat bevond zich een eetgelegenheid, Charolais Diner genaamd en gemarkeerd door een groot reclamebord in de vorm van een witte stier waarop het menu van de dag stond, dat de hele dag door voor twee pond vijfennegentig ontbijt serveerde.

Robin parkeerde de trailer zo dicht mogelijk bij het grootste veilinggebouw, naast een bord waarop de veilingtijden stonden vermeld: 'Slagers'-schapen: 10.15 uur. Runderen en zuigkalveren: 10.45 uur. Mestkalveren: 11.15 uur. Mestvee en onvruchtbare koeien: 12.00 uur. In de trailer had hij vijf, twee weken oude stierkalfjes die met hun kop naar de verste muur stonden, zo ver mogelijk van het angstige gedoe van het laden en inladen. Robin en Gareth hadden ze een uurtje geleden ingeladen, door ze met één hand aan de van touw gemaakte halster en één hand aan de staart de wagen in te leiden.

'Ik heb hier altijd een hekel aan gehad,' zei Gareth. 'Ik vind het vreselijk om ze te zien gaan.'

Robin bromde wat. Hij vond het ook niet leuk; vooral nu niet, als je wist dat ze eerst achttien maanden werden vestgemest voor ze hun onbekende einde tegemoet gingen. Maar hij had dezelfde gevoelens wat betreft de onvruchtbare koeien. Het had iets naars om een koe naar de veiling te sturen alleen omdat er iets aan haar mankeerde waar ze zelf niets aan kon doen. Hoe ouder hij werd hoe moeilijker hij dat vond. Maar hij had geen zin om een gesprek met Gareth over de ethiek van het houden van vee te beginnen omdat die dan ter plekke zou stoppen met werken

en zich leunend tegen het dichtsbijzijnde obstakel, in het gesprek zou gooien. Gareth leed aan iets dat werken en praten tegelijkertijd onmogelijk maakte en Robin, hoewel hij wel vaak rekening met Debbie en de kinderen hield, was er zich goed van bewust dat hij Gareth per uur betaalde.
'Ik wil niet terugkomen met minder dan zevenhonderd voor het hele span,' zei hij.
Robin stapte nu uit de Land Rover en liep naar de achterkant van de trailer om de klep open te maken. Er kwamen twee veeknechten van de markt aanlopen om lijnen te spannen tussen de trailer en de hokken, waarin de kalveren zouden blijven tot het hun beurt was om geveild en weggeleid te worden door een jongen die relatief gezien niet veel ouder dan de kalveren was. Zo gauw ze de wagen uit zouden komen, zou een van de veeknechten een veilingsticker op hun lijf plakken.
'Robin...'
Robin die met zijn handen tegen de achterklep geleund stond, keek om en zag Joe, in zijn werkkleren en met zijn handen in de zakken, naar hem staan kijken.
'Wat doe jij hier?'
'Eigenlijk niets,' zei Joe. 'Ik ga misschien naar wat runderen kijken.'
'Waarom in godsnaam? Hier, als je er toch bent, help me dan even.'
'Ik denk erover om er een paar aan te schaffen. Ik denk dat dat het bedrijf wel eens goed zou kunnen doen, een beetje leven op de boerderij kan geen kwaad. Niet meer dan een paar, hoor.'
'Weet pa hiervan?'
'Nee.'
'Waarom niet?'
'Omdat pa tegen verandering is.'
'Ja, als men wil veranderen alleen maar om te veranderen.'
'Ach, ik weet het niet,' zei Joe. 'Ik heb geen idee, ik weet alleen dat ik aan verandering toe ben.'
Langzaam daalde de achterklep naar beneden tot hij met een klapje de grond raakte. De vijf kalveren drukten zich angstig tegen de verste muur.
'Arme donders.'
'Begin jij nou ook niet. Gareth is al erg genoeg. Jullie doen net of ik jullie kinderen naar de veiling breng.'
Joe keek toe hoe Robin in de wagen klom en de kalveren één voor één naar de achterklep leidde. In hun grote oren zaten gele plastic identiteitsstickers. Hij kon zich nog herinneren dat hij Lindsay een keertje in

hun verlovingstijd naar de markt had meegenomen om haar de realiteit van het boerenleven te laten zien. Ze had de hele weg terug naar Dean Place gehuild, overstuur door wat ze had gezien en door het verlies van haar romantische dromen over het boerenleven.
'Het kwam door die kalfjes,' snikte ze tegen Caro, die door Joe was gebeld om Lindsay te troosten en haar te verzoenen met de realiteit van de voedselproductie.
'Ja,' zei Caro, 'ik weet het. Ze zien er zo lief uit dat je er liever niet realistisch over wilt zijn.'
'Misschien had ik haar niet moeten meenemen,' zei Joe later. 'Misschien had ik haar gewoon in de waan moeten laten dat het boerenleven alleen maar uit wuivende korenvelden bestaat. Uiteindelijk is dat toch het enige wat ze zal zien.'
'Ik weet het niet,' had Caro langzaam gezegd. Hij herinnerde zich haar omfloerste blik nog goed. 'Ik weet het niet. Ik heb geen idee in welke mate de waarheid nu wel of niet goed voor ons is.'
De lijnen waren gespannen toen de laatste van de vijf kalveren uit de wagen struikelde.
Robin zei: 'Ik hoop in stilte altijd dat ze naar een veemesterij in ons eigen land gaan.' Hij keek naar Joe. Die stond met dezelfde geforceerd kalme blik als op Caro's begrafenis, de kalveren na te staren. Alsof hij er niets mee te maken had en er daardoor ook niet op hoefde te reageren.
Robin sprong de wagen uit en legde zijn hand op Joe's arm. 'Wil je praten?'
Joe schudde van nee.
'Wil je naar de veiling kijken? Ik ga wel met je mee.'
Joe zuchtte. 'Ik moet eigenlijk terug. Ik weet niet eens wat ik hier doe...'
'Je zei dat je naar wat runderen wilde kijken.'
'Ja.'
'Omdat je de dingen wilde veranderen.'
Joe gaf geen antwoord.
'Dat idee had ik ook al een tijd,' zei Robin. 'Ik wil ook dingen veranderen. Ik wil dat deze tijd zo snel mogelijk voorbij gaat.'
Joe keek met een donkere, ongelukkige blik naar Robin.
'Als jij denkt dat je daar runderen voor nodig hebt, dan koop je toch een paar runderen,' zei Robin.
'Maar dat weet ik niet zeker...'
'Nee,' zei Robin. 'Wie weet dat wel. Er is altijd een eerste keer voor iets. Het is ook de eerste keer dat ik mijn vrouw heb verloren.' Hij keek weg

van Joe. Het lag hem op de tong om tegen Joe te zeggen dat hij er ontzettend naar verlangde dat Caro terugkwam, niet zozeer om haarzelf, maar hij had haar nog zoveel te vragen. Hij zou er nu op gestaan hebben om antwoorden van haar te krijgen... over het in de steek laten, over het verlies van vertrouwen. Maar dat zou niet eerlijk zijn. Waar Joe ook mee zat, het was duidelijk dat hij niet nog meer op zijn bord kon hebben. En de bekentenis van alle onopgeloste vragen waar hijzelf mee zat, was wel het laatste dat Joe kon gebruiken.
Plotseling zei Joe: 'Ik was niet verliefd op haar, hoor. Ik bedoel, niet op díé manier...'
Robin wachtte. Het stro dat op de achterklep lag waaide tegen hun benen aan en over de grond.
'Het was alleen maar...' Joe spreidde zijn handen uit en balde toen zijn vuisten. 'Het lijkt wel, nu ze voorgoed weg is, dat ze vroeger op de een of andere manier de boel bij elkaar hield, dat ze hoop gaf.'
Robin aarzelde. Hij voelde zich een beetje kwaad worden over Joe's onbeschaamdheid. Hij pakte de sleutels van de Land Rover en rinkelde ermee in zijn hand. 'Nou, wacht eens even...'
'O, maar ik bedoel niet...'
'Nee,' zei Robin. 'Nee, dat weet ik. Maar maak er nu niet zo'n grote toestand van, wil je. Je bed is altijd al voor je gespreid geweest... altijd. Ga jij nu niet moeilijk doen over iets dat waarschijnlijk alleen maar in jouw hoofd zat.'

Hij reed de Land Rover met de trailer weg en parkeerde hem op een parkeerplaats naast net zo'n wagen, waarin een gele herdershond waakzaam voorin zat, en liep het veilinggebouw binnen. Het had veel weg van een busstation – veel glas en beton, en trappen die aan beide kanten van een soort amfitheater omhoog liepen, vanwaar je goed zicht had op de veiling die beneden werd gehouden. Er zaten zo'n dertig, veertig mensen verspreid over de zitplaatsen: boeren van alle leeftijden en typen, met een paar vrouwen in praktisch dezelfde kleding als de mannen, en een aantal stevige boerenmeiden met rubberen laarzen aan, die met één hand hun lange haar uit hun gezicht veegden en in de andere een sigaret hielden.
Onder hen in de ring, zaten de bieders op vaste zitplaatsen. Er waren boeren bij die voor zichzelf zaten te bieden en anderen die voor de abattoirs kwamen. Die zaten daar op elke marktdag, zomer en winter, in dezelfde vormloze en weerbestendige kleding in een onbestemde groen-

grijze kleur en hingen met hun ellebogen over de railing, kleine gebaren van de geroutineerde bieder makend. Links werd het vee over een weegmachine geleid, die automatisch op een groot scherm hun gewicht in verlichte cijfers liet zien. Het vee werd snel, met veel lawaai van de ijzeren hekken die open- en dichtgingen, door de ring geleid en in een mum van tijd, gewogen, verkocht en weer naar de buitenhokken geleid.
'Morgen, Robin,' zei iemand. 'Ben je hier voor zaken?'
Robin knikte. 'Alleen maar een paar kalveren vandaag.'
De man die in een dikke jas droeg over een paar gebreide truien, zei: 'Er zit deze week geen behoorlijke kwaliteit bij. Zelfs de beste zullen niet veel meer dan negentig pennies opbrengen.' Hij nam Robin even aandachtig op. Er werd al jarenlang gefluisterd dat die Caro Meredith een vreemde vrouw was, maar roddels of geen roddels, een vrouw was een vrouw en haar verliezen was toch erg.
'Gaat het een beetje?'
Robin knikte.
'Goed zo.' Hij gebaarde naar de ring. 'Kijk, dat is nu een fantastisch beest, die grote Schot. Dat is er een van Jim Voyce.'
Robin tikte hem op de arm. 'Ik ga er weer vandoor, Fred. Kwam alleen maar even binnen.'
Fred James raakte even zijn pet aan. 'Het beste Robin, doe de groeten aan je vader. Houdt zich nog best, hè!'
Toen Robin weer buiten kwam, zag hij dat het was gaan regenen, een koude, scherpe motregen. Hij vloekte omdat hij zijn pet in de Land Rover had laten liggen en zette zijn kraag op. Waarom was hij daar eigenlijk naar binnengegaan? vroeg hij zich nu af. Waarom had hij gevolg gegeven aan het gevoel dat hij Joe moest helpen? Terwijl hij er zelf van overtuigd was dat Joe er niet beter van zou worden als hij nu ineens op runderen zou overgaan. Waarom zou hij in godsnaam Joe willen helpen?Joe had zijn hele leven al een makkie gehad. Hoefde nooit ergens om te vragen, kreeg het altijd al gewoon op een dienblad aangereikt. Het begon nu harder te regenen. De mensen om hem heen renden weg om te schuilen. Mensen die hun hele leven in regen werkten, maar nu, tussen gebouwen, anders reageerden. Robin kromde zijn schouders en dook diep in zijn kraag. Voordat hij naar huis ging moest hij nog een aantal balen stro kopen, als hij het tenminste voor onder de vijfentwintig pond per ton aan huis geleverd kon krijgen.

Judy lag op de grond van haar zitkamer, met haar schouders en hoofd ongemakkelijk tegen een leunstoel aangepropt, naar een toneelstuk op de televisie te kijken. Zoe had gezegd dat ze moest kijken want een vriend van haar was assistent-cameraman, maar zelf was ze voor een tweedaagse fotocursus naar Birmingham vertrokken. Natuurlijk hoefde ze niet te kijken, hield Judy zichzelf voor. Ze kon ook haar haar wassen, een boek lezen, of de flat opruimen, maar op de een of andere manier was ze de laatste tijd gewend geraakt om samen met Zoe dingen te doen. Judy had ontdekt dat Zoe de gave bezat om haar, Judy, haar vrije tijd, heel nuttig te laten gebruiken.
Het was trouwens niet zo'n goed toneelstuk. Het ging over twee teenagers die in een Noord-Engelse stad op de vlucht voor de politie waren. Maar het werd niet duidelijk waarom ze op de vlucht waren en er werd meer ademloos in gehijgd dan dat er werd gesproken. Het was ook in het half-donker opgenomen, dus vond Judy het ontzettend moeilijk om op haar kleine beeldscherm de prestaties van Zoe's vriend te appreciëren. Ze lag ongemakkelijk met haar kin op haar borst en probeerde de energie te verzamelen om op te staan om de televisie uit te zetten.
De twee teenagers, meisjes die ook jongens hadden kunnen zijn, renden nu in het donker over een spoorlijn. Het ene meisje had net zulk kort haar als Zoe. Zoe ging elke drie weken naar de kapper en liet haar haar dan ook weer in die wijnrode kleur spoelen waar Judy inmiddels aan gewend was geraakt. Zoe had haar verteld dat ze eigenlijk bruin haar had. Geen prachtig diepbruin haar met een rode glans of zo, nee, een dof soort bruin, net zoals dode bladeren, heel saai. Een hele tijd geleden, toen ze een video van Liza Minnelli in *Cabaret* had gezien, had ze haar haar ook pikzwart laten verven. Maar ze zei dat het haar niet stond, het zag er hard en echt geverfd uit. Judy pakte een lok van haar eigen haar beet en keek ernaar. Rood haar zag er altijd geverfd uit, zelfs al was het je eigen kleur.
De bel ging. Judy richtte zich langzaam op. Het was vast die enorme dikke man van de derde verdieping die een brood kwam lenen of een lamp zodat hij weer naar Zoe kon gluren. Hij kwam de laatste tijd wel drie keer per week. En altijd hetzelfde liedje, grinnikend en met een vijf pond-biljet tussen zijn vingers, waarvan Judy wist dat hij helemaal de bedoeling niet had om daar iets mee te betalen. Ze stond op en zette zonder enige haast de televisie zachter, maar niet uit. Toen liep ze naar de voordeur en deed hem zo ver als de veiligheidsketting het toeliet open. Er stond een jonge man, een magere jongen in een spijkerbroek, met een

leren jack aan. Hij droeg een bril en had een bos bloemen in zijn handen.
'Hallo,' zei hij.
Judy nam hem op. 'Wat wil je?'
'Ik heet Oliver,' zei de jongen. Hij hield de bos bloemen omhoog 'Ik kom voor Zoe.'
'Ze is in Birmingham,' zei Judy.
'O.'
'Ze komt pas vrijdag naar huis.'
'O.'
Judy richtte haar blik op de bloemen en zei harteloos: 'Tegen die tijd zullen die wel dood zijn.'
'Ja,' zei hij, en toen: 'Wil jij ze hebben?'
Judy haalde het kettinkje los. 'Nou ja, ik wil natuurlijk niet dat ze doodgaan.'
'Bedankt,' zei Oliver. Hij stapte naar binnen en stond in de kleine hal onzeker om zich heen te kijken. 'Ik heb haar al drie weken niet meer gezien. Sinds ze hier is gaan wonen.'
'Ja,' zei Judy, 'dat klopt wel zo'n beetje.' Ze glimlachte naar hem. Hij had achter zijn ronde, moderne brilletje, een heel lief gezicht en hij had het soort fijne, kinderlijke haar dat koorknapen ook hadden. Ollie, de platgereden ooievaar. 'Wil je een kop koffie?' vroeg ze.
Ja, graag,' zei hij. Hij gaf haar de bloemen. 'Hier, neem ze nou, ik voel me anders zo stom.'
Judy liep hem voor naar de zitkamer en zette de televisie uit.
'Dat hoef je voor mij niet te doen, hoor. Niet als je zat te kijken.'
'Alleen maar half.'
Berustend zei hij: 'Je weet vast wel waarvoor ik hier ben.'
'Tja...'
'Meisjes vertellen elkaar toch alles.'
Judy vulde de ketel met water en pakte de bos gele fresia's uit. 'Ze ruiken heerlijk.'
'Ontloopt ze me?'
'Misschien...'
'Je bedoelt dus ja. Waarom zegt ze dat dan niet gewoon tegen me?'
'Dat weet ik niet,' zei Judy. 'Dat moet je haar vragen. Dat is mijn zaak niet.'
Hij stond net zoals Zoe altijd deed, tegen de deurpost van de keuken aangeleund. 'Hoe heet je eigenlijk?'
'Judy.'

'Hallo, Jud. Kan ik je met iets helpen?'
Hij liep achter haar langs en zette de ketel op. 'Waar staat de koffie?'
Judy gebaarde met haar hoofd. 'Daar!'
'Ben je er inmiddels al achter dat Zoe niet eens een ketel water kan opzetten? Of wil!'
'Het is mijn vader anders wel gelukt. Hij heeft haar aan het schillen van aardappelen gekregen en ze heeft een keer na het melken, bacon voor hem gebakken.'
'Melken?'
'Mijn vader is boer,' zei Judy.
'En je moeder?'
Haar hart miste een slag. 'Ze is dood.'
'O,' zei Oliver. 'O, neem me niet kwalijk!' Hij draaide zich in de kleine keuken een kwart slag om en legde zijn arm om haar schouders. 'Arme jij,' zei hij. 'Arme Judy, arme meid.'
Ze keek strak naar de fresia's. 'Zes weken geleden. Aan een hersentumor.'
'Wat afschuwelijk,' zei Oliver. 'Wat heb jij een rottijd achter de rug.' Hij kneep haar nog even in haar schouder. 'Arme meid,' zei hij weer.
Ze keek hem aan. Eerlijke en heldere ogen achter brillenglazen keken haar open aan.
'Zoe is erg aardig voor me...'
'Ja, ze weet natuurlijk precies hoe het is. Ze heeft haar vader verloren...'
'Ze heeft me verteld dat jij toen zo aardig voor haar was.'
'O, ja, heeft ze dat verteld?'
Judy maakte zich zachtjes uit zijn arm los en pakte de ketel met het kokende water. 'Ja.'
'Dat was niet zo moeilijk,' zei Oliver. 'Ik heb nog niet iemand in mijn familie verloren, maar ik kan me wel voorstellen hoe erg dat is. Tenminste, dat denk ik.'
'De meeste mensen zijn er bang voor,' zei Judy. 'Het lijkt wel alsof ze denken dat het aanstekelijk werkt als ze te dichtbij komen. Wil je melk?'
'En twee klontjes suiker, graag.'
Judy gaf hem een beker. 'Het is fijn als iemand gewoon tegen je doet zoals jij en niet schichtig gaat doen.'
'Ik heb hoogtevrees,' zei Oliver. 'En dieptevrees. En ik ben ook niet zo gek op spinnen.'
Judy liep langs hem heen naar de zitkamer en zette de fresia's tussen de twee reigers in voor de open haard.

'Die heeft ze van mij gekregen,' zei Oliver. 'Ze komen uit de Filippijnen.'
'Ik vind ze mooi. Zoe ook.'
'Fijn,' zei Oliver. Hij nam hoorbaar een grote slok koffie. 'Daar ben ik echt blij om. Maar ik vermoed dat ik haar geen cadeautjes meer zal hoeven geven.'

Gareths vrouw Debbie zag vanuit haar huiskamerraam Robins Land Rover zijn erf verlaten en de afrit naar de weg oprijden. Het was al de vierde keer vanochtend dat hij wegreed. Deze keer lag er, voor zover zij het kon zien, niets achter in de auto, geen hooibalen of een kalfje dat met zijn magere lijf tegen de achterklep stond gedrukt. Officieel was het verboden om levend vee in een open wagen zoals een Land Rover te vervoeren, maar Robin Meredith was er de man niet naar om zich van zulke dingen iets aan te trekken. Hij had in de buurt de reputatie dat hij schijt aan alles had, maar volgens Gareth was dat behoorlijk overdreven. Hij zei alleen dat Robin niet veel sprak.
Debbie spoot een blauwe nevel glassex op het enorme erkerraam – 'bevat echte azijn' vermeldde het etiket – dat bijna altijd onder het stof van de weg zat. Voordat ze naar de lagere school in Dean Cross zou gaan – ze werkte daar iedere dag in de kantine – moest ze nog een huishoudelijk lijstje met zeven taken afwerken. Het baantje had ze via Velma gekregen toen zij en Gareth voor het eerst naar Tideswell waren gekomen, en voordat Eddie, nu alweer vier jaar oud, was geboren. Haar twee oudsten, Rebecca en Kevin, zaten beiden op Dean Cross School en haatte het dat hun moeder tijdens hun lunchuur in haar oranjegeruite uniform met een raar mutsje op dat op een abrikoos leek, in de kantine stond. Als ze de kinderen hielp deden zij net alsof ze haar niet zagen en liepen met gebogen hoofd en zo snel als ze konden, langs haar. Gareth noemde hen een stel kleine snobs.
Gareth was een goede man, bedacht Debbie. Hij stond altijd aan haar kant, als Kevin bijvoorbeeld zeurde om een eigen televisie in zijn slaapkamer of wanneer Rebecca voor haar tiende verjaardag gaatjes in haar oren wilde hebben. Hij was trouwens goed op een heleboel manieren, hij rookte niet, werd nooit, behalve heel af en toe, dronken, bracht op hun trouwdag altijd bloemen voor haar mee en overhandigde haar elke week zijn loonzakje minus het kleine beetje zakgeld voor hemzelf, net zoals Debbie's vader altijd had gedaan. Gareth zei dat ze een goede manager was. En dat was ook zo, ze was altijd al goed met geld geweest, ook al vond ze dat meer een praktische dan sexy kwaliteit. Ze was trou-

wens heel trots dat ze praktisch was en vond het vervelend dat Gareth zich helemaal niet met het geld wilde bemoeien. De laatste tijd was ze echter aan het veranderen; sinds Caro was overleden en ze 's avonds Robins eenzame licht uit de boerderijkeuken zag schijnen. Ze was zich ineens bewust geworden hoe kwetsbaar het leven eigenlijk was en ze vroeg zich af hoe het zou zijn als Gareth ineens dood zou gaan en haar met de kinderen alleen zou achterlaten. Het waren dingen waarover ze nooit had nagedacht. Ze had Gareth jarenlang verteld dat een keer per week seks genoeg was; het liefst op zaterdagavond, want hij hoefde op zondagochtend nooit te melken. Dat deed Robin altijd. Maar nu hing er iets om Robin heen, iets ontzettend eenzaams, alsof hij door Caro's overlijden geen deel meer van het gewone leven uitmaakte. En het gekke was dat ze daarom veel meer met Gareth wilde vrijen, zelfs op dinsdag of donderdag, alsof ze door met hem te vrijen hem kon behoeden voor een bepaald lot, alsof vrijen een soort verzekering tegen het lot was.

Ze deed een stapje achteruit om te kijken of er nog strepen op het raam zaten. Met Gareth sprak ze nooit over die dingen, alhoewel hij wel verbaasd was over die verandering in haar. 'Wat is er aan de hand?' had hij een paar avonden geleden op een woensdag gevraagd, toen ze zich ineens naar hem had toegekeerd. 'Wat heb je, Debbie?' Maar hij had verheugd geklonken, hij had het fijn gevonden. Als ze er nu aan dacht werd ze nog een beetje rood, maar ze kon het niet helpen. Ze kon er ook niet over praten. Praten was nu eenmaal moeilijk; trouwens, het was veel beter om kaarten of een bos bloemen te laten zeggen wat je zelf niet kon. Ze had vijfentwintig pond uitgegevenvoor een rouwkrans voor Caro, een krans van rose anjers en witte chrysanten, en ze had een speciale rouwkaart naar de boerderij gestuurd met de tekst: 'Robin, wij denken aan jou in deze voor jou zo moeilijke tijd. Gareth, Debbie en kinderen'. Ze wist niet eens of Robin die kaart ooit wel had gezien, maar ze had haar best gedaan en met de krans en kaart gezegd wat ze wilde zeggen. Ze zag Robins Land Rover weer het erf oprijden. Hij was maar tien minuten weggeweest. Arme Robin, dacht Debbie, arme Robin. Gareth had haar verteld dat hij en Caro in geen jaren een slaapkamer hadden gedeeld.

Velma had in de keuken in Tideswell Farm een pakje champignonsoep en twee in cellofaan verpakte verse worstjes laten liggen, die duidelijk onder iets zwaars in haar plastic boodschappenmand hadden gelegen. Naast het eten lag de post van die ochtend die hij met zijn duim had

opengescheurd en door Velma, zoals ze altijd deed, keurig op een stapel was gelegd met de grootste envelop onderop. Naar de bovenste brief – de kleinste – wilde hij niet kijken; het bevatte een velletje papier van de Rivierinspectie om hem in te lichten dat ze op de ochtend van de 17e bij de rivier de Dean, vlakbij zijn boerderij, de resultaten van hun eerdere inspectie willen verifiëren.
Robin legde het pakje soep boven op de brief van de Rivierinspectie en gooide de worstjes in de afvalbak. Toen opende hij de koelkast. Hij kon er geen verrassingen in vinden en sloot hem weer. Hij liep naar het raam en keek naar zijn erf, terwijl met een hand in zijn zak zijn sleutels liet rinkelen. Hij was meer onrustig dan hongerig; dat was hij al de hele week geweest, onrustig en gespannen. Vanaf die vreemde ontmoeting met Joe bij de veemarkt had er iets aan hem geknaagd, hem onrustig gemaakt, een raar, zenuwachtig gevoel dat niets met zijn rouw om Caro te maken had, maar meer met het gevoel dat er iets was dat Joe hem niet wilde vertellen, iets dat hij behoorde te weten, dat hemzelf betrof. En omdat hij niet wist wat het was en het niet uit Joe kon trekken, bleven zijn hersens maar in zijn hoofd malen en malen. Hij leek wel een weermannetje, naar binnen en naar buiten, naar het dorp, naar Dean Place Farm, dan weer naar de rivier.
'Probeer je je banden te verslijten?' had Harry gevraagd.
Het was maar ten dele als grap bedoeld. Harry had de laatste dagen niet zo veel zin meer om grappen te maken, sinds hij iemand had gesproken die hem vertelde dat hij Joe op de veemarkt in Stretton had gezien. Toen hij Joe ermee had geconfronteerd was Joe in woede uitgebarsten en had tegen hem geschreeuwd dat het verdomme zijn eigen zaak was waar hij heen ging of stond. De manier waarop Joe had gereageerd zat Harry niet lekker en hij was ook bang dat Joe nu weer iets van plan was. Een paar jaar geleden hadden Dilys en Joe hem ervan weten te overtuigen dat het beter was als de cheques voortaan op Dilys' en Joe's naam stonden, in plaats van op die van Harry en Dilys, omdat Joe de laatste jaren toch alle inkopen deed. Verbeeld je, als Joe nu eens een heel wild plan in zijn kop had over de aanschaf van vee? God wist wat er tegenwoordig in Joe's hoofd omging en Dilys had altijd de hand boven Joe's hoofd gehouden. Ze was als was in zijn handen en gaf uiteindelijk altijd toe als hij iets wilde. Dat maakte Harry zenuwachtig. Trouwens hij kreeg ook van Robin de zenuwen, die de laatste tijd aldoor bij hen binnenviel zonder enige aanwijsbare reden.
Robin wist dat Harry zich zorgen maakte en had, bij zijn laatste bezoek

aan Dean Farm, hem proberen gerust te stellen door te zeggen dat alles wel weer op zijn pootjes terecht zou komen en dat Joe alleen maar een beetje met ideeën speelde, zoals boeren dat zo vaak deden. Maar Harry had alleen maar iets gebromd en was stug doorgegaan met het repareren van die oude graafmachine die Joe al jaren geleden had willen inruilen.
'Je weet toch dat we allemaal wel eens veranderingen overwegen, iets nieuws willen?' had hij gezegd.
Iedereen, behalve Harry, dacht Robin nu, terwijl hij naar zijn erf stond te kijken. Harry had zijn hele leven op dezelfde manier geboerd en zou het ook nooit anders willen. Harry hield van vertrouwde en bekende wegen, dingen die hij kon overzien. Robin vroeg zich af wat er zou gebeuren als er werkelijk iets zou voorvallen dat Harry niet kon hanteren, iets zo totaal anders, dat zijn hele leven er door op zijn kop gezet zou worden. Zou hij gewoon onverstoorbaar doorgaan op zijn eigen manier en net doen alsof er niets aan de hand was, of zou hij er onderdoor gaan?
Hij zag een auto de oprit opdraaien. Het was een taxi; Robin kon duidelijk het verlichte bordje met TAXI erop zien. Wie zou hier nu tijdens het lunchuur in een taxi naartoe komen? Velma kwam soms met een taxi, maar zij kwam altijd met de oranje gekleurde Vauxhall Astra-taxi uit Dean Cross. Deze kwam duidelijk uit Stretton. De auto verdween even achter de hoge heg en kwam weer vlak bij de voordeur te voorschijn.
Robin liep de keuken uit, door de lange, betegelde gang naar het Victoriaanse deel van het huis en naar de grote hal waar de voordeur op uitkwam. Het was er zoals altijd donker, er viel alleen een beetje licht door het glas-in-loodraam boven de voordeur. Robin deed het licht in de hal aan en ging op zoek naar de voordeursleutel, die sinds de thee na Caro's begrafenis, niet meer was gebruikt en ergens in een la van de halkast lag.
Robin draaide het slot om en opende met veel moeite de deur, die meer dan ooit klemde. Buiten, op de oprit stond Zoe, die net van plan was naar de achterdeur te lopen. Ze had een rugzak en een camera in haar handen.
'Hé!' zei Robin. 'Wat kom jij doen?'
'Sorry,' zei ze. 'Het was niet mijn bedoeling dat je helemaal naar de voordeur zou komen. Maar dat kwam door die taxi. Die man had geen zin om over het erf naar achteren te rijden omdat zijn taxi dan onder de modder zou komen te zitten. Ik kom van Birmingham.'

'O, ja?'
'En toen zag ik op het busstation een bus staan die naar Stretton ging en toen dacht ik...'
'Ja?'
'Nou ja,' zei Zoe. Ze klonk totaal niet onzeker door haar verwelkoming. 'Ik dacht, ik ga jou opzoeken. En hier ben ik dus.'

7

Ik wil me er eigenlijk niet mee bemoeien,' zei Dilys, 'maar ik vind dat jij en Joe er even tussenuit moeten. Een weekje vissen, of zo.'
Ze zat met een kop thee voor zich aan de keukentafel bij Lindsay. Ze had de plak bananencake, die Lindsay zelf had gemaakt, geweigerd. Dilys had haar hele leven alles gegeten dat ze wilde eten, maar ze had de laatste tijd gemerkt dat haar kleren strakker begonnen te zitten en als ze zich bukte om de stofzuiger uit te zetten of iets van de vloer wilde pakken, kreeg ze het gevoel dat ze in een ijzeren harnas zat waar ze bijna uitknapte. Wel jammer. Die cake zag er precies uit zoals zij hem lekker vond, mooi gerezen en met veel rozijnen erin. Maar zo hoorde hij er natuurlijk ook uit te zien. Tenslotte had zij Lindsay geleerd hoe ze bananencake moest maken.
'Harry en ik zijn een keer naar Ierland gegaan om te vissen. Naar de westkust. Het was er prachtig. Ik denk dat je er tegenwoordig vanuit Manchester regelrecht naartoe kunt vliegen.'
'Ik krijg hem nooit mee.' zei Lindsay.
'Hoe bedoel je dat?'
'Je weet toch dat hij nooit met vakantie wil.'
'Dat weet ik helemaal niet,' zei Dilys scherp.
Lindsay sneed de cake voor Hughie in reepjes en in blokjes voor Rose en gaf ze ieder een bordje. Dilys had haar vanochtend gebeld om te zeggen dat ze naar Stretton ging en of ze nog iets voor Lindsay moest meenemen? Nee, had Lindsay gezegd, met in gedachten dat Dilys altijd met iets anders aankwam dan je had gevraagd. In dat geval, had Dilys gezegd, kwam ze op de terugweg alleen maar even langs om de kinderen te zien, en Lindsay, die net plannen had gemaakt om zich te laten inlichten over een nieuwe parttime kapperscursus in Stretton, had in plaats daarvan bananencake staan bakken.
'Waar is de banaan gebleven?' vroeg Hughie met zijn ogen op de cake.
'Die heb ik fijngeprakt en door het deeg gedaan.'
Hij duwde zijn bordje weg. 'Ik wil alleen met echte banaan.'
'Kom, kom,' zei Dilys.
Hughie gleed van zijn stoel af en ging op zoek naar Zeehond die hij

boven op de groentenmand vond. Hij stak zijn duim in zijn mond. Lindsay hield haar adem in.
'Zeg,' zei Dilys kalm tegen haar kleinzoon. 'Ben je een man of ben je een muis?'
Hughie keek haar aan. Hij trok zijn duim even uit zijn mond en zei: 'Een muis.'
Dilys keek naar Lindsay. Lindsay keek naar Rose die als een uitgehongerde hamster zoveel mogelijk stukjes cake in haar mond had gepropt.
'Ik heb helemaal niet horen vragen of je wel van tafel mocht,' zei Dilys tegen Hughie.
Hughie kroop achter Lindsay's stoel tot hij helemaal uit het zicht was verdwenen. Rose haalde diep adem en blies een grote kledder bananencake over haar kinderstoel heen, die vlak naast Dilys' theekopje op de tafel terechtkwam.
'Rose!'
'Dat komt door Joe,' zei Lindsay wanhopig en zonder na te denken.
Dilys pakte haar theelepeltje en begon de cake-kledder van de tafel af te schrapen. Haar gezicht stond kwaad en ze vroeg met een geknepen stem: 'Wat komt door Joe?'
Het kon Lindsay niet meer schelen. 'Iedereen voelt zich rot, heb je dat niet gemerkt? Iedereen voelt zich rot en niemand wil erover praten. Joe al helemaal niet.'
Dilys stond op. Ze liep naar Lindsay's stoel en tilde Hughie, nog steeds zuigend en met Zeehond onder zijn arm geklemd, op. Een moment lang hing hij als een doodsbange lappenpop in haar armen, maar voordat hij het wist zat hij weer op zijn stoel achter zijn bordje met de onaangeroerde cake. Hij zat doodstil. Hij was verlamd van verwondering.
'Natuurlijk wordt er nergens over gepraat, want er is niets om over te praten,' zei Dilys. 'Behalve dan dat hij overwerkt is. Hij werkt altijd en daarbij moet hij het doorlopend tegen Harry opnemen. Harry denkt nooit op lange termijn. En jij maakt je veel te zenuwachtig. Dat kan een kind zien. Dat kunnen we allemaal zien. Het is niet gemakkelijk voor hem geweest dat jij je sinds de dood van Caro in alle staten heb gewerkt. Jij bent aan vakantie toe. Jullie beiden zijn aan vakantie toe. Ik pas wel op de kinderen. Mary helpt me wel.'
Hughie hield Zeehond tegen zijn gezicht aangedrukt, zodat zijn hete tranen geluidloos in de vacht verdwenen.
'Het ligt niet aan mij!' schreeuwde Lindsay. 'Het ligt echt niet aan mij. Als ik zo zenuwachtig ben is het zijn schuld!'

Ze sprong op en tilde Rose uit haar stoel. Rose, die zonder dat zij het zelf had aangegeven dat ze uit haar stoel wilde, gepakt werd, werd woedend en begon te krijsen.
'Moet je nu eens kijken,' zei Dilys. 'Moet je jezelf nu eens zien. En kijk nu eens naar die kinderen. Is dat een manier om ze op te voeden?' Ze had eigenlijk trots en nadrukkelijk 'Joe's kinderen' willen zeggen.
'Ga alsjeblieft weg,' zei Lindsay, die naar adem hapte. Ze begon ruw het gezicht van Rose schoon te maken, waardoor Rose nog harder begon te krijsen. 'Ga alsjeblieft weg. Ik kan het niet langer verdragen dat jullie net doen alsof er niets aan de hand is. Jullie spannen altijd samen, die hele familie spant altijd samen...'
Dilys stond op. 'We hebben jou altijd gesteund, schat. Vanaf de eerste dag dat je in onze familie kwam. Je hebt alles gekregen wat je hartje begeerde... dit huis, hulp voor de kinderen. Je hebt geen enkele verantwoordelijkheid voor de boerderij...'
'De boerderij!' schreeuwde Lindsay. 'O, de boerderij, de boerderij!'
'O,' snikte Hughie in Zeehond, 'O, o, o!'
'Je hoeft niet zo te schreeuwen, dat helpt je niets,' zei Dilys. 'Met schreeuwen heb je toch nooit iets bereikt, of wel? En je hoeft al helemaal niet de schuld op de boerderij te gooien. De boerderij is er voor de Merediths. Waar zouden we zijn als we die niet hadden?'
Ze liep naar de stoel bij de deur waar ze haar tas en rieten boodschappenmand had achtergelaten.
'Luister nu eens goed,' zei ze. 'Luister nu eens naar me. Je bent een goed meisje, Lindsay, maar je werkt jezelf alleen maar in alle staten. En Joe heeft daar last van en de kinderen hebben daar last van. Joe moet nodig met vakantie en jij ook, dunkt me. Misschien heb je wel een versterkend drankje nodig. Misschien heb je wel last van bloedarmoede, daar hebben veel jonge vrouwen last van. Ik praat wel met Joe en daarna zullen we wel zien. Ze zette haar handtas in de rieten mand, naast een zak verse gist en pakjes thee en stopnaalden. Toen bukte ze zich en gaf Hughie een kus op zijn hoofd.
'Beloof me dat je nu weer een lief jongetje bent? Niet stout tegen je moeder doen, hoor!'
'Hij is nooit stout,' zei Lindsay met haar gezicht tegen Rose aangedrukt. 'Hij is juist hartstikke lief. Het is...' Ze zweeg.
'Ik bel je nog wel,' zei Dilys. 'Maak jij nu maar een verse pot thee voor jezelf. Dag Rosie, schat, dag lieverd.'
Toen ze weg was zette Lindsay Rose op de grond.

'Nah!' schreeuwde Rose.
'O, alsjeblieft...'
Rose overwoog het even en begon toen enthousiast naar de groentenmand te kruipen. Binnen twee minuten zou de hele vloer bezaaid zijn met wortels en uien, wat tegenwoordig vaak gebeurde, omdat Lindsay geen enkele plek meer had om dingen buiten het bereik van Rose te zetten. Lindsay liet zich op haar stoel vallen en leunde met haar ellebogen op tafel, en begroef haar gezicht in haar handen. Hughie hield haar, over het warme, natte lijfje van Zeehond heen, in de gaten.
'Ze houdt van ons,' zei Lindsay zwak. 'Echt waar. Ze wil ons helpen, maar ze weet niet hoe. Ze hebben daar geen van allen een idee van.'
Hughie legde Zeehond naast zijn bord en gleed van zijn stoel. Hij liep naar Lindsay toe en leunde tegen haar aan. Ze sloeg een arm om hem heen. 'Ik hou van jou,' zei ze.
Hij wachtte even. Na een paar tellen een gevecht met zichzelf geleverd te hebben, vroeg hij: 'Van Rose ook?'
Er rolde een ui tegen zijn voet.
'Ja, van Rose ook.'
Hughie schopte de ui weg. Hij was goudgekleurd en glimmend, maar er zaten griezelige, sprietige dingen aan één kant en Hughie durfde hem niet aan te raken. 'En papa?'
'O, ja,' zei Lindsay. Ze zuchtte lang en diep. 'Natuurlijk hou ik ook van papa. Papa betekent alles voor me.'

De man van Mary Corriedale, Mac, die om de twee weken het gras van het kerkhof van Dean Cross maaide, was er voor deze keer weer mee klaar. Het was pas de tweede keer dit jaar en hij had zoals hij altijd deed, in grote cirkels om de zerken heen gemaaid, zodat er kleine plukken gras om de stenen achterbleven. Later, zo rond mei, zouden ze dan half verscholen tussen het fluitekruid en de boterbloemen liggen. De predikant had liever gehad dat zijn kerkhof met meer precisie werd gemaaid, dat de randen werden bijgesneden, dat het kerkhof meer op een tuin zou lijken dan op een half bedwongen wildernis. Iets dat hij elke zomer weer als punt op de kerkvergaderingen te berde bracht. En elke keer kreeg hij als reactie, dat als hij iemand kon vinden die het net als Mac Corriedale de hele zomer lang voor niets wilde doen, hij zijn gang kon gaan. De predikant die het al oneindig moeilijk vond God iets te vragen, verdroeg gelaten de brandnetels, het andere onkruid en Macs manier van grasmaaien.

Zoe vond het er prachtig uitzien. Ze was dol op wilde tuinen en hield van de koele geur van de aarde en de manier waarop de gemaaide stukken door mollenheuveltjes werden onderbroken. De oudste grafstenen trokken haar het meeste aan. Ze waren overdekt met mos, de letters nauwelijks leesbaar, vage groeven, die zich alleen als letters lieten zien als de ondergaande zon precies op de juiste stand stond. De moderne grafstenen, meestal glad geslepen, zwarte of rose stukken marmer (die haar aan ingemaakte stukken vis deden denken) vond ze minder. Sommige waren in de vorm van een opengeslagen boek en hadden er ingemetselde bloempotten voor staan met ijzeren netwerkjes erin om de bloemen rechtop te houden. Het viel Zoe op dat deze grafstenen nooit het woord 'dood' vermeldden, maar 'heengegaan' of 'eeuwige slaap' in grote, helgouden en onrustige letters. Soms stond er alleen een datum op, daar kon je zelf iets bij bedenken. Op sommige graven stonden engelen, waarvan de neus was afgebroken en er daardoor vreemd heidens uitzagen. Op Caro's graf, waar Zoe in eerste instantie naar op zoek was gegaan, stond helemaal niets.
'Dat kan niet,' vertelde Robin haar. 'Je kunt het eerste half jaar geen grafsteen laten plaatsen.'
'Waarom niet?'
'Omdat het graf zinkt.'
'Waarom?'
'Omdat als het lijk vergaat, het deksel instort.'
'Grote god,' zei Zoe. En toen: 'Mag ik toch naar haar graf gaan kijken?'
Hij had haar aangekeken. 'Natuurlijk.'
Het was maar een kleine heuvel. Het gras had nog geen tijd gehad om te groeien en de aarde zag er slordig en brokkelig uit met hier en daar een polletje onkruid. Aan één kant stond een jampotje met een bosje verdroogde narcissen erin tegen een kleine witte plastic pot aan, een afschuwelijke imitatie van een griekse urn, vol geplant met blauwe viooltjes. Zoe ging op haar hurken zitten en raakte de viooltjes aan. Robin zou die nooit geplant hebben, hij wist niets van bloemen af, zag ze niet eens staan. Misschien waren ze wel van Dilys, of van die knappe schoonzuster met die twee kleine kinderen die Zoe de dag ervoor nog in het dorp had zien rijden. Ze had er opgejaagd uitgezien. Ze had het aan Robin verteld, maar die had alleen maar iets gebromd. Hij zat toen net een brief van de Rivierinspectie te lezen – ze had het briefhoofd aan de achterkant door de brief heen kunnen zien – en hij had haar nauwelijks gehoord. Ze was er niet weer over begonnen. Twee

nachten onder zijn dak hadden haar dat geleerd.
Hij had niet moeilijk gedaan toen ze bleef logeren. Ze had haar rugzak en camera in dezelfde kamer gezet waarin ze had geslapen toen ze hier samen met Judy was, en was daarna naar buiten gelopen om Gareth te zoeken. Hij was bezig de schuur in orde te brengen voor de twee koeien die binnenkort zouden kalveren en ze had een hooivork gepakt om hem te helpen. Zijn zoontje Eddie was opgedoken en had Zoe zijn verzameling plastic strijders laten zien die je in een wip in robots kon veranderen, als je iets aan hun helm bewoog.
'Niet aanraken hoor,' zei hij tegen Zoe. 'Je mag alleen maar kijken. Ze waren in een advertentie op de televisie.'
Zoe had foto's van hem genomen. Ze nam haar camera overal mee naartoe. Ze had hem nu ook naar het kerkhof meegenomen en een paar fantastische foto's van de steunberen van de kerk, van het ijzeren hek en een paar grafstenen gemaakt. Het kerkje was niet echt mooi, maar het was stevig en oud en zag er onbuigzaam uit. Caro's graf daarentegen zag er verloren uit. Het leek wel, dacht Zoe, alsof de persoon eronder daar gewoon was neergegooid, omdat er letterlijk niets meer was dat de levenden voor haar konden doen, behalve onbelangrijke dingen, zoals een potje viooltjes voor haar neerzetten. Robin had haar verteld dat zijn vrouw Amerikaanse was en uit Californië kwam. En nu lag ze hier op dit Engelse kerkhof, met een veld koeien aan de ene en de speelplaats van de lagere school aan de andere kant, en met boven haar een dikke, zachte, grijze Engelse lucht. Net zoals haar vader, geboren in Engeland en begraven in Australië. Behalve dat hij niet was begraven. Hij had een brief achtergelaten met de wens dat zijn as ergens ver weg in de rimboe van Australië, en ergens ten noorden van Sydney, verstrooid moest worden. Zijn vriendin had daarvoor gezorgd. Ze had Zoe een heel lange brief geschreven en haar verteld dat het op een plaats was waar ze lang geleden een fantastisch vakantie hadden gehad en onder de sterren hadden geslapen, en dat Zoe's vader onder diezelfde sterren verstrooid wilde worden. Waar haalt ze de moed vandaan, had Zoe gedacht toen ze dat las. Waar haalt ze de verdomde moed vandaan om haar dat zo te vertellen. Ze had de brief verscheurd.
Ze liep naar de pot dode narcissen en pakte hem op. Toen duwde ze met haar voet de pot viooltjes meer naar het midden. Mooie bloemen, viooltjes. Ze hadden net als zonnebloemen, gezichten. Ze had dolgraag vorig jaar met vakantie naar Italië of Spanje gewild, speciaal om die velden en velden vol zonnebloemen te fotograferen, allemaal met hun gezicht

naar het oosten, naar de dageraad, alsof ze allemaal heel lief naar de juffrouw luisterden. Maar ze was niet gegaan. Net zoals ze zoveel dingen niet had gedaan. Ze keek naar de treurige jampot en wist dat ze moest gaan. Dat ze alle dingen moest gaan doen die ze wilde doen, voordat ze net als Caro, ergens voorgoed vast bleef zitten. Of net zoals haar vader, die als monteur in een garage in Sydney had gewerkt terwijl hij ingenieur was, en in Sydney met een meisje half zijn leeftijd was blijven wonen om maar niet alleen te zijn.
'Dag,' zei Zoe tegen Caro's graf. 'Judy houdt nog steeds van je.'

Joe kwam pas na negenen thuis. Lindsay had het opgegeven om met het eten op hem te wachten en had haar kom soep – prei en ham, bereid met de prei uit Dilys' groententuin – meegenomen naar de bank voor de televisie. Ze had hem aangezet om zich niet zo alleen te voelen, maar ze had niet echt gekekent. In plaats daarvan was ze de roman gaan lezen, die ze met haar damesblad meegestuurd had gekregen. Ze vond het omslag mooi: een echte romantische boerenkeuken met een open deur en erachter een tuin vol riddersporen en een bijenkorf. Het verhaal ging over een ongelukkige jonge vrouw die van de stad naar het platteland verhuisde en daar haar geluk vond. En een minnaar. Natúúrlijk, dacht Lindsay geïrriteerd, een minnaar. Het plattelandsleven uit het verhaal leek in geen enkel opzicht op dat van Lindsay; het was romantische soep met namaak mensen. Ze had er geen enkele relatie mee. Het had niets te maken met die oneindig in beslag nemende akkers van Dean Place Farm, met bijna altijd het verkeerde weer, de eenzaamheid, de zorgen, het gezin en Joe. Maar het was ook geen wereld waarin gesprŏken werd. In dit boek praatten de mensen aan één stuk door over hun gevoelens, hun frustraties, hun lusten en verlangens, terwijl ze van hun gekoelde witte wijn of espresso nipten. Verdomme, dacht Lindsay woest en gooide het boek naar de andere kant van de kamer, wat is er in jezusnaam mis met oploskoffie?
'Hallo,' zei Joe vanuit de deuropening van de zitkamer.
Ze ging rechtop zitten. 'Waar kom jij vandaan?'
'Spuiten, dat heb ik je toch gezegd.'
'Maar het is over negenen. Het is al twee uur donker. Ik heb Hughie verteld...'
'Ik ben naar ma geweest,' zei Joe.
Lindsay zwaaide haar benen langzaam van de bank af, zodat ze met haar rug naar hem toezat. 'O.'

Ze stond op en zette de televisie uit. 'Moet je nog wat eten?' Nog steeds met haar rug naar hem toe.
'Nee, bedankt. Ik ben bij ma blijven eten.'
Lindsay draaide zich om. 'Waarom heb je niet even gebeld?'
'Ma zei tegen me dat je wist dat ze met mij wilde praten.'
'Maar niet vanavond!' schreeuwde Lindsay. 'En niet zonder het mij eerst te vertellen!'
'Lyn...'
'Ik ben je vróúw. Ik ben niet een of ander kind, voor wie jij en je moeder dingen moeten besluiten. Ik ben de moeder van jouw kinderen en je vrouw. Je hoort met mij te praten...'
Joe deed een stap naar voren. Hij was nog steeds in zijn overall.De bovenste knopen zaten los, waardoor je zijn geruite overhemd kon zien. De overhemden die zij nog steeds bleef strijken, hoewel het volkomen zinloos was. Maar ze streek ze omdat het zijn overhemden waren en zij zijn vrouw.
'Ik had helemaal de bedoeling niet om met haar te praten. Ik was van plan om naar huis te gaan. Maar ze dreef me in een hoek. Ik stond even met pa over die heggen te praten en toen had ze me. Ze begon meteen over die vakantie.'
Lindsay trok met beide handen de kammen uit haar haar. 'Ze kwam hier vanmiddag theedrinken.'
'O, dan had ze al iets besloten.'
Lindsay schudde wild met haar hoofd, zodat haar dikke haar over haar gezicht viel. 'Dat zijn háár zaken toch niet?'
'Ze heeft aangeboden op de kinderen te passen.'
'Dat weet ik. Hughie huilde.'
'Ze wil alleen maar helpen.'
Lindsay stopte woest de kammen weer in haar haar. Eerst aan één kant, toen aan de andere. 'Wat heeft ze tegen je gezegd?'
'Wat bedoel je?'
'Heeft ze je soms verteld dat ik in alle staten was en dat je er even uit moest met mij? Dat ik de kinderen niet meer aan kan?'
Hij gaf geen antwoord.
'Ik kan het ook niet meer aan,' zei Lindsay. 'Op dat punt heeft ze gelijk. Maar dat heeft met jóú te maken. Ik kan gewoon niet tot je doordringen. Je laat me ook niet toe.'
'Ik ga akkoord met die vakantie.'
'Vissen in Ierland?'

'Als jij dat wil.'
'Ik weet niet of ik dat wil. Het enige wat ik wil is dat jij met me praat. Als we naar Ierland gaan, praat je dan met me?'
Hij keek haar aan. Zijn gezicht zag er doodmoe uit, ingevallen, zodat ze ineens kon zien hoe hij er zou uitzien als hij Harry's leeftijd zou hebben, een oude man was.
'Ik zal het proberen, al weet ik niet wat je bedoelt.'
Hij trok haar abrupt in zijn armen, tegen de stof die ze zo eindeloos had staan strijken en die nu, zoals altijd aan het einde van een dag, naar zweet en olie rook en al die chemische dingen waar hij dat afschuwelijke land mee bespoot. Hij hield haar voor een paar minuten hard en ongemakkelijk tegen zich aangedrukt, met haar hoofd pijnlijk tegen zijn iets opgeheven kin, alsof hij naar boven stond te staren. Ze had het idee dat hij met gesloten ogen stond.
'Joe...'
Hij liet haar net zo abrupt los als hij haar had vastgepakt.
'Ga jij maar naar bed,' zei hij.
'Maar...'
'Ik wil nog even het nieuws horen.'
'En het weerbericht?'
'Ja,' zei hij. 'En het weerbericht.'
'Hughie vroeg me vandaag of ik van je hield,' zei Lindsay, 'en ik heb ja gezegd.'
Joe ontweek haar ogen.
'Fijn,' zei hij.

Dilys lag naast Harry in hetzelfde bed, waarin zij Robin en Joe had gebaard. Het was een ouderwets ledikant, met een houten hoofd- en voeteneinde. Er lag een nieuw matras op het oude stalen springveren netwerk dat op planken rustte. Elke keer als zij zich omdraaiden kreunde het springveren frame, alsof het op zijn tanden knarstte. Er lagen lakens en dekens op het bed, plus een donzen dekbed dat nog van Harry's moeder was geweest en dat Dilys had overtrokken met een katoenen stof, afgezet met zijdeglans en bedrukt met rozen. Van dezelfde stof had ze gordijnen gemaakt en de kaptafel had er een soort stijf uitstaande petticoat van gekregen. Dilys had die rol stof vijftien jaar geleden op de markt in Stretton gekocht en net zo lang bij de marktkoopman afgedongen tot ze de stof voor twee pond per meter had gekregen.
Vijftien jaar geleden was Joe nog niet getrouwd geweest. Hij had

Lindsay toen nog niet eens ontmoet en als Dilys eerlijk was moest ze toegeven dat toen dat eenmaal was gebeurd, ze ontzettend blij was geweest. Het was niet zo dat Joe openlijk verliefd op Caro was, maar hij was wel als het ware gefascineerd door haar, betoverd kon je wel zeggen. Dilys had toen gedacht dat het met dat Amerikaanse gevoel te maken had gehad. Toen hij thuiskwam had hij Amerika nog steeds in zijn bloed zitten en toen was Caro daar, op Tideswell, en had voor hem de vrijheid die hij daar had achtergelaten vertegenwoordigd.
Hij had haar op een keer iets over Amerika verteld. Tijdens de koffiepauze aan de keukentafel – die bij Dilys thuis vroeger, tussen de twee oorlogen, altijd werd aangeduid als 'de mannen-theepauze' – had hij haar iets verteld over de enorme afstanden in dat land, de ontzettende ruimte, dat er hele grote delen waren die nooit getemd of bewoond zouden worden, over al die rivieren en bergen en woestijnen, waardoor men zich begon te realiseren dat zij helemaal niet de meesters van het heelal waren. Dilys zou die taal nooit van Harry of Robin hebben geaccepteerd, maar ze luisterde wel naar Joe. Joe was ambitieus, had een soort gedrevenheid in zich die zij herkende, een verlangen dat je het leven op zijn best moest leven – en dan nog beter. Maar Joe had ook nog andere dingen in zich, hij had iets rusteloos en een of andere donkere gretigheid die hem kwetsbaar maakte. En deze kwetsbaarheid maakte Dilys bang. Ze zag het in zijn de manier van werken: in plaats van dat hij het als een uitdaging zag, vocht hij ertegen alsof het zijn vijand was. Ze had gehoopt – o, wat had ze dat gehoopt – dat zijn huwelijk en vaderschap hem zouden kalmeren, dat het die gevaarlijke, emotionele energie zou kanaliseren en dat hij eindelijk uit die storm in een veilige haven terecht zou komen.
Ze draaide zich voorzichtig om, waarbij de springveren zachtjes onder haar protesteerden. Harry zou er niet van wakker worden. Harry werd nergens wakker van. Hij had zijn hele leven hetzelfde, regelmatige karakter als van een metronoom gehad.
'Die man zal je niet voor verrassingen zetten,' had haar vader tegen haar gezegd toen ze hem vertelde dat ze zich gingen verloven. 'Dat moet je dus wel willen.'
Dat had ze ook gewild. En in die donkere, onzekere, depressieve jaren na de oorlog, had Harry als een rots in de branding geleken, iets wat toen heel bijzonder was. Hij was haar zekerheid, iets dat ze bij haar moeder zo had moeten missen. Ze wilde een goede vrouw voor hem zijn, een echte boerin en daarna de moeder van boeren. En dat was ook zo

gebeurd. Harry had haar ook alle kansen gegeven en ze had ze allemaal gegrepen. Toen de jongens nog klein waren en ze kippen hadden en de huiskoe – een echte Jersey – drachtig was en alle ramen van de boerderij in de ondergaande zon als spiegels glommen, wist Dilys instinctief dat ze de goede keus had gemaakt.
Maar tegenwoordig was dat moeilijker te geloven. Harry was ouder en was onverzettelijk en obstinaat geworden. Van de jongens begreep ze ook niets meer. Het waren geen gemakkelijke, handelbare kinderen meer, maar volwassen mannen met gecompliceerde levens en verborgen persoonlijkheden. Zelfs de boerderij, het land dat nooit veranderde en een van de grootste redenen van haar tevredenheid was geweest, was veranderd, verstikt in de onmogelijke bureaucratie, met regels en subsidies en boetes. Het land leek haar nu net zo kwetsbaar als Joe altijd had geleken; ze voelde het niet meer als een bron van zekerheid, hun levensonderhoud, maar als een wispelturig, hulpeloos ding dat door een kracht op afstand werd geregeerd in plaats van door de boeren die het bewerkten. Dilys tilde haar hoofd op en stompte haar kussen wat in model. Ze had Lindsay vanmiddag niet de schuld moeten geven; ze had niet moeten zeggen dat het door haar kwam dat Joe zo vreemd deed. Toen ze Joe aan het eind van de middag zo tegen zijn vader had horen schreeuwen, wist ze dat ze het bij het verkeerde eind had gehad. Het had helemaal niets met Lindsay te maken. Maar Joe kon er ook niets aan doen en Harry ook niet. Het kwam alleen maar omdat ze allemaal probeerden hun hoofd boven water te houden, ze moesten leven met de kaarten die hen waren toebedeeld. Net zoals zij trouwens. En Robin. Ze was ineens klaarwakker. Robin. Hoe zat het dan met hem? En dat meisje? Velma had vandaag vlak voor het eten een ovenschaal teruggebracht en had haar verteld dat die vriendin van Judy uit de lucht was komen vallen en ijskoud was blijven logeren. Wat was Robin van plan met dat meisje in zijn huis?

In zijn bed in Tideswell Farm lag Robin door zijn geopende gordijnen naar de maan te kijken. Het was halve maan en de wolken joegen in horten en stoten langs de hemel. De sterke wind sloeg de klimroos beneden zonder mededogen tegen het huis aan. Het was een gele klimroos 'Zeemermin' genaamd en door Caro geplant omdat ze in dit ingesloten land dol was op alles, wat haar aan de zee deed herinneren. Met een beetje geluk zou de wind de regen weghouden, of in ieder geval snel weer wegblazen áls het zou gaan regenen. Robin kon geen regen meer

gebruiken. De maïs en het gras hadden nu een lange periode zonnewarmte nodig. En het enige wat lang had geduurd, was die eeuwige motregen geweest.
'Stenen tijdperk-weer,' had Zoe tijdens het eten opgemerkt.
'Wat?'
'Kun jij het niet voor je zien: iedereen met dit weer in grotten en zo aan het schuilen? Met apehanden, helemaal behaard en maar zitten turen in de donkere nacht? Wachtend op de mammoet. Hoeveel mensen denk je, zouden van een mammoet kunnen eten?'
'Massa's.'
'Een stuk of honderd?'
'Misschien wel.'
Hij nam een hap van het vlees dat Dilys had gebraden. Zoe leek alleen aardappelen te eten. En waterkers.
'Waar heb je die waterkers vandaan?' vroeg hij.
'Uit de rivier.'
'Dat kun je niet eten.'
'Waarom niet?'
'Dat zit vol zuigworm, gevaarlijk. Schapen krijgen daar leverbotziekte van.'
Zoe keek naar haar bord. 'En die aardappelen, zijn die wél goed?'
'Perfect. Heb jij die gekookt?'
'Ja, ik herinnerde me nog hoe het moest.' Ze schoof de dikke stengels waterkers naar de rand van haar bord.
'Je hebt de tafel verkeerd gedekt. De vorken horen links te liggen.'
'Maakt dat wat uit?'
Robin keek haar aan en grinnikte. 'Niet echt.'
'Gareth vertelde me dat de koe onvruchtbaar is. De laatste keer is het ook al niet gelukt.'
'Ja, dat weet ik.'
'Het lijkt zo oneerlijk. Ik bedoel, zij kan er toch ook niets aan doen. Het is haar schuld toch niet.'
Robin nam een grote slok water. 'Mag ik vragen hoe lang je denkt te blijven?'
Zoe keek hem aan. 'Wil je dat ik weer wegga? Loop ik je in de weg?'
'Nee, maar er zal geroddeld worden. Velma weet dat je hier logeert en Gareth ook.'
'Je bedoelt dat je moeder het niet goed zal vinden.'
'Ze zal het in ieder geval niet op prijs stellen en ook raar vinden, omdat

we elkaar nauwelijks kennen.'
'Nou ja,' zei Zoe redelijk, 'je kent me nu al beter dan eergisteren. En ik ben alleen maar een vriendin van Judy die het hier fijn vind. En interessant. Maar ik ga wel als jij dat wilt.'
Robin legde zijn vork neer.
'Weet Judy eigenlijk dat je hier bent?'
'Nee. Ze denkt dat ik in Birmingham ben, maar ik zal haar bellen. Ik zal ook naar je moeder gaan. Er zit niets geheimzinnigs achter.' Ze prikte een aardappel aan haar vork. 'Zet me maar aan het werk als je denkt dat ik mijn kostje moet verdienen.'
'Dat denk ik helemaal niet.'
'Nou dan,' zei Zoe.
'Ik vroeg me alleen af waarom je bent gekomen.'
Zoe keek hem met grote, doordringende ogen en tegelijkertijd heel open aan. 'Kijk,' zei ze. 'Het ligt heel eenvoudig. Ik wilde jou weer zien. Toen ik hier met Judy was, vond ik het hier al meteen fijn en ik vond jou ook meteen aardig. Dus daarom ben ik teruggekomen. Kun je dat begrijpen?'
Heel simpel, had ze gezegd. Ik vond het fijn op de boerderij en ik vond jou meteen aardig. Dat is de waarheid. Buiten hing de maan even helemaal in een wolkeloze hemel, een glanzende schijf met een vage rand eromheen, zilverachtig en puur. Robin trok een hand onder de dekens vandaan en krabde hard op zijn hoofd. Twee deuren verder op de smalle gang, sliep Zoe, met haar vreemde rode haar op het witte kussen. En ze sliep, want volgens Zoe was dat wat je 's nachts deed. Je deed gewoon wat je wilde doen en niemand had daar wat mee te maken. Er viel niets te verbergen. Het leven was om geleefd te worden en dat kon je op vele manieren doen. Zoe leefde haar leven op haar manier en liet de anderen daarin ook vrij. Simpel toch?

8

De meisjes in Judy's kantoor waren zichtbaar opgelucht dat ze een nieuwe vriend had. Hij belde haar elke dag, soms wel tweemaal en als Bronwen of Tessa in haar afwezigheid haar telefoon opnamen riepen ze familiair en vrolijk: 'O, hi, Ollie! Hoe gaat het ermee?' Ze lieten kleine rose of gele plakbriefjes voor haar achter. 'Ollie heeft gebeld! Hij belt je weer om half een!' en tekende er ronde, glimlachende gezichtjes onder en soms zelfs kusjes. Ze gaven commentaar op de bloemen die ze van hem kreeg – altijd fresia's – en waren geïnteresseerd in wat ze bij hun volgende bioscoopafspraakje of weekendje aan zou trekken. Ze vertelden haar dat ze er slanker uitzag. Bronwen gaf haar het adres van een echt goede aerobicsstudio en Tessa vertelde haar dat zwart haar zo goed stond, eerlijk. Ollie, die ze nooit hadden ontmoet, betekende voor hen niet meer dan een lichtelijk vreemde stem aan de telefoon, maar had voor hen de weg vrij gemaakt om weer na Caro's dood, normaal tegen Judy te kunnen doen.

Judy was er zelf niet zo zeker van dat Ollie haar nieuwe vriend was. Ze vond hem lief – dat zou ook niet anders kunnen dacht ze, of je moest wel gek zijn – en ze vond het heerlijk dat hij zo attent was, maar er was iets dat haar tegenhield. Het was nog maar kort geleden dat hij van Zoe was en nog korter geleden dat zij hem de bons had gegeven. Hij had haar proberen uit te leggen dat hij door Zoe gefascineerd was geweest en ook voor haar was gevallen omdat ze zo anders was, maar dat hij ervan overtuigd was dat dat niets met liefde te maken had gehad. Nadat hij over zijn eerste adoratie van haar anders-zijn heen was en haar niet meer zo doorlopend had aan zitten staren, voelde hij zich zeer op zijn gemak bij haar, en waren ze dikke vrienden geworden. Judy had hem aangekeken en bij zichzelf gedacht dat, hoe aardig ze hem ook vond, ze toch het idee had dat ze hem niet helemaal kon vertrouwen. Was Caro er nog maar geweest, die had hem wel, als een pony op de veiling, kunnen ontleden. En haar ook duidelijk kunnen maken dat zij, Judy, best op haar eigen gevoel mocht afgaan en dat ze Caro niet altijd nodig had. Zelfs als het om de liefde ging.

Oliver moedigde haar altijd aan om over Caro te praten. Na elke film

waar ze naartoe waren geweest, of tentoonstelling, zei hij altijd: 'Zou je moeder dit ook mooi hebben gevonden? Had ze een moderne smaak? De mijne niet. Mijn moeder is zo'n beetje in de jaren zestig blijven hangen. Wel vertederend, eigenlijk.'
Judy vond dit spelletje wel leuk. Het was veel gemakkelijker om Caro te herinneren op de objectieve manier die Ollie haar aanreikte, dan zoals Judy eerder met haar herinneringen omging. Het maakte van Caro op een of andere manier meer een persoon dan alleen maar een moeder en dat was een opluchting.
Ze vroeg aan Oliver: 'Is jouw moeder gemakkelijk? Vindt ze alles goed wat je doet? Of heeft ze hoge verwachtingen van je?'
'O, ze is ontzettend gemakkelijk,' zei hij. 'Ze vindt mijn zuster en mij fantastisch. Ze is nog steeds verbaasd dat wij gelijktijdig en zonder hulp kunnen praten en lopen. Ze vindt ons werkelijk te gek.'
'Maar misschien heeft ze nooit teleurstellingen meegemaakt. Misschien is ze gewoon een blij mens.'
Hij keek haar even vluchtig aan. 'Dat klopt,' zei hij voorzichtig.
'Heel bijzonder...'
'Ja, dat kun je wel zeggen.'
'Dus je kunt haar nooit teleurstellen.'
'Weet je wat ik denk,' zei Oliver toen hij haar hand pakte, 'dat je nu eens niet meer over teleurstellingen moet nadenken.'
'Zoals Zoe.'
'Zoe denkt nooit aan telleurstellingen of succes. Zoe leeft gewoon.'
Zoe was al meer dan een week in Birmingham. Die cursus die ze zou volgen – over perspectief in fotografie, had ze verteld – zou maar twee dagen duren en ze was inmiddels al tien dagen weg, waarvan Judy er negen met Oliver had doorgebracht. Ze had Judy een zwartwit ansichtkaart gestuurd – een rij hoogspanningsmasten in een leeg heidelandschap – waarop ze 'Blijf nog een tijdje weg. Bel je. Cursus moeilijk, maar leuke mensen' had geschreven. Met eronder een heel rijtje kussen en een grote Z. Judy had eruit begrepen dat ze een paar dagen met haar medecursisten op stap was. Judy had de kaart op de schoorsteenmantel boven de houten reigers, neergezet. Een van de reigers had inmiddels Ollie's baseballpet op zijn kop staan. Hij had Judy aangeboden om haar met het schilderen en behangen van de zitkamer te helpen.
'Het lijkt me hartstikke leuk, eerlijk. Ik ben niet zo'n ster in het behangen, ik smeer altijd overal plaksel op, maar ik ben een kei met de kwast. Dat zul je wel zien.'

'Moet ik er niet mee wachten tot Zoe er weer is?'
'Nee, waarom?'
'Omdat ze hier ook woont.'
'Maar niet zoals jij, waar of niet? Je weet niet eens waar ze nu is, toch?'
Judy, met haar blik op de reigers, zei: 'Nee, maar dat hoeft toch ook niet. Dat zijn mijn zaken niet. Trouwens, ze kan elk moment bellen.'
Zoe belde Judy op kantoor op de elfde dag nadat ze was weggegaan. Judy was bezig om een lijst van handwerkmensen samen te stellen, vergulders, restaurateurs en politoerders, die in het julinummer onder het kopje: 'Vijf Sterren Tips' zou worden opgenomen. Toen haar telefoon ging, dacht ze geïrriteerd dat het een paar vrouwelijke conservators waren die haar nog meer werk wilden geven, en toen hoorde ze dat het Zoe was.
'Hé!' riep ze, tegelijkertijd blij verrast en zich bewust dat Ollie nu van haar was en niet van Zoe. 'Waar hang jij uit?'
'Op Tideswell,' zei Zoe.
'Wat?'
'Op Tideswell. Ik ben hier al sinds vrijdag.'
'Wat heb jij daar nu verdomme te zoeken?'
'Ik logeer hier gewoon,' zei Zoe.
'Maar dat heb je me nooit verteld. Je hebt nooit gezegd...'
'Dat hoef ik ook helemaal niet. Het is jouw flat. En ik hoef je alleen maar te vertellen wanneer ik weer terug zal zijn.'
'Luister nu eens goed,' zei Judy, ongelovig en ontzettend kwaad, 'waar ben jij in godsnaam mee bezig? Je kunt daar toch niet logeren, alleen met mijn vader...'
'Hij vindt het goed. Ik zie hem trouwens amper.'
'Waarom ben je er naar toegegaan?'
'Omdat ik het wilde. Ik had je toch verteld hoe fijn ik het er vond. Ik zag ineens een bus die naar Stretton ging en toen ben ik ingestapt.'
'Zoe...'
'Wat is er?'
'Dit kun je niet maken. Het is mijn huis, je kunt er niet zomaar gaan logeren.'
'Ik ben ook al bij je oma geweest. Die deed helemaal niet moeilijk. Ze zei alleen dat ik Robin niet in de weg moest lopen en dat doe ik dus niet. Dat zou niet eens kunnen, al zou ik het willen. Maar ik bel je om te zeggen dat ik waarschijnlijk na dit weekend weer naar huis kom.'
'Ik krijg de huur nog van je,' zei Judy woest. 'Twee maanden!'

'Oké.'
'Is mijn vader daar?'
'Nee, die is al om zes uur weggegaan. Zal ik vragen of hij je wil bellen?'
'Nee,' zei Judy. 'Nee! Hij is mijn vader en ik bel hem wanneer ik daar zin in heb.'
'Judy, rustig een beetje. Stel je niet zo aan alsjeblieft,' zei Zoe. 'Ik pak niets dat van jou is. Ik logeer hier alleen maar, bekijk de omgeving een beetje.'
'Maar het is toch idioot...'
'Nee, dat is het niet,' zei Zoe. 'Jouw houding, die is idioot. Ik zie je maandag wel of misschien wordt het dinsdag.'
Judy hoorde dat er aan de andere kant de haak op de telefoon werd gelegd. De Tideswell-telefoon in de Tideswell-keuken, onder het affiche van de Golden Gate Bridge dat ze zeven jaar geleden van Caro had gekregen, toen ze nog maar zestien was. Caro had er een donkergroene houten lijst omheen gemaakt en daar stond Zoe nu vast naar te kijken. Zoe die de telefoon aanraakte en de tafels en de stoelen en de pollepels en borden en zichzelf thuis in haar keuken had gemaakt, die zij, Judy haar hele leven had gekend. Ze pakte uit haar beker pennen een dikke zwarte viltstift en tekende een wanstaltig figuur op een grof stuk papier. Toen tekende ze de ogen, enorme oren, grote scheve tanden en stekeltjeshaar, zoals een ouderwetse boef eruitzag. Toen gooide ze haar pen neer en pakte de hoorn van de telefoon om Oliver op zijn werk, een galerie van een vriend en gespecialiseerd in moderne lithografie, te bellen. Ze had hem tot nu toe nog nooit op zijn werk gebeld.
'Oliver?' klonk een lakonieke stem aan de andere kant. 'Oliver Mason? Sorry maar die is lunchen.'
'Ik snap niet,' zei Velma, 'wat jij hier eigenlijk doet.'
'Ja, dat vraagt zo ongeveer iedereen,' zei Zoe.
Velma kneep het water uit de stapel stofdoeken die ze in de gootsteen stond te wassen. 'Ik bedoel, er is hier ook níéts voor je te doen...'
'Dat is zo,' zei Zoe, 'maar ik loop ook niemand in de weg. En ik ben gezelschap.'
'Hij heeft nog nooit gezelschap nodig gehad,' zei Velma. 'Het is altijd een einzelgänger geweest, zijn hele leven al.'
'Dat is ook wel te merken,' zei Zoe die net deed alsof ze de ondertoon in Velma's stem niet hoorde. 'Dat merk je al aan de manier waarop hij praat. Alsof hij het tegen een hond heeft, of zo. Vriendelijk, maar afstandelijk.'

'Nou, ja,' zei Velma tussen het op de verwarming ophangen van de stofdoeken door: 'zolang je maar op een afstand blijft. Dat is alles.' Ze keek op de klok. 'Hij komt over tien minuten thuis om te eten.'
'Ik ga voor een paar dagen terug naar Londen,' zei Zoe.
Velma bromde wat.
'Ik heb een pasteitje in de bijkeuken gezet. Onzin om er twee te kopen omdat jij toch geen vlees wilt eten.'
'Ik eet alleen pauwevlees,' zei Zoe. 'En zwaan. Dat soort dingen. Zal ik even een foto van je maken?'
Velma staarde haar aan. Ze trok haar gele acryltrui wat naar beneden, alsof ze zichzelf tegen het priemende oog van de camera wilde beschermen.
'Om de verdommenis niet! Wat moet ik met zo'n foto?'
Toen ze weg was opende Zoe de grote koelkast en haalde er een zak tomaten en een groot stuk kaas uit. Robin scheen niet zonder kaas te kunnen. Ze had hem in de dorpswinkel gekocht waar ze door Gareths Debbie, die daar toevallig ook was en haar starend naar een paar kisten met groente had aangetroffen, geadviseerd werd.
'Hij zei tomaten,' zei Zoe. 'Maar ik weet niet hoeveel. Twee? Twintig? Als ik trek in een tomaat heb koop ik er gewoon een en eet hem dan meteen op.'
De gedachte aan tomaten voor Robin was ook voor Debbie onbekend terrein. Net zoals dit vreemd-uitziende meisje, met die oren, en die vingers met al die ringen en dat rare rode, korte haar. Geen natuurlijk rood, maar de kleur van gekookte bietjes. Gareth zei dat er niets tussen die twee aan de hand was, maar het feit dat hij haar niet direct weer had weggestuurd, vond Debbie op zijn minst vreemd. Maar ze was niet sexy, dit meisje. Debbie nam haar onderzoekend op. Ze was mager en zo plat als een jongen, ze had niets aantrekkelijks, en was totaal niet vrouwelijk.
'Ik zou er zes kopen,' zei Debbie met haar ogen op de tomaten. 'En twee pond kaas. Gareth zegt dat dat zo'n beetje het enige is dat hij eet.'
Zoe zette de kaas, in het speciale met plastic beklede papier en de tomaten in hun bruine zak, op tafel. Ze stopte even en keek ernaar. Toen pakte ze de zak en kiepte de tomaten in de gootsteen en draaide de kraan zo hard open dat ze van onder tot boven drijfnat gespat werd. Toen deed ze de kraan uit en legde de tomaten, in de vorm van een kleine pyramide, op tafel. Ze zagen er prachtig uit zo op die tafel, met kleine waterdruppeltjes op hun strakke, glimmende velletje. Twee ervan

hadden nog een groen kroontje bovenop. Ze besloot om er zo een foto van te maken.
De achterdeur werd opengedaan en Robin stapte in zijn blauwe overall en op zijn sokken, de keuken binnen. Hij had een krant, een twintig milliliter, blauw plastic flesje met een anti-parasieten vloeistof en een doseerpistool in zijn handen. Hij gooide het pistool en het flesje naast de tomaten op de tafel.
'Ik moet er nog elf doen, verdomme' zei Robin, 'Ik had geen naalden genoeg.'
Zoe keek naar het doseerpistool. 'Waar is dat voor?'
'Wormen,' zei Robin. 'Luizen, schurftmijt. Zodat ze geen diarree meer krijgen. Ik had het eigenlijk voor de winter moeten doen, maar ja...'
Hij stopte en vroeg zich even af of Zoe gewoon zou vragen: 'Maar Caro was te ziek?', maar dat deed ze niet. Ze zei: 'Velma heeft een pasteitje voor je in de bijkeuken achtergelaten.'
Robin trok de knopen van zijn overall los en trok hem uit.
'Dank je. Maar ik wil alleen brood met kaas.'
'Ik heb Judy gebeld.'
Hij bromde iets.
'En ik heb de fiets van Gareth geleend om naar Dean Place te rijden. Ik kreeg van je ma een warm krentenbolletje.'
Robin keek naar even aan. Hij gooide zijn overall in een hoek en de kat, die het woord 'pasteitje' had horen vallen, ging er bovenop zitten wachten.
Zoe zette een in plastic verpakt gesneden brood op tafel plus een bord en een mes voor Robin. Hij liep achter haar langs en begon zijn handen in de gootsteen te wassen en dook met zijn gezicht en haar ook even onder de kraan. Als Dilys Zoe een krentenbol had gegeven, bekende dat dat ze haar had binnengehaald en haar niet, zoals ze met zwervers en garen-en-
bandverkopers deed, op de drempel had laten staan. Vroeger had Dilys een paar favoriete zwervers gehad, die daar jaarlijks en regelmatig als zigeuners langskwamen. Ze bewaarde altijd Harry's oude schoenen en zo voor hen en gaf ze dan ook een warme maaltijd die ze in de kippenvoerschuur mochten opeten. Maar dat deed ze allang niet meer. 'Het is tegenwoordig te gevaarlijk geworden,' zei Dilys. 'Ik laat ze ze nooit meer verder dan de drempel komen.'
Robin kwam naar de tafel en ging zitten.
'Heb je pa nog gezien?'

'Ja,' zei Zoe. 'Hij hoorde dat je weer twee kalverende koeien had en zei dat dat nogal laat was. Hij zei ook dat je daar in januari al klaar mee had moeten zijn.'
Robin pakte een paar boterhammen. 'Pa heeft altijd wat te zeuren.' Hij zweeg even en zei toen: 'Eigenlijk is dit jaar alles aan de late kant.'
Zoe bood hem op de punt van haar mes een stuk kaas aan.
'Vanwege Caro.'
'Gek, ik dacht vijf minuten geleden nog dat je dat toen wilde zeggen.'
'Ik dacht er wel aan.' Ze leunde iets over de tafel heen. 'Ben je nog naar haar graf geweest?'
'Nee.'
'Waarom niet. Waarom ga je niet een keer met mij mee?'
Hij keek haar even aan. Ze klonk niet nadrukkelijk, meer nonchalant.
'Jullie mannen,' zei Zoe zonder hartstocht. 'Jullie mannen zijn tevreden als iets er op het oog goed uitziet. Jullie nemen nooit de moeite om uit te vinden of dat wel zo is. Heb je je eigenlijk wel eens ooit afgevraagd hoe Caro zich hier eigenlijk voelde, hoe jij je in haar situatie had gevoeld?'
Hij wilde net van zijn brood en kaas een hap nemen, maar legde het weer op zijn bord.
'Dat kon ik niet. Ik heb het geprobeerd, maar dat kon ik gewoon niet. Trouwens, wat heb jij er eigenlijk mee te maken?'
Zonder zich aangesproken te voelen, zei Zoe: 'Ik moet aldoor aan haar denken. Ik probeer me maar voor te stellen hoe het voor haar hier moest zijn geweest en wie ze werkelijk was.'
Robin liet zich zonder het te willen, ontglippen: 'Dat wist niemand.'
Er werd even niets meer gezegd. Zoe pakte een tomaat en beet erin.
'Ik vraag me dat toch iedere keer weer af, en nog.'
Robin stond op, liep naar de gootsteen en vulde twee glazen met water. Hij zette er een voor Zoe neer.
'Maar je moet nog steeds afscheidnemen,' zei ze. 'Als je iets kwijtraakt, moet je dat. Anders kun je zelf niet meer gewoon doorgaan. Het is net zoals met al die graven naast de kerk, iedereen doet net alsof ze daar liggen te slapen. Maar dat is natuurlijk niet zo. Ze zijn allemaal dood en niemand komt terug.'
Robin stond nog steeds met zijn eigen glas water naast de tafel. 'Soms is net doen alsof er niets gebeurd is, de enige manier voor de achtergeblevene om te overleven.'
'Is dat met jou zo?'
'Ik weet het niet.'

'Natuurlijk weet je dat,' zei Zoe. 'Dat moet je wel weten. Zelfs al ben je momenteel in de war, je weet toch ook wel dat je in de war bent? Waarom wil je er niet over praten?'
Hij zei, bijna verlegen: 'Dat heb ik nog nooit gedaan. Dat ligt niet in mijn aard.'
'Maar wil je haar dan geen dingen vragen?'
Hij dronk zijn glas water in twee grote slokken leeg en zette het op tafel. 'Misschien wel.'
'Ik wil van alles nog aan mijn vader vragen. En de hele tijd. Waarom hij ons in de steek heeft gelaten, waarom hij naar Australië is gegaan, waarom hij daar is gebleven en of hij er spijt van had. Ik ben zo kwaad dat hij voordat ik hem al die dingen kon vragen, dood is gegaan. Hij heeft zich daardoor nooit hoeven te verantwoorden, zie je...'
'Misschien ligt het niet zo,' zei Robin langzaam. 'Misschien heeft hij nooit echt de kans gehad.'
Zoe ging staan. 'Je kunt je eigen kansen toch creëeren? Als je ze tenminste echt wilt. Weet je...'
'Wat?'
'Het klinkt echt stom wat ik hem wilde vragen. Maar ik wilde het echt. Ik wilde vragen of hij van me hield.' Ze keek naar Robin. 'Heb jij dat ook aan Caro willen vragen?'
Robin liep naar de andere kant van de tafel waar het plastic flesje en het doseerpistool lag. Hij pakte ze op, liep toen naar de hoek en trok zijn overall onder de kat vandaan. In zijn hoofd hoorde hij 'Ik wou maar dat zij dat had gedaan'. Woorden die nooit waren uitgesproken maar wel in zijn hersens bleven rondspoken.
'Ik zie je vanavond wel weer, om een uurtje of zeven. Ik moet eerst nog naar Stretton om die naalden te kopen.'
'Dag,' zei Zoe.
Hij keek haar niet aan.
'Dag.'

Oliver had op een van Judy's muren een groot lichtgrijs vierkant geschilderd. Ertegenover, boven de reigers, had hij hetzelfde gedaan, maar dan in donkerblauw.
'Je moet er heel veel naar kijken,' zei hij, 'dan kun je beslissen welke je het liefste hebt. Of misschien wil je na een tijdje geen van beide meer.'
Hij had haar van haar werk opgehaald en ze waren samen naar haar flat gegaan waar hij drie blikjes Cola Light had gedronken en de vierkanten

had geschilderd. Daarna moest hij weg; hij had een afspraak met zijn vader om samen te gaan eten.
'Daar kan ik niet onderuit, hij is bijna nooit in Londen.'
Toen hij weg was maakte Judy voor zichzelf wat toost en ging ermee op de grond voor het blauwe vierkant zitten. Het was mooi blauw, zomernacht-blauw. Ze had nog nooit een blauwe kamer gehad. Er was geen blauw op Tideswell, behalve in het melkhuis omdat die kleur zogenaamd de vliegen buiten hield. Caro had alles altijd geel, groen, rood en meloenrose geverfd, als rijp fruit en groenten. Zonnekleuren. In haar opinie hoorde blauw daar niet bij. Ze zei altijd dat blauw alleen maar als contrastkleur diende, zoals in die afschuwelijk zwembaden. Ze vond het hard en onecht alsof het benadrukte dat het water daar niet echt hoorde, maar speciaal voor het plezier van de mensen daarin werd vastgehouden. En donkerblauw geschilderde muren waren natuurlijk ook niet noodzakelijk. Terwijl ze naar Olivers opvallend geschilderde muur keek vroeg Judy zich af of ze het wel echt mooi vond.
'Als het nu een misser is en ik het achteraf niet leuk vind?' had ze gevraagd.
'Dan schilder ik ze gewoon over. Maar het is geen misser! Ga er toch niet altijd vanuit dat iets meteen niet goed is. Het is een experiment. Het hele leven is een experiment; hoe zou je anders weten hoe je moet kiezen?'
Judy stond op en bracht haar bord naar de keuken. Ze had daarstraks even gedacht dat Oliver haar zou vragen mee te gaan om zijn vader te ontmoeten. Maar dat had hij niet gedaan. Ze wist niet of ze daar nu rouwig om was of niet, of ze zich in een hoek gedreven had gevoeld als hij dat wel had gedaan, of zoals nu – en dat was niet eerlijk – een beetje teleurgesteld. Ze liep naar het raam en keek neer op de kleine, donkere binnenplaats waar de vuilnisbakken stonden en waar iemand een oude, gebroken wastafel en een plastic emmer naast een varen had neergezet. Een mooie, hardgroene varen die op de donkere, vochtige binnenplaats heel goed gedijde. Oliver is erg aardig voor me, echt ontzettend aardig, dacht Judy. Waarom was hij eigenlijk zo aardig?
Achter haar, in de kleine hal hoorde ze een sleutel in het slot draaien.
'Hallo,' riep Zoe. De deur knalde dicht.
Judy liep naar de keukendeur die op de hal uitkwam. 'Hallo.'
Zoe zag er nog net zo uit als toen ze was weggegaan, legerkistjes en een zwart leren jack over een zwart T-shirt en een spijkerbroek met scheuren op de knieën, waardoor je haar huid kon zien. Ze liet haar rugzak en camera op de grond glijden.

'Het heeft me een hele dag gekost. De hele verdomde dag. Overal waren de wegen opgebroken.' Ze keek Judy aan. 'Ik ben helemaal met met de bus van Stretton naar hier gekomen. Gareth heeft me naar de bus gebracht.'
'O.'
Zoe keek naar de muren van de zitkamer en gebaarde naar het donkerblauwe vierkant boven de open haard. 'Leuk.'
Judy zei nadrukkelijk: 'Dat heeft Oliver gedaan.'
'Ollie?'
'Ja.'
Zonder enige moeite zei Zoe: 'Leuk, zeg.' Ze pakte een paar bankbiljetten uit de zak van haar jack en stak ze naar Judy uit. 'Alsjeblieft. Honderdvierenzestig pond, die was ik je nog schuldig. En...'
'En wat?'
'Ik vind het fijn, ik bedoel Ollie. Ik meen het écht. Goed voor je.'
Judy pakte het geld aan en stopte het zonder er naar te kijken, in haar zak. Ze zei, alsof ze iets goed te maken had: 'Hij kwam langs met bloemen voor jou. Een dag nadat jij was weggegaan. En toen... toen gebeurde het gewoon.'
'Dat weet ik,' zei Zoe. 'Dat is meestal zo. Ik ben er blij om. Hij vind het heerlijk om mensen te helpen.'
'Denk jij dat ik geholpen moet worden?'
Zoe bukte zich en trok het koord van haar rugzak los. 'Ja, dat denk ik. Je hele familie trouwens, ze moeten allemaal geholpen worden.'
'Mijn familie, zei Judy nadrukkelijk, 'is taai.'
Zoe pakte een platte witte plastic tas met iets lichts en groots erin. Ze hield het voor Judy omhoog. 'Je zult wel gelijk hebben. Hier alsjeblieft. Voor jou van je oma.'
'Wat is het?' vroeg Judy.
'Zelfgebakken krentenbolletjes.
'Bedoel je dat mijn oma je die voor mij heeft meegegeven?'
'Ik heb dat aan haar voorgesteld.'
Judy pakte de tas en legde hem op de dichtstbijzijnde stoel. 'Ik was echt woest toen ik hoorde dat je naar Tideswell was gegaan.'
Zoe, nog steeds op haar hurken naast haar rugzak, keek op. 'Jij wil daar nooit naartoe.'
'Misschien ga ik nog wel eens een keer...'
'Gedraag je toch niet zo verdomde kinderachtig.' Ze gebaarde heftig. 'Het zijn hartstikke aardige mensen, waarom zie je dat toch niet in? Heel

aardige mensen die gewoon doorgaan met hun leven. Het is niet hun fout dat ze jouw moeder nooit hebben begrepen. Maar ze missen haar wel. Ze hebben geprobeerd haar een van hen te maken, maar zij liet dat niet toe en toch missen ze haar.'
'Hoe ben je ineens aan al die wijsheid gekomen?'
'Gewoon, dat is wat ik denk. Misschien zie ik alles beter omdat ik een buitenstaander ben.'
Judy ging op de leuning van de stoel zitten waar de krentenbollen van Dilys lagen. 'Buitenstaander' was een van Caro's woorden geweest. Ze maakte het zo mysterieus en aantrekkelijk, net zoals het woord 'nomade' dat ook een van haar favorieten was geweest. Ze had Judy altijd het gevoel gegeven dat de kwaliteit van niet tot de clan behoren iets was om trots op te zijn. 'Dichters zijn buitenstaanders' had Caro gezegd. 'En dat kan ook niet anders.' Ze had haar ook duidelijk gemaakt dat geadopteerd zijn tot deze bijzondere categorie behoorde. Dus Judy had zichzelf dan ook altijd als een buitenstaander gezien. Op dit moment wilde ze niet dat Zoe op de een of andere manier deel uitmaakte van iets dat alleen op Caro en haar betrekking had gehad.
Haar stem klonk bitter toen ze vroeg: 'Waarom vind je het eigenlijk helemaal niet erg van Ollie en mij?'
'Hoe bedoel je?'
Judy wachtte.
'Waarom zou ik dat erg moeten vinden?' vroeg Zoe. 'Ik ben niet verliefd op hem. Ik vind hem aardig, het is een prima gozer. Waarom moet ik het erg vinden als jullie op elkaar vallen?'
'Wat heb je eigenlijk op Tideswell uitgespookt? Wat heb je daar gedaan?'
'Niets,' zei Zoe. Ze keek Judy met haar grote, eerlijke ogen aan. 'Ik heb gegeten en geslapen en foto's genomen en Gareth een beetje geholpen en met mensen gepraat.'
'En wat heb je met mijn vader gedaan?'
'Denk toch niet meteen zulke smerige dingen,' zei Zoe. Ze stond op en hing haar rugzak over een schouder. 'Je moeder heeft je vader, net zoals jou, in een slechte toestand achtergelaten. Hij is daar nu veel rustiger over, dat is alles.'
Judy schreeuwde: 'Hij heeft nooit van haar gehouden! Nooit! Hij heeft nooit geweten hoe ze echt was!'
Zoe pakte haar camera van de grond. 'Ja hoor, dat deed hij wel,' zei ze. 'Hij heeft heel veel van haar gehouden. Daarin lijken jullie precies op elkaar.'

'Mijn vader en ik lijken helemaal niet op elkaar!'
'Maar hij is achtergebleven met de pijn,' zei Zoe, alsof ze Judy's geschreeuw niet had gehoord, 'dat zij nooit van hem heeft gehouden.'
'Dat kon ze ook niet!' schreeuwde Judy. 'Hoe kon ze dat nou?'
Zoe zweeg en staarde naar haar schoenen en naar het versleten tapijt dat de vorige eigenaar had achtergelaten. Toen draaide ze zich om en verdween, zonder iets te zeggen naar haar slaapkamer, gooide de deur in het slot en liet Judy alleen achter.

Robin besloot de volgende ochtend om de koeien maar eens naar buiten te brengen. Het weer was goed en het gras, hoewel niet op z'n best, was in de laatste twee weken beter opgeschoten dan hij had durven hopen. Het zou Gareth en hem meteen de gelegenheid geven om de koeienstallen wat op te knappen. De koeien hadden behoorlijk wat schade aangericht en er was veel reparatiewerk te doen.
Gareth had hem verteld dat vijf van de koeien ontstoken poten hadden. Robin kon zich nog een oude, gepensioneerde generaal uit zijn jeugd herinneren, die Dean Cross als een militaire operatie had proberen te leiden en bij alles wat hij deed grote tegenstand ondervond. 'Militaire dienst?' had Robin hem eens horen brullen. 'Militaire dienst? En een prachtige carrière, ware het niet voor die soldaten met hun verdomde voeten!' Je zou bijna hetzelfde over het boerenbedrijf en de koeien kunnen zeggen, bedacht Robin. Koeien hadden altijd iets met hun poten. En dat iets kostte het melkveebedrijf meer dan dertig miljoen pond per jaar.
'We hadden ze niet die gerst moeten geven,' zei Gareth.
Robin, diep gebogen over een van de achterpoten van een koe, zei niets. Na een minuut of tien zei hij alleen maar dat er een voetenbad bij de uitgang van het melkhuis moest worden klaargemaakt. En dat hij daarna de koeien naar buiten wilde doen.
Het was zonder Zoe buitengewoon stil in de keuken, hoewel ze nauwelijks druk kon worden genoemd en ook niet veel sprak. Ze had vanochtend een briefje voor hem op de keukentafel achtergelaten waarin ze hem bedankte dat ze daar had mogen logeren. Hij had er geen last van gehad. Hij had het, voor zover hij op dit moment iets plezierigs kon vinden, best fijn gevonden, ook al omdat ze niets van hem vroeg en aan de andere kant dingen gauw doorhad, zonder dat hij haar iets hoefde uit te leggen. Hij had het gevoel dat ze hem gewoon als man respecteerde en hem niet alleen maar als Robin Meredith de boer zag. Een mens met het recht op zijn eigen pijn, plezier en privacy. Hij bedacht ineens – en

dat verbaasde hem zelf – dat Caro vast heel goed met haar had kunnen opschieten. Caro zou voor haar gevallen zijn omdat ze niet nieuwsgierig was, dat ze niets van je hoefde. Was hij maar zo geweest, had hij maar niets nodig gehad...
Hij stond bij de keukentafel en duwde zijn half leeggegeten bord, met door Dilys gebakken worstjes, tegen de stapel papieren en folders op tafel. Hij ging maar weer eens naar die koeien kijken, besloot hij. Of ze nu gezond of ziek waren, hij ging 's avonds nog altijd even de stal in, het troostte hem ook op een bepaalde manier. De huiskat keek, vanaf een stapel oude kranten toe, hoe hij zijn laarzen en jack aantrok en bleef beleefd en geduldig wachten tot hij zou vertrekken. Robin bukte zich en krabbelde even achter haar oren. Hij wees naar de tafel.
'Je lust de uien vast niet,' zei hij.
De stal was precies zoals hij het daar prettig vond, schemerig en rustig, behalve voor het zachte gesnurf en gekreun van de paar koeien die hun plekje nog niet hadden gevonden. Hij streek met een hand over een paar lichamen en bekeek verschillende achterpoten, die hij die dag had bijgeknipt en waarvan hij de hoeven weer had leeggeschraapt.
'Goeie meid,' zei hij dan. Of: 'Oké, ouwe dame? Goed zo, dan.'
De koeien schoven een beetje opzij, snoven wat, en bonkten tegen de hekken van hun hokken. Maar niemand schopte hem. Robin was al in jaren niet meer geschopt, niet sinds die begindagen toen hij nog niet wist hoe koeien in elkaar zaten, en wat ze tolereerden en wat niet. Het had hem verbaasd, dat herinnerde hij zich nog, hoe beestachtig ze tegen elkaar waren en speciaal tegen zieke, of zwakkere koeien. Maar hij hield van ze. Hij had geleerd om van ze te houden.
Hij liep langzaam tussen de hokken op en neer. De koeien waren zo aan hem gewend, dat ze niet eens naar hem keken. Aan een kant stond zijn favoriete koe, een roodwitte, die haar flinke kalveren net zo gemakkelijk uitpoepte alsof ze een ei had gelegd. Ze keek hem even ontspannen aan alsof hij geen verrassing voor haar was maar meer een familiair onderdeel van haar eigen wereld, en keerde toen haar kop van hem af en vergat hem.
Buiten was Gareth, die zelf geloofde dat hij voor wat betreft de gerst een kleine overwinning had behaald, ijverig bezig het erf op te ruimen. Het geribbelde beton lag er schoongespoten bij, net zoals alle troggen en de doorgang van het melkhuis, waar hij, in de ondiepe kuil die hij samen met Robin een jaar of drie geleden had uitgegraven en met beton had gestort, een voetenbad had gemaakt. Er woei een kleine bries die ver-

schillende dingen zachtjes deed flapperen of kletteren: hekjes, afscheidingen, loszittende, zinken en plastic platen, resultaten van jarenlange 'voorlopige' reparaties en opknapwerk. Maar het was een fijne avond en de wind hield de regen weg. Robin liep naar het einde van het erf, legde zijn handen op de muur en keek naar het donkere en ogenschijnlijk zonder afbakenende heggen, aflopende land dat helemaal tot aan de rivier doorliep. Helemaal aan het einde kon hij het water tot aan de horizon zien glinsteren. Hij bleef een tijd in die donkere, bewegende nachtlucht staan staren.

Toen hij een kwartier later weer over zijn erf terugliep werd hij zich er ineens van bewust dat zijn telefoon rinkelde; hij had het gevoel dat die al een tijd rinkelde en begon onhandig en zwaar in zijn rubber laarzen, te rennen. Toen hij de keuken binnenviel zag hij dat de kat zich, naast zijn bijna lege bord, op tafel zat te wassen.

Hij greep de haak van de telefoon.

'Hallo? Hallo? Tideswell Farm...'

'Robin?'

'Ja, ja, Lindsay,' zei hij.

'Ik heb je nodig,' zei Lindsay. 'Wil je hier naartoe komen? Ik bedoel nu meteen!' Haar stem klonk bijna schreeuwerig. 'Kom vlug, Robin, kom nu. Joe heeft iets verschrikkelijks gedaan!'

9

Hij werd door Harry's oude hond gevonden. Harry had de gewoonte om elke avond rond half tien met zijn grote zaklantaarn een inspectieronde langs de hele boerderij en alle bijgebouwen te maken – de laatste jaren heel langzaam op de voet gevolgd door zijn oude spaniël. Hij was ooit een zeer actieve hond geweest, misschien wel de beste jachthond die Harry ooit had gehad, maar hij had jicht in zijn achterpoten gekregen en staar in beide ogen. Maar zijn reuk was nog net zo goed als vroeger. Langzaam en stijf, met zijn neus op de grond, hobbelde hij 's avonds achter Harry aan en miste geen enkel detail.
Hij bleef staan bij de schuur waar de zakken kunstmest lagen opgeslagen. Het was een groot open gebouw met ijzeren golfplaten op het dak waar vijfhonderd kilo-zakken van plastic in dubbele rijen en iets hoger dan de lengte van een man, lagen opgestapeld. Tussen de rijen door liepen nauwe gangen. Voor een van deze doorgangen bleef de hond met gespitste oren staan luisteren.
'Kom nou, jongen,' zei Harry, die vijftien meter verderop was blijven wachten.
De hond negeerde hem. Niettegenstaande zijn ouderdom en gebreken begon de hond met dezelfde intensiteit te snuffelen die hij ooit buiten op het veld had getoond. Toen jankte hij, vreemd en kort. Een geluid dat zowel opgewonden als angstig klonk. Hij schoot ineens zo snel als hij kon naar voren en rende naar het einde van de nauwe doorgang. Harry volgde hem.
'Kom nou jongen. Wat doe je daar nou? Heb je iets gevonden?' riep hij.
De hond stond in het donker verwoed aan iets te krabben. Harry hief zijn zaklantaarn op, scheen de gang door en zag aan het einde iets liggen, iets groots en afschuwelijks. Harry deed een onzekere stap voorwaarts en liet het licht op de donkere bundel schijnen. Het was Joe, nog steeds in zijn werkkleren, die zich met een oud jachtgeweer, dat scheef tegen zijn schouder aanlag, door zijn mond had geschoten.

'Dokter Nichols is hier,' zei Dilys. 'En de politie kan elk moment komen.'
Ze zat stijf rechtop onder het schelle licht van de keukentafel. Tegenover

haar zat Harry met gesloten ogen in zijn eigen stoel.
'Eén schot, heeft dokter Nichols gezegd. Het was maar één schot. Hij heeft pa's geweer gebruikt.'
Harry fluisterde, zonder zijn ogen te openen: 'Ik heb die kast niet op slot gedaan. Die zat niet op slot. Ik wilde een beetje op die kraaien gaan schieten. Morgenochtend.'
Robin liep om de tafel heen en greep zijn vaders hand. Harry hield hem stijf vast.
'Ik heb hem niet afgesloten...'
'Het was jouw fout niet,' zei Robin. Zijn stem klonk ruw en hard. 'Als hij een geweer wilde, had hij er altijd wel een in handen gekregen. Jouw geweer lag toevallig in de buurt.'
De tranen stroomden over Harry's gezicht. Hij opende zijn ogen en keek met een intense blik Robin aan. Toen opende hij zijn mond, stak er woest zijn gestrekte wijsvinger in en zijn natte ogen werden groot van onzetting en woede.
'Pa,' zei Robin, 'het is jouw schuld niet. Het is niemands schuld. Zelfs Joe's niet.'
'Het was mijn schuld,' zei Lindsay. Haar stem leek van ver weg te komen, alsof ze iets voor haar mond hield.
'Nee,' zei Robin.
Ze hing een beetje in haar stoel en zat naar het geboende tafelblad te staren. 'Ik heb het niet zien aankomen,' zei ze. 'Ik heb niet gezien hoe slecht hij eraan toe was. Het enige wat ik zag was hoe slecht het met mij ging.'
Robin liep van zijn vader naar Lindsay en ging naast haar op zijn hurken zitten. 'Het gíng ook slecht met je, met ons allemaal trouwens, maar met jou helemaal.'
Ze draaide zich naar hem om, sloeg haar armen om zijn nek en hing zwaar en hulpeloos tegen hem aan. Hij stond met moeite op, sloeg zijn armen om haar heen en voelde haar wanhoop in de zwaarte van haar lichaam tegen het zijne.
'Ik hield van hem,' zei Lindsay. 'Ik hield meer van hem dan wie ook, in de hele wereld.'
Dilys maakte een klein keelgeluidje, maar ze bleef stijf rechtop zitten. 'Dat weet ik. Dat wist hij ook.'
'Nee,' zei Lindsay. 'Nee, ik kon hem niet bereiken. Hij hoorde me niet. En ik heb het gewoon opgegeven, ik hielp hem niet meer en hij was zo eenzaam dat hij de pijn niet langer kon verdragen. En hij wist dat ik hem niet kon helpen, ik was niet sterk genoeg. Hij wist toen ook dat hij met

de verkeerde was getrouwd, iemand die hem uiteindelijk liet zakken, die hem alleen liet doormodderen... O, god,' zei Lindsay, snikkend en naar adem snakkend. 'O, god, o, god, wat heb ik gedaan?'
Robin keek over de tafel zijn moeder aan. Dilys knikte en stond op. 'Cognac en ik ga water opzetten.'
'Ouwe Kep heeft hem gevonden,' zei Harry, en rolde met zijn hoofd van de ene naar de andere kant. Hij had zijn ogen weer gesloten. 'Ouwe Kep. Ik dacht dat hij achter een rat aan was. Alleen maar een rat...'
'Ik heb niet nagedacht,' huilde Lindsay. 'Ik heb gewoon niet nagedacht! Hij kwam zo vaak niet voor het avondeten thuis. Ik zat televisie te kijken. Ik zat gewoon televisie te kijken toen Dilys me belde. Ik haat mezelf. O, wat haat ik mezelf, ik haat mezelf...'
Dilys zette een platte zakflacon cognac plus een handvol kleine goudgerande borrelglaasjes op tafel. 'De thee komt er zo aan.'
Robin maakte zich voorzichtig van Lindsay los en zette haar langzaam weer op haar stoel. Hij schonk twee glaasjes cognac in en zette er een voor zijn vader neer.
'Hier, drink op.'
Lindsay's handen trilden zo hevig dat het leek alsof ze een eigen leven leidden. Robin bukte zich, sloeg een arm rond haar schouders en bracht met zijn andere hand het glaasje naar haar lippen. 'Alleen maar een slokje. Je zult zien dat het trillen dan ophoudt.'
Lindsay nam een slokje en begon te hoesten. 'Ik wil niet zonder hem leven, dat kan ik niet, dat kan ik niet...'
Robin pakte het glaasje weer op. 'Nog een slok.'
Ze deed wat hij zei en duwde toen zijn hand weg. Ze sloeg haar handen voor haar gezicht.
Harry leunde naar voren en begon op een intense manier tegen Robin te praten. 'Ik had dat geweer achter slot en grendel moeten zetten, jongen. Dat had ik moeten doen. Dat had ik móéten doen.'
Zachtjes zei Robin: 'We hebben onze geweren nooit weggesloten, pa, dat weet je toch? Dat hoort wel, maar we deden het nooit. Ik weet zeker dat het geweer van Joe ook gewoon in de kast staat.'
Dilys zei aan de andere kant van de keuken waar ze heet water in de pot schonk: 'Dat heb je dan mis. Helemaal mis. Joe hield zich altijd precies aan de regels, altijd.'
Robin, die tussen Harry en Lindsay in stond, kneep hen beiden even in de schouder, liep toen naar zijn moeder en drukte haar even tegen zich aan. 'Dat weet ik wel.'

Ze nam hem vluchtig op.
'Niemand van jullie kende hem,' zei Dilys, terwijl ze de deksel op de theepot deed. 'Jullie hebben hem nooit begrepen.'
Robin hield zijn arm nog steeds om de afwerende schouders van zijn moeder geslagen. Hij draaide zijn hoofd om en zag dat Harry Lindsay bij haar pols vasthield.Ze zat nog steeds met haar handen voor haar gezicht zat en keek hem niet aan.
Ze hoorden het geluid van auto's dichterbij komen, en zagen het licht van twee paar koplampen de keuken in schijnen en weer langzaam wegdraaien toen de auto's geparkeerd werden.
Dilys trok zich los uit de arm van Robin. 'Daar zijn ze,' zei ze. 'Daar is de politie.'

De avond, nadat Robin haar had gebeld, kon Judy niet slapen. Ze lag alleen en durfde haar ogen niet te sluiten omdat ze dan onmiddellijk allerlei vreselijke beelden voor zich zag.
'Hoe heeft hij...' had ze aan Robin gevraagd, terwijl ze zichzelf haatte omdat ze zich als verlamd door de shock voelde, 'hoe heeft hij het...'
'Hij heeft de loop van opa's geweer in zijn mond gestoken. Zijn hele achterhoofd was eraf geschoten en hij lag tegen een zak kunstmest aan. De politie – de politie zei dat de kogel niet zo diep in de zak zat omdat hij... eh... zo'n dikke schedel had.'
Robin bood aan om naar Londen te komen. 'Ik kom je halen. Je moet nu niet alleen zijn.'
'Dat ben ik niet. Zoe is hier...'
'Goed,' zei Robin.
'Pap...'
'Ja?'
'Waarom?' vroeg Judy huilend met een hoge stem. 'Waarom? Waarom?'
'Ik weet het niet,' zei Robin. 'Ik kan er alleen maar naar raden.'
'En Lindsay? En de kinderen?'
'Het gaat niet zo goed met haar. Ze heeft kalmeringstabletten gekregen en Mary Corriedale past op de kinderen.'
'Wat gebeurt er toch allemaal?' gilde Judy. 'Eerst mam, en nu Joe?'
'Het is gewoon... hoe dingen gebeuren,' zei Robin. Zijn stem klonk schor van vermoeidheid. 'Soms. Zo gaat het soms met mensen. Mensen reageren allemaal anders. Sommigen kunnen het leven niet aan, anderen kunnen niet...' Hij stopte midden in de zin. 'Weet je zeker dat ik je niet moet komen ophalen?'

'Ja.'
'Ik bel je morgen weer.'
'Oké.'
'Judy...'
'Mmm?'
'Het spijt dat ik het ben die dit soort telefoontjes moet plegen. Het spijt me dat ik dat altijd ben.'
Oliver had aangeboden om te blijven slapen. Hij had thee voor haar gezet en had geprobeerd haar iets te laten eten en zei, dat hij alleen voor het geval dat, bij haar zou blijven slapen. Maar ze wist dat ze nu niemand om zich heen zou kunnen verdragen, zelfs Oliver niet, dat ze nu even niet tegen vriendelijkheid, troost en sympathie kon. Het zou te veel zijn met op de achtergrond de gedachte aan wat Joe zichzelf had aangedaan. En niet alleen zichzelf, maar hen allemaal. Het was veel meer dan ontzetting, veel meer dan woede, want het sprak van een pijn en van een wanhoop, die Judy zich niet eens kon indenken, laat staan dat ze zoiets ooit had gevoeld. Ze kende het grijze gevoel van teleurstelling, verontrusting en twijfel; maar hij had in een diepe put van duisternis gezeten, zonder een straaltje hoop, noch voor het heden noch voor de toekomst; een feit dat gewoon zijn hart en zijn geest had gebroken. Dus had hij besloten er een eind aan te maken. Voor een boer, dacht Judy, was dat, als er eenmaal besloten was dat er geen uitweg meer was, ook niet zo moeilijk. Al die uren van eenzaamheid, die lange dagen van eenzaam boeren, en in Joe's geval, ook zonder levende wezens, zonder koeien, schapen of varkens met al hun noden en afhankelijkheid. En schuren vol medicijnen en vergif, flessen en zakken en capsules vol vergif, een heel wapenmagazijn in poeder- en vloeibare vorm voor zelfvernietiging. En geweren. Toen Judy nog klein was hing Harry's geweer gewoon aan twee haken aan de keukenmuur. Geweren voor ongedierte zoals ratten, kraaien en konijnen, geweren voor voedsel, voor duiven en fazanten en geweren voor dat eeuwenoude gevoel van zelfverdediging, voor het land en de familie en het leven; en geweren, om, in een allerlaatste gebaar van absolute onafhankelijkheid en tegen alle wetten van het menselijk gedrag in, op jezelf te richten.
De deurkruk van Judy's slaapkamer ging langzaam naar beneden en de deur werd op een kier opengedaan. 'Ben je wakker?' fluisterde Zoe.
'Natuurlijk...'
Zoe liep op haar tenen naar binnen. Ze liep op blote voeten en had een groot wijd grijs T-shirt aan.

'Wat vreselijk allemaal,' zei Zoe. Judy voelde haar lichte gewicht toen ze op het voeteneinde ging zitten. 'Ik vind het zo erg.'
'Ik moet er aldoor aan denken en dan zie ik die vreselijke beelden...'
'Ik ook.'
'Het is ook zo gewelddadig...'
'Dood is gewelddadig,' zei Zoe. 'Er moet voor iedereen die doodgaat zo'n moment bestaan, zelfs voor mensen die gewoon in hun slaap doodgaan. Maar deze manier is wel het allerergste.'
'Ik kan me niet voorstellen hoe hij zich gevoeld moet hebben...'
Zoe trok haar T-shirt over haar opgetrokken knieën zodat haar silhouet tegen het licht van de straatlantaarn dat door de gordijnen heen scheen, een hele grote bobbel leek.
'Ik hoop dat we dat ook nooit kunnen,' zei Zoe en toen, na even gezwegen te hebben: 'Geloof jij eigenlijk in God?'
'Nee.'
'Ik ook niet.'
'Mijn vader ook niet,' zei Judy. 'Hij denkt dat mocht er iets zijn dat het absoluut tegen hem is en zeker niet voor hem. Als hij toevallig ooit in een kerk moet zijn, kun je zien dat hij niet weet hoe vlug hij er weer uit moet komen.'
Zoe legde haar hoofd op haar knieën. 'Krijgt Joe nu een gewone begrafenis?'
'Ik heb geen idee, maar ik denk het wel. Oma en opa rekenen daar vast op.'
'Arme mensen...'
'Oma leefde alleen maar voor haar Joe. Dat kon je zien aan de manier waarop ze altijd naar hem keek.'
'Ik ga niet naar zijn begrafenis,' zei Zoe.
Judy zweeg.
'Ik heb Joe nie gekend,' zei Zoe. 'En als ik ga, lijk ik op die mensen die naar een verkeersongeluk staan te gapen.'
'Maar ik wil niet alleen...'
'Neem Oliver dan mee.'
'Maar hij kent er niemand...'
'Hij kent jou toch.'
Judy ging langzaam rechtop zitten. 'Het doet zo'n pijn, Zoe. Ik voel overal pijn.'
Zoe keek haar aan en zelfs in de duisternis van de kamer kon Judy haar glanzende ogen zien.

'Dat is verdriet, Juut. Toen ik in bed lag en ik niet aan Joe probeerde te denken, dacht ik daaraan. Ik dacht hoe verdriet iemands leven verandert, en de mensen in iemands leven; maar het zorgt er wel voor dat je doorgaat ook al wil je dat niet. En dat doet pijn. Het is de verandering die je niet wilt, die pijn doet.'

Hughie zat met gesloten ogen en Zeehond stijf in zijn arm geklemd, op zijn zitzak achter de gesloten deur van zijn slaapkamer, op zijn duim te zuigen. Hij was nog steeds in zijn pyjama, maar had ook zijn anorak aan en droeg de baseballpet, die Lindsay met haar zegeltjes van de benzinepomp had gekregen. Ze had eigenlijk de twee bekers gewild die ze ook had kunnen kiezen, maar de garage had ze niet meer, en toen had ze maar de roodzwarte baseballpet genomen, omdat Hughie zeurde en schreeuwde als een baby, terwijl hij wist dat Lindsay zulke scènes in het openbaar en al helemaal in de winkel van het pompstation, haatte.
Hij had die ochtend al tegengestribbeld toen Mary Corriedale hem wilde aankleden, maar hij wilde zichzelf ook niet aankleden. Ze had zijn kleertjes al klaargelegd, een spijkerbroek, een geruit bloesje, een groen sweatshirt, sokken en zijn nieuwe trimschoenen met klitteband om ze vast te maken. Toen ze zich even had omgedraaid had hij al zijn kleren achter de radiator van de verwarming gepropt. Ze kon ze aan alle kanten zien uitsteken, een stukje spijkerbroek, een mouw van zijn sweatshirt en de gepropte bal sokken. Hij had zijn nieuwe trimschoenen op de grond laten staan, maar had zijn ochtendjasje eroverheen gegooid zo dat hij ze niet hoefde te zien.
Mama lag, aan de andere kant van de overloop, nog in bed. De gordijnen waren ook nog dicht. Ze lag sinds papa weg was, bijna aldoor in bed, behalve als ze er in haar nachtpon eventjes uitkwam om aan de keukentafel te gaan zitten huilen of voor zich uit te staren. Als Hughie geknuffeld wilde worden barstte ze meteen weer in tranen uit. Als hij naar haar zat te kijken, staarde ze terug maar keek hem niet echt aan. Ze had Hughie verteld dat papa dood was en nooit meer terugkwam.
'Wat is dood?' vroeg Hughie.
'Dat betekent dat hij niet meer leeft. Hij ademt niet meer en kan ook niet meer lopen. Het is net alsof hij slaapt, maar hij wordt nooit meer wakker.'
'Is hij doodgemaakt?' vroeg Hughie, denkend aan de keren dat hij in paniek wel eens een rups of tor in de tuin had doodgetrapt zodat ze niet meer konden kruipen.

'Ja.'
Hughie herinnerde zich bepaalde beelden van de televisie die hij had gezien, voordat Lindsay het toestel had uitgezet.
'Met een bijl?'
'Nee, het was een ongeluk.'
'Wat is een ongeluk?'
'Iets dat niet had mogen gebeuren, maar per ongeluk wel is gebeurd. Net zoiets als een val uit een raam, of een autobotsing.'
Hughie had Zeehond op zijn hoofd gezet.
'Mag ik hem zien?'
'Nee, schat, ik ben bang van niet.' Wat klonk haar stem raar, dacht Hughie.
'Waarom niet?'
'Omdat hij er niet meer is. Als je doodgaat, ben je er niet meer. Dan is je lichaam er niet meer.'
'Waar is hij dan?'
'In de hemel,' zei Lindsay onzeker.
Hughie gaf het op. Op de crèche, waar hij drie ochtenden per week naartoe ging, had hij wel eens tijdens de kerstdagen over de hemel gehoord als ze engeltjes voor hun moeders uit kanten papieren servetjes knipten. Engeltjes woonden in de hemel en de hemel was in de lucht. Bij de vliegtuigen, veronderstelde Hughie. En papa, zei mama. Maar hij begreep niet waarom hij daar was, en helemaal niet waarom hij nooit meer terug zou komen. Dat hij nooit meer terug zou komen, was het enige wat tot Hughie begon door te dringen. Maar dat wilde hij niet. Hij dacht dat alles weer normaal zou zijn, als hij maar een tijdje doodstil zou blijven zitten met Zeehond en zijn duim in zijn mond en zich daarna weer zou bewegen. En dan zou papa ook weer terug zijn. Hij trok de klep van zijn baseballpet naar beneden zodat hij en Zeehond in een heel klein eigen wereldje zaten. Hij wist niet hoe lang hij zo zou moeten blijven zitten, maar dat vond hij niet erg. Hij zou net zolang zo blijven zitten tot papa weer thuis was.

Lindsay had Rose bij zich in bed, terwijl Mary Corriedale de keuken opruimde en aan het koken was. Lindsay wilde niet koken want ze had helemaal geen trek, maar Mary zei tegen haar dat dokter Nichols had gezegd, dat ze tenminste een kop soep moest drinken en, als ze kon, een stukje vis moest eten. Maar dat kon ze niet. Ze kon momenteel niets naar binnen krijgen, behalve de pillen die de dokter haar had gegeven en

waardoor ze in een lange en diepe slaap viel, alsof ze in een zwart fluwelen tunnel getrokken.
Rose kon ze ook bijna niet aan. Hoewel ze nog maar een baby was, kwam ze op Lindsay als harteloos over, omdat ze vrolijk schreeuwend over het bed kroop en zich gillend van pret in de kussens liet vallen. Lindsay kon haar niet alleen laten om op zoek naar Hughie te gaan omdat ze dan onmiddellijk iets wilds en verwoestends zou gaan uithalen. En het was onmogelijk om Hughie ook in bed te nemen, omdat Rose hem momenteel en meer dan ooit niet uit kon staan.
Lindsay wist dat Hughie in zijn slaapkamer zat en op een wonder zat te hopen en haar hart bloedde voor hem. Haar hart bloedde trouwens aan een stuk door, dat kon ze voelen, kon de warme, donkere vloeistof eruit voelen druppelen zodat haar hart op een oude, gerimpelde noot zou gaan lijken.
'Het hele rouwproces is als een reis,' had dokter Nichols met zijn jonge, smalle en serieuze gezicht, tegen haar gezegd. 'Als je erdoor bent – en dat gebeurt heus op een dag, dat beloof ik je alvast – zul je niet meer in dezelfde plaats zijn.
Lindsay had hem aangestaard. Ze was helemaal nergens, dat deed haar juist zo'n pijn, ze hing ergens in de ruimte, in het niets en sinds Joe dood was, zou ze daar altijd blijven hangen. Dokter Nichols was vriendelijk en hij sprak niet tegen je alsof je achterlijk was, maar ondanks al zijn vriendelijkheid en respect, kon Lindsay hem niet vertellen dat Joe alles voor haar had betekend – zelfs in de tijd dat ze niet meer met elkaar konden praten had ze hem nog geadoreerd, nog nodig gehad. Ze kon hem helemaal niet vertellen over het vermoeden dat haar doorlopend door het hoofd spookte, en er als een kanker bleef zitten, dat als Joe niet was doodgegaan, hij uiteindelijk haar en de kinderen, door zijn depressiviteit zou hebben beschadigd. En dan had zij, Lindsay, dan uiteindelijk toch tussen hen had moeten kiezen.

Harry stond in de ruimte waar Joe was doodgegaan. De politie had de zak kunstmest, waar hij met zijn hoofd tegenaan had gelegen, meegenomen en Harry had zelf de rest opgeruimd. Dat had hij gewild. Er was niet zoveel op te ruimen geweest, alleen wat bloedvegen op een paar andere zakken en hij had zand op de grond gestrooid. Hoewel hij tijdens het opruimen in stilte had gehuild, wilde hij alleen maar in dat nauwe gangetje zijn, waar Joe het laatste was geweest. 'Het spijt me, jongen,' zei hij telkens opnieuw in de lege ruimte. 'Het spijt me zo, jongen.'

De politie had ook zijn geweer meegenomen en hij hoopte dat ze dat nooit meer terug zouden brengen. Hij had nog een ander oud jachtgeweer dat goed genoeg was om ratten en konijnen mee te schieten; het geweer waarmee hij de jongens had leren schieten. Ze waren beiden vlugge leerlingen geweest. Als Harry het eerlijk en met de hand op zijn hart moest zeggen, vond hij Robin de beste schutter, koel en precies. Maar Robin had nooit Joe's flair gehad. Harry vond het altijd heerlijk als hij Joe het geweer zag hanteren; hij was een natuurtalent. In Joe's handen zag een geweer er onschuldig uit, elegant bijna.
Harry legde zijn handen en zijn voorhoofd tegen de zakken waar Joe naast had gelegen. Hij wilde nergens anders meer zijn dan hier, waar hij Joe nog steeds kon voelen.
Joe had eens tegen hem gezegd: 'Maak je maar niet zo druk meer, pap. Sloof je nu niet meer zo uit. Ik doe die haastklussen voortaan wel.'
Robin zat momenteel op de tractor, op het veld dat Joe met erwten had ingezaaid. Hij had dit jaar een hoop erwten ingezaaid en ook meer gerst dan normaal, en lijnzaad met die wasachtige, blauwe bloemen waar Lindsay zo van hield. Harry had Lindsay na de dood van Joe nog maar tweemaal gezien, was twee keer op zijn gevoel af naar haar huis gegaan, maar wist stomweg niets meer te zeggen toen hij eenmaal hij binnen was. Hij wist zelfs niets tegen de kinderen te zeggen. Lindsay leek wel een geest, ze gedroeg zich alsof ze niet meer tot deze wereld behoorde en het ook niet meer wilde. Arme meid, dacht Harry. Arme meid. Nog geen dertig en dan al weduwe. Ze had naast Joe altijd zo kinderlijk geleken, ze was zo'n stuk kleiner en veel jonger, en ook zo afhankelijk. Joe had het niet mogen doen, dacht Harry, toen hij naar Lindsay had staan kijken terwijl ze op een ontzettend vermoeide en langzame manier een boterham voor Rose stond te maken. Hij had hen niet op deze manier alleen mogen laten, deze drie kleine afhankelijke wezens. Maar ja, hijzelf, Harry, had de kast waar het geweer in stond ook moeten afsluiten. Hij wist dat Dilys daar de hele tijd aan dacht. Vanaf het ongeluk, zoals zij het bleef noemen, had hij gevoeld dat ze hem de schuld gaf. Aan de buitenkant was er niet veel aan hun manier van leven veranderd behalve dat ze geen van beiden geen trek meer in eten hadden. Maar Harry had het sterke gevoel dat Dilys hem op een of andere manier als haar echtgenoot en Joe's vader, had verbannen. Joe was altijd hun onderwerp van gesprek geweest, iets dat ze samen hadden. Meer dan veertig jaar was hun plezier en angst om Joe een verbond tussen hen geweest, een onderwerp waarin ze zich een voelden. Maar het leek er nu op dat Dilys

Harry niet meer in haar buurt kon verdragen, niet haar verdriet, noch haar herinneringen met hem wilde delen. Hij wist dat ze 's nachts naast hem in bed net zo wakker lag als hij en dat ze beiden door dezelfde gedachten in beslag werden genomen, maar als hij met haar probeerde te praten, zei ze kort: 'Je hebt je slaap nodig, Harry. Het is zes uur voor je het weet' en liet hem alleen met zijn pijn een eenzaamheid terwijl zij zich terugtrok in haar eigen pijn. Harry had nog nooit in zijn leven echte pijn gevoeld. De laatste dagen had hij zichzelf, zonder paniek afgevraagd, of hij er dood aan zou kunnen gaan en tegelijkertijd geweten, dat als dat zou gebeuren, hij er blij om zou zijn en hoe eerder hoe liever. Hij keek omhoog naar het dak van de schuur. Het waren ijzeren golfplaten waarvan Joe er in de herfst enkele had verwisseld, maar er moesten nog meer verwisseld worden. In sommige zaten rijen gaatjes zoals een rups zich door een koolblad eet. De regen kwam er op sommige plaatsen door en had op de zakken roestige, oranje vlekken achtergelaten. Hij moest Robin vragen daar iets aan te doen en dan kon hij meteen naar de verstopte afvoergoten kijken waar Joe nooit aan toe was gekomen. Als Harry hem eraan herinnerde, zei hij altijd: 'Ja, ik doe dat gauw, ik doe dat gauw.' Maar er was altijd iets anders en de goten werden weer vergeten. Ze hadden ook ontzettende ruzies gehad over Joe's laatste idee om runderen te gaan houden. Harry was obstinaat geweest, en zo onwrikbaar als een rots. Hij voelde zich nu rot dat hij zo obstinaat was geweest, en zo verontwaardigd en niet behulpzaam. Het enige wat Joe wilde waren een paar runderen, twintig maar. Dat was alles. En hij zou al het werk zelf doen, hij vroeg niets aan Harry, behalve om dat geld te investeren. Hij leunde weer tegen de zakken aan en sloot zijn ogen. Hij kon de gedachte aan hoe hij Joe had behandeld niet verdragen. Hij kon het niet meer verdragen. Omdat hij, door wat Joe had gedaan, het ook nooit meer goed kon maken.

Dilys zette een stuk kersentaart voor de predikant neer. Het was al zijn derde bezoek sinds het ongeval en hij wist nog steeds niet, bedacht Dilys, wat hij moest zeggen. Hij dacht, zei hij, dat Dilys zich misschien zorgen maakte over de zonde van zelfmoord. Ze wist nauwelijks waar hij het over had.
'Wat bedoelt u met dat geklets over zonde?' vroeg ze. 'Wat heeft zonde ermee te maken? Joe had dit ongeval omdat hij ertoe werd gedreven. Als je ergens toe wordt gedreven, ben je een slachtoffer. Slachtoffers zijn onschuldig.'

De predikant vroeg zich af of hij haar het verschil tussen onschuld en hulpeloosheid zou uitleggen, maar zag er vanaf. In plaats daarvan had hij het stuk taart verorberd en Dilys ermee gecomplimenteerd. Hij vertelde haar dat iedereen haar fantastisch vond dat ze, alsof er niets was gebeurd, zo gewoon met haar leven verder ging. Gewoon naar het dorp boodschappen doen en gewoon doorging met taarten bakken.
'Ik zal voor jullie bidden,' zei de predikant. 'Elke dag. Voor jou, voor Harry en Joe en de hele familie.'
Dilys snoof nog net niet, maar ze keek hem met een medelijdende blik aan. Ze herinnerde de predikant aan een oude vrouw uit Dean Cross die hij eens in het ziekenhuis had bezocht, toen ze op sterven lag. 'Bidden? bidden? had die gezegd. 'Door te bidden wordt je brood niet gesmeerd!'
'Als je ooit de behoefte krijgt om met me te praten,' zei de predikant nu tegen Dilys, 'ik bedoel, wanneer dan ook en waarover dan ook, hoef je me maar alleen te bellen.'
Dilys keek hem aan.
'Verdriet is heel natuurlijk,' zei hij, terwijl hij in zijn theekop keek. 'Maar het kan ons soms angst inboezemen en een vorm aannemen die we niet hadden verwacht. En God...'
'Nee, alstublieft,' zei Dilys. 'Niet die...'
De predikant zuchtte.
'Je bent heel dapper,' zei hij. 'Maar je kunt niet alleen maar op je eigen kracht vertrouwen.'
'O, nee?' zei Dilys. 'Denkt u dat?' Ze gaf door op te staan aan, dat het bezoek voorbij was. 'Neem me niet kwalijk, predikant, maar dat is juist het enige wat ik nog heb. Het enige.' En toen pakte ze zijn kopje weg en zette het in de gootsteen.

10

De ochtend van Joe's begrafenis was het weer zo helder als glas. Zelfs Robin die gewend was om met een meedogenloos, praktisch oog naar de lucht te kijken, voelde dat er een wreedheid in het stralende ochtendlicht zat, waardoor de manier waarop Joe was doodgegaan nog eens extra benadrukt werd.

Robin keek nauwelijks naar zichzelf terwijl zich stond te scheren. Hij gebruikte nog steeds een ouderwets krabbertje om de donkere baardgroei mee weg te halen. Caro had in hun begintijd toen ze nog geïnteresseerd in hem was, erop gestaan dat hij zich 's avonds een tweede keer schoor omdat er dan alweer een donkere schaduw op zijn gezicht lag. Hij was al sinds vier uur vanochtend op, wakker geworden door wat er die dag voor hem lag en denkend aan de tijd die achter hem lag en de mensen die erbij betrokken waren – Lindsay, zijn ouders en arme, kleine Hughie. En hijzelf natuurlijk. Hij wist eigenlijk niet hoe hij zich voelde, behalve dat de realiteit zijn leven zo had veranderd, dat hoewel hij alle dingen nog wel op de normale manier zag en deed, ze hun vertrouwdheid waren verloren en vreemd voor hem waren geworden. Niemand had gevraagd hoe hij zich voelde. Maar dat had hij ook niet verwacht.

Ze waren er gewoon vanuit gegaan – zoals hijzelf ook – dat hij de laatste pijnlijke tien dagen alles zou regelen. Dat hij het lichaam van Joe zou identificeren, de politie zou helpen bij hun rapport door te bevestigen dat er geen verdachte omstandigheden waren en dat Joe, altijd al behoorlijk depressief en levend in een duisternis, uiteindelijk zelf uit het leven was gestapt. Hij had het verschrikkelijk gevonden. Hij had de beschrijving van zijn broers karakter verafschuwd; het had voor zijn gevoel op verraad geleken, alsof hij Joe's privacy had geschonden en zijn laatste rust had verstoord. Maar het moest nu eenmaal gebeuren, net zo goed als er een autopsie had moeten plaatsvinden en een toxicologie-test om vast te stellen dat Joe noch aan drank of drugs verslaafd was. Daarbij werd er door de patholoog-anatoom van Stretton een gerechterlijk onderzoek uitgevaardigd om de doodsoorzaak vast te stellen, voordat de crematie die Joe wenste en dit tijdens Caro's begrafenis

aan Judy te kennen had gegeven, doorgang kon vinden.
'Verbrand en verstrooid,' had hij gezegd. 'Verstrooid over de rivier. Niet op het land van die verdomde boerderij.'
Had hij toen al aan zijn eigen dood gedacht? Had Joe, toen hij aan Caro's graf stond, op de een of andere manier geweten dat haar einde, ook het zijne betekende? Dat zij zijn laatste beetje hoop had meegenomen? Tijdens die laatste, rusteloze nacht voor Joe's begrafenis, kwamen Robins gedachten maar niet los van het idee, dat terwijl hij, Robin, zijn hoop minder en minder op Caro gericht had, Joe dit juist meer en meer had gedaan. Hij had dat niet kunnen helpen, hij had zichzelf niet meer in de hand gehad. Net zo goed dat hij het niet kon helpen dat hij zelfmoord als de enige uitweg had gezien. Toch had hij er in het mortuarium kalm uitgezien, bijna opgelucht. Robin had die opluchting aan Lindsay willen overbrengen om haar te troosten, maar er meteen daarna spijt van gehad. Hij realiseerde zich te laat dat Lindsay, die toch al het gevoel had dat ze als echtgenote ontzettend had gefaald, zich helemaal niet getroost zou kunnen voelen door de duidelijke opluchting op het gezicht van haar dode echtgenoot.
Robin had die laatste nacht, vanwege deze gevoelens nauwelijks kunnen slapen en was toen om vier uur maar opgestaan. Hij had thee gezet en wat aan zijn administratie gewerkt (alleen laatste herinneringen) en was nog voor Gareth in het melkhuis aan het werk. Gareth had dat niet leuk gevonden. Hij had er al een hekel aan om om kwart over vijf op te staan, maar vond het helemaal vervelend als hij dan ook nog zag dat hij samen met Robin moest melken. Robin deed de dingen anders, er hing dan ook een andere atmosfeer en de koeien voelden dat aan en gebruikten dat door onrustig heen en weer te schuifelen en tegen de afscheidingen te bonken.
Bovendien had Gareth ook niet zo goed geslapen. Debbie was, net toen ze op het punt stonden om naar bed te gaan, ineens in tranen uitgebarsten en zei tussen het snikken door dat ze niet meer op Tideswell wilde zijn, dat ze wilde dat ze daar weggingen.
Gareth, met één been nog in bed, had haar aangekeken en gevraagd: 'Wat bedoel, weggaan?'
'We moeten hier weg,' had Debbie gezegd. Ze zat op het bed met haar armen om zich heen en wiegde heen en weer alsof ze pijn had. 'Je moet een andere baan gaan zoeken!'
'Ben je gek, of zo?' vroeg Gareth. 'Wat haal je je nu in je hoofd? Ben je je verstand soms kwijtgeraakt?'

'Er is hier iets engs aan de gang. Dat moet wel. Eerst Caro en nu Joe. En zelfmoord... Gareth, ik moet er aldoor aan denken, ik krijg het niet meer uit mijn hoofd. We moeten hier weg. We kunnen hier niet meer blijven, niet met de kinderen, en zo. Het lijkt wel alsof er een vloek over deze plek hangt, misschien gaan we er allemaal wel een voor een aan...'
Gareth stapte in bed en trok het dekbed over zich heen. 'Je kijkt te veel televisie.'
'Ik meen het!' schreeuwde Debbie. 'Ik meen het, ik meen het!'
Hij keek haar onderzoekend aan. Ze leek helemaal niet meer op zijn Debbie, met dat verwilderde gezicht en die open mond. Hij sloeg het dekbed aan haar kant van het bed open en klopte met zijn hand op het laken. 'Kom in bed,' zei hij, 'dan geef ik je een knuffel. Je moet de dingen niet uit hun verband rukken.'
Ze bleef een lange tijd huilen en sprak met horten en stoten tussen het gesnik door over Lindsay en Caro en eenzaamheid en het leven niet meer aan kunnen. Uiteindelijk viel ze, nat van de tranen en zwaar tegen hem aangeleund, in slaap. Maar nu kon hij niet meer slapen, hij lag in de duisternis te staren en naar de stilte te luisteren die nu in plaats van vredig, een beetje angstaanjagend op hem afkwam. Hij had het gevoel alsof er een of andere donkere kracht op het punt stond los te barsten.
Toen de wekker afliep voelde hij zich bijna ziek van vermoeidheid. Debbie sliep, met haar hoofd diep in het kussen, door de wekker heen. Alleen haar oogleden bewogen zich onrustig.
En toen had hij Robin ook nog in het melkhuis aangetroffen. 'Is er iets?'
'Nee, hoor,' zei Robin. 'Alleen ik.'
'Je had me wel even kunnen zeggen dat jij het eerste melken zou doen.'
Robin keek hem niet aan. 'Dat wist ikzelf niet eens.'
Gareth liep met zware stappen de kuil in. De melkmachines kreunden en zwoegden met veel lawaai.
Robin, bezig met de aansluiting van de melkslangen, en met zijn hand op de uier, vroeg: 'Wat is er met deze aan de hand? Is ze een kwart van haar productie kwijt?'
'Ja,' zei Gareth humeurig. 'Sinds een maand. Maar ze is oké. Ze melkt goed op drie.'
Robin gaf de koe een klap. 'Gekke, ouwe meid.' Hij keek vluchtig naar Gareth. 'Dan laat ik je maar alleen. Ik ga me maar even scheren.'
Gareth gaf geen antwoord. Robin liep de paar treden op en bleef boven aan de railing nog even staan. 'Gareth?' vroeg hij. 'Komen jij en Debbie ook naar de begrafenis?'

'Ik denk het wel...'
'Het hoeft niet,' zei Robin. Hij zweeg even en zei toen een beetje onhandig: 'Als het... Als jullie het moeilijk vinden, als jullie het niet...'
Gareth draaide zich van hem af en drukte woest een paar knoppen op het schakelpaneel in.
'We zullen er zijn,' zei hij ruw. 'Wat had je anders gedacht?'
Niet veel, dacht Robin nu, terwijl hij zich stond te scheren. Alleen dat ik jullie iets wil besparen, namelijk een tweede dood in de familie in een paar maanden tijd. Een ander soort dood, waarbij niet gesproken wordt, geen woorden van troost worden gegeven, waarbij alleen maar eindeloos veel vragen blijven hangen.
Judy had gisteravond tijdens het eten alsmaar gevraagd: 'Waarom? Ik weet dat ik het net zo goed niet kan vragen, maar ik kan mezelf niet stoppen. Waarom? Waarom toch? Waarom op die manier? Waarom heeft hij helemaal niet aan Lindsay en de kinderen gedacht?'
Judy had deze keer een vriend meegebracht. Een lange, beleefde jongen met een bril, die Robin 'Mijnheer Meredith' bleef noemen en zonder dat het hem werd gevraagd, na het eten de tafel afruimde. Robin was lichtelijk verbaasd geweest dat ze hem had meegenomen, maar het was hem al gauw duidelijk geworden. Tenminste, dat ze iemand had meegenomen. Hij had zich wel even afgevraagd waarom Zoe niet met haar was meegekomen. Maar hij had haar niets gevraagd en Judy had hem niets verteld. Over Zoe was met geen woord gerept. Toen het bedtijd was geworden, had Judy Oliver naar de slaapkamer gebracht waar Zoe altijd sliep, en Robin was hem een paar minuten later, zonder bril en met een handdoek en een tandenborstel in zijn hand, op de overloop tegengekomen. Hij had een vreemd, bloot gezicht gehad zonder bril.
Robin doopte zijn krabbertje in het hete water in de wastafel en schudde het schoon. Zijn enige donkere pak, dat Velma had geborsteld, hing aan de kastdeur in zijn slaapkamer. Ze had ook zijn zwarte schoenen gepoetst en een wit overhemd klaargelegd. Dat had ze niet gedaan bij Caro's begrafenis, maar ja, Caro was geen Joe. Caro was nooit intiem met Velma geweest. Joe wel, al vanaf de tijd dat hij jong was en er zelfs in zijn ketelpak, als een blonde, jonge, mystererieuze god had uitgezien. Robin spoelde het zeepwater weg en vroeg zich af of Velma voor Joe van haar geloof zou afstappen en naar de begrafenis zou komen. Niet omdat ze respect voor de dood had, of medeleven wilde tonen of iets anders zou voelen, alleen maar voor Joe zelf.

Dilys stond, tussen Lindsay en Harry in, stijf rechtop in de voorste kerkbank van de Dean Cross-kerk. Achter Harry, aan het einde van de bank, stond Robin en achter hem Judy en de vriend die ze had meegenomen. Hoewel hij aardig genoeg leek, vond Dilys dat hij hier niet had horen te zijn. Dit was geen bijeenkomst waar vreemden bij hoorden.
In tegendeel, dit was alleen bedoeld voor de familie om hun eenheid en kracht naar buiten toe te tonen, zodat niemand het in hun hoofd zou halen medelijden met de Merediths te hebben. Joe was een van hen geweest en nu was hij er niet meer, maar het was in eerste instantie heel bijzonder geweest dat hij bij hen had gehoord. En dit wilde ze aan iedereen duidelijk maken, van het geborstelde haar tot aan de familiegebeden aan toe en zeker door de bijzondere koffietafel erna. De koffietafel die al voor de gasten op Dean Place Farm stond te wachten, met de tot roosjes gesneden radijsjes en alles onder de mousseline vliegenbeschermers.
Ze keek vluchtig de rijen langs. Robin zag er bijna uit zoals zij het wilde – zijn haar, hoewel veel te lang, zat netjes – hij hield zich goed en stond keurig rechtop. Hij had het figuur van zijn vader. Harry, geborsteld, gepoetst en gesteven totdat hij zo ongeveer glom, leek in zijn kleren weggeschrompeld te zijn, alsof ze niet van hem waren, ze leken te groot voor hem. En hoewel hij ze gehoorzaam droeg kon je zien dat hij zich er niet prettig in voelde, noch dat het bij zijn stemming paste. Ze had vanochtend in de keuken zijn haar wat bijgeknipt en zijn nagels geïnspecteerd. Hij had het als een kind gelaten over zich heen laten gaan, maar haar niet aangekeken; hij stond een beetje, met een verre, troebele blik in het niets te staren. Ze keek naar het altaar waar de grote kist van licht eikehout onder de lelies lag bedolven. Lelies van Lindsay. Dilys had haar eigen bloemen, uit hun tuin die Joe zo goed kende, ook op de kist willen leggen, maar Lindsay was ineens uit haar apathie ontwaakt en had woest geweigerd.
'Nee,' had ze met felle ogen gezegd. 'Nee, hij was míjn man en de vader van míjn kinderen. Dus alleen míjn bloemen. Bloemen van Hughie, Rose en mij.'
Hoewel Lindsay nog geen halve meter van haar af stond, keek Dilys haar niet aan. Ze wist trouwens wel wat ze zou zien en ze wist ook dat ze het niet op prijs zou stellen. Ze zou Lindsay's blonde bos haar los op haar rug zien hangen, met de twee kammen opzij erin zoals altijd, in plaats van dat het netjes was opgestoken, of in een Franse vlecht gevlochten zat. Ze zou Lindsay's lange, donkergroene jas zien – groen, op

een begrafenis! – die Lindsay beslist wilde dragen omdat dat haar laatste kerstcadeau van Joe was geweest. Dat mocht dan wel zo zijn, dacht Dilys bij zichzelf, maar het was helemaal verkeerd, echt helemaal verkeerd. Er zat een zwart fluwelen kraag op en dof gouden knopen. Het was absoluut geen jas om op een begrafenis te dragen, het was zelfs geen jas die je in het voorjaar zou dragen. Ze was er gewoon akelig van, het was absoluut en helemaal vandaag, de verkeerde jas.
'Laat ons bidden,' zei de predikant.
Toen de gemeenschap zich op de knieën liet vallen was de kerk meteen vol geluiden. Het viel Dilys op dat het een grote gemeenschap was; er waren veel en veel meer mensen dan bij de begrafenis van Caro. Het leek wel alsof het hele dorp aanwezig was. Gareth en Debbie waren er en zelfs Velma zag ze. Verder allerlei mensen van de lokale boerenbevolking, zelfs de voorzitter van de Nationale Boerenbond en de hoofdveilingmeester uit Stretton. Dilys legde haar hoofd in haar gehandschoende handen en sloot haar ogen. Ze hoopte maar dat er genoeg sandwiches waren. Misschien moest ze, als ze straks van de crematie thuiskwamen (niets geen sentimenteel gedoe van een begrafenis zoals bij Caro) toch nog snel een paar pakken saucijzebroodjes uit de diepvries halen en ze in de oven ontdooien. Robin zou zich wel met de drankjes bezighouden – Harry had zich daar nooit mee bemoeid – en Judy's jongeman zou hem daarbij wel een handje kunnen helpen. Gedwarsboomd in haar plan om de bloemen op Joe's kist te leggen, had Dilys haar boeket bloemen uit de tuin op de eettafel gezet; bloemen uit Joe's tuin, uit de tuin van het huis waar hij was opgegroeid.
'Tot in de eeuwigheid,' zei de predikant.
'Amen,' zei Dilys luid. 'Amen.'

Er lag een wit gesteven tafellaken op de eettafel en de bloemen stonden in een zilveren vaas. Dilys had haar beste kristal te voorschijn gehaald en glazen voor een hele batterij flessen drank klaargezet. Er stonden schalen met in kleine driehoekjes gesneden sandwiches op de tafel (wit en bruin brood) met papieren vlaggetjes erin gestoken, waarop Dilys in precieze letters 'Ei met waterkers', 'Zalm met komkommer', 'Ham met mosterd' en 'Selderiesalade met kaas' had geschreven. De stoelen waren allemaal tegen de muren aangezet, de ramen keurig gelapt en het tapijt geborsteld tot de haren rechtop stonden.
'Maak de flessen sherry open,' zei Dilys tegen Robin.
'Kan ik daarmee niet beter wachten tot de mensen er zijn?' vroeg Robin.

'Nee,' zei Dilys. 'Doe het nu, dan staat alles klaar als ze binnenkomen.'
Wat ziet ze bleek, dacht Judy. Maar waarschijnlijk zagen ze er allemaal zo bleek uit. Judy stond met Oliver in de erker en ze was in stilte ontzettend blij dat hij er was. Hij had tijdens de dienst niet haar hand gepakt, maar haar wel een of twee keer licht aangeraakt, alsof hij haar wilde verzekeren dat ze naar de toekomst moest blijven kijken. Hij was echt bijzonder, dacht ze. Hij accepteerde de dingen gewoon en stond rustig, in deze ouderwetse en overvolle kamer bij haar grootouders en haar vader, die geen woord zeiden alsof ze door deze gebeurtenis volkomen van slag waren, de dingen af te wachten. Het was wel een beetje gênant dat Lindsay er niet bij was, maar ze had geweigerd te komen. Ze had gezegd dat ze naar haar kinderen moest. Natuurlijk moest ze bij haar kinderen zijn, vooral bij Hughie, maar haar afwezigheid scheen iets duidelijk te maken, alsof ze er niet meer bij wilde horen.
'De predikant komt er al aan,' zei Dilys, die langs Judy heen door het erkerraam de oprijlaan in de gaten had gehouden. 'Altijd haantje de voorste, onze predikant.'
Ze draaiden zich allemaal om, om te zien hoe hij vermoeid en langzaam de auto uitstapte. Toen keken ze naar zijn vrouw die er aan de andere kant uitkwam en met een bezorgd gezicht naar de boerderij keek.
'O!' zei Dilys en door haar stem klonk een klank van verbaasde dankbaarheid. 'Ze ís meegekomen. Dat is in ieder geval al wat.'
Robin liep naar de hal, waar de zelden gebruikte voordeur al wijd openstond. De predikant en zijn vrouw kwamen langzaam aangelopen.
'Fijn dat u er bent,' zei Robin. Zijn hand ging automatisch naar de knoop van zijn das om hem los te trekken. 'Reden er geen andere auto's achter u aan?'
De vrouw van de predikant keek verbaast op. Ze was eens, toen ze nog jong was, knap geweest, maar er leek in haar leven een bepaald moment te zijn geweest dat ze zelf had besloten dat het zinloos was en geen enkel voordeel gaf om knap te zijn, en had er toen geen enkele moeite meer voor gedaan.
'Nee,' zei ze. 'Ik heb niemand gezien.' Ze keek naar haar man alsof hij van een andere kant was gekomen. 'Heb jij soms nog andere auto's gezien?'
'Nee.'
'Komt er dan niemand meer?' vroeg Robin. 'Is er niemand uit het dorp achter jullie aan komen rijden?'
'Nou ja,' zei de predikant voorzichtig. 'Die pauze zat ertussen, weet je.

Ik bedoel, na het crematorium en ik denk eigenlijk dat iedereen weer naar zijn werk moest. Ik bedoel...'
Langzaam zei Robin: 'Ik begrijp het.' Hij keek de predikantsvrouw aan. 'Maar ze wisten het toch allemaal. We hadden het van tevoren aan iedereen laten weten. Ze wisten toch dat wij hen hier voor de koffietafel verwachtten, dat ma hen verwachtte...' Hij stopte.
De predikant keek hem aan. 'Ja, hoe kan ik dit nu uitleggen, hoe kan ik het...' Hij zweeg even en zei toen vriendelijk: 'Dit is geen normale begrafenis, weet je. Het creëert... het creëert een bepaalde spanning.'
Robin scheen iets te overwegen. Toen zei hij: 'Wilt u dan toch even binnenkomen? Wilt u meekomen als ik het mijn moeder uitleg?'
Ze knikten en liepen over de gepoetste vloeren achter hem aan mee naar binnen naar de grote eetkamer.
'Ah,' zei Dilys. Ze pakte een glas sherry en een bordje met een wit papieren servetje en gaf ze aan de vrouw van de predikant. 'Pakt u maar gewoon waar u zin in heeft. Gaat u uw gang maar.'
Het was doodstil in de kamer.
'Ma,' zei Robin.
Dilys draaide zich naar hem toe. 'Wat is er?'
Robin maakte een gebaar alsof hij een arm om haar heen wilde slaan en zich toen weer bedacht.
'Ma, ik denk niet dat er veel mensen zullen komen. We hebben nooit aan die pauze na het crematorium gedacht. Iedereen moest daarna weer gaan werken. Daar hebben we nooit aan gedacht.'
Dilys keek hem met een scherpe, doordringende blik aan. Toen pakte ze een tweede glas sherry en bordje en gaf ze aan de predikant.
'Nonsens,' zei ze.

'Er is niemand gekomen,' zei Robin. 'Tenminste, bijna niemand. Vijf of zes maar. Ma rekende op een man of vijftig.'
Hij zat, nog steeds in zijn begrafeniskleren, bij Lindsay op het randje van de bank. Hij had zijn das nu helemaal losgetrokken en leunde met zijn ellebogen op zijn knieën. Ze had hem een glas whisky gegeven dat hij losjes en starend naar de grond, in zijn handen hield.
'Arme Dilys,' zei Lindsay.
'Ze wilde niet toegeven,' zei hij. 'Ze wilde het gewoon niet accepteren, dus hebben we tot een uur of vier alleen maar zitten wachten.' Hij nam een slok. 'Het was uiteindelijk aan Judy te danken dat er wat gebeurde, het was Judy die de moed opbracht om er iets aan te doen. Ze zei: "Oma,

ik denk niet dat er nu nog iemand komt. We moeten nu maar ophouden met wachten en de boel gaan wegruimen." En ze stond meteen op en begon dingen naar de keuken te brengen. Ma zei geen woord, maar hield haar ook niet tegen. Ze zat daar maar terwijl wij alle spullen naar de keuken brachten. Er was zoveel eten dat we wel het hele dorp hadden kunnen uitnodigen.'
'En Harry?'
Robin richtte zijn ogen weer op het vloerkleed. 'Die was buiten. Waar hij de laatste tijd altijd is. In... in de schuur.'
'Waar Joe lag,' zei Lindsay. 'Waar Joe is gevonden.'
'Ja.'
'Ik vraag me maar steeds af wat er gebeurd zou zijn als ík hem had gevonden. Soms... Soms benijd ik Harry wel eens, dat hij Joe heeft gevonden.'
Robin keek haar vluchtig aan. 'Niet doen.'
'En waarom heeft hij zich niet thuis doodgeschoten? Waarom was hij niet thuis, in zijn eigen huis, in ons huis, waar hij hoorde?'
Robin haalde nauwelijks merkbaar zijn schouders op. 'Misschien juist daarom.'
Lindsay leunde naar voren en zette haar beker thee voorzichtig naast haar voeten op het kleed. 'Ik voel... O, Robin, ik voel me zo schuldig en zo ontzettend slecht dat ik het niet aankon...'
Langzaam zei hij: 'Misschien was het wel Joe die het niet aankon. Misschien kon hij het boerenleven niet aan maar moest hij wel omdat hij wist dat er geen ander leven voor hem was. Je mag het land dan wel haten, maar je kunt er ook niet buiten.' Hij zweeg even en zei toen nog langzamer: 'Ik weet dat er veel boeren zijn die met de gedachte aan zelfmoord spelen.'
Ze staarde naar hem. 'Robin!'
'Er zijn niet zoveel boeren die zich tot iemand kunnen wenden,' zei Robin, met zijn ogen strak op de whisky gericht. 'Met het gevolg dat ze dan ook aan zichzelf gaan twijfelen. Je begint te denken dat alles wat je aanpakt wel verkeerd zal aflopen, je besluit om het land te bespuiten of juist niet en dan slaat het weer om en dan is je hele investering weg en zijn al die uren die je erin hebt gestoken voor niets geweest. Je voelt dat het lot tegen je is. Je voelt dat het land tegen je is.'
Ze vroeg: 'Voel jij dat ook?'
Hij zuchtte. 'Ik zie het wel, maar voel het niet zo. In ieder geval, niet vaak. Ik ben anders dan Joe.'

'Probeer je me nu te vertellen,' vroeg Lindsay, 'dat Joe dus gewoon zat te wachten tot het noodlot zou toeslaan?'
'Misschien wel.'
'O, god...'
'Maar wat ik je nog meer duidelijk wil maken, is dat het jouw schuld niet is,' zei Robin.
'Maar ik ben zijn vróúw. Ik zou alles in de hele wereld voor hem hebben gedaan...'
'Er waren dingen die je niet kon doen, Lindsay. Die niemand kon doen. Hij was op het punt gekomen waar niemand hem meer kon helpen, waar hij zichzelf ook niet meer kon helpen.'
'Er is altijd íémand die je kan helpen.'
Robin keek haar aan. 'Dat geloof ik dus niet. En wat meer is, buiten de pijn die hij jou en de familie heeft aangedaan, geloof ik heilig dat Joe niet noodzakelijk iets verkeerds heeft gedaan. Uiteindelijk beslis je zelf over je leven. Het is het enige wat helemaal van jou is. Het is niet iets waar je tegenover anderen verantwoording hoeft af te leggen.'
De deur van de zitkamer ging een klein beetje open.
'Hughie?' vroeg Lindsay.
Ze zagen Zeehond om het hoekje van de deur komen, vastgehouden door een armpje in pyjama.
'Hughie,' zei Lindsay, 'wil je bij ons komen?'
'Wie is er dan?' vroeg Hughie, nog steeds aan de andere kant van de deur. Zijn stem klonk door de duim in zijn mond, een beetje gedempt.
'Ik ben het,' zei Robin.
'O.'
'Je kent míj toch wel,' zei Robin.
'Waar is papa?'
Lindsay stond op, liep naar de deur en keek door de kier naar Hughie, in zijn pyjamaatje en met de roodzwarte baseballpet op.
'Je weet toch waar papa is. Papa is dood. Hij is nu in de hemel.'
'Maar dat wil ik niet,' zei Hughie.
Lindsay bukte zich en tilde Hughie op.
'Nee, lieverdje.' Haar stem bibberde. 'Niemand wil dat.' Ze drukte haar gezicht in zijn nek, tegen de zachte, gebreide rode band aan de hals van zijn pyjama. 'Maar we moeten het nu eenmaal leren verdragen, Hughie. We moeten proberen eraan te wennen.'
'Ga hem halen,' zei Hughie. 'Háál hem dan.'
Robin stond op. Hij zette zijn whiskyglas op de televisie en liep naar

Lindsay en Hughie. 'Kom je bij mij, jochie? Wil jij je oude oom niet even een grote knuffel geven?'
Hughie schudde zijn hoofd.
Robin zei: 'Ik wil zo graag een grote knuffel van je.'
Hughie, nog steeds met zijn duim in zijn mond, draaide zijn hoofd om, om naar Robin te kijken. Zijn kleine vingertjes maakten zenuwachtige bewegingen in de vacht van de zeehond. Robin stak zijn armen naar hem uit. Hughie boog zijn hoofd en liet zich gewillig door Robin naar de bank brengen.
'Het is de verandering,' zei Robin en trok Hughie dicht tegen zich aan op schoot. 'Dat maakt je zo angstig. Niemand houdt van veranderingen.'
Hughie zat dicht tegen hem aan met zijn gezicht verborgen onder de klep van de baseballpet.
'Maar je raakt er aan gewend. Net zoals je moest wennen aan Rose en om naar de crèche te gaan.'
Hughie trok zijn duim uit zijn mond en zei duidelijk: 'Ik ben niet aan haar gewend.' Toen stak hij zijn duim weer in zijn mond.
'Je moet gewoon wachten,' zei Robin, hem dicht tegen zich aan houdend. 'Dat is het enige wat we kunnen doen. Dat we allemaal kunnen doen. We moeten net zo lang wachten tot we eraan gewend zijn, tot het gewoon voelt dat papa er niet meer is. We moeten wachten tot we ons weer beter voelen.'
Hughie trok zijn duim uit zijn mond en duwde zijn gezicht en de harde klep van zijn pet ongemakkelijk tegen Robins borst en bleef zo, gespannen en zwijgzaam, tegen hem aanzitten. Robin wachtte. Hij keek op en zag dat Lindsay naar hem zat te kijken.
'Arm, arm kereltje.'
Hij sloeg zijn hand om het kleine hoofdje en hield hem stevig tegen zijn borst.
'Wacht maar, je zult het zien, het komt wel weer goed,' zei hij.
Die avond, voordat ze naar bed ging, pakte Lindsay de twee kussens aan Joe's kant van het bed, haalde de slopen eraf en legde ze boven in de kast. Ze had zich dat zelf al op de avond van de begrafenis beloofd. Toen stapte ze in bed en nam zich voor om minstens een half uur te wachten met het innemen van de slaappillen die ze van dokter Nichols had gekregen. Na vijftien minuten stond ze op, pakte de kussens weer uit de kast, viste de slopen uit de wasmand, nam alles mee naar bed en hield ze stijf tegen haar lichaam gedrukt terwijl ze lag te huilen.

Enige tijd later legde ze de kussens weer terug op de plek waar ze haar hele getrouwde leven hadden gelegen. Toen liep ze naar de badkamer. De kamerdeuren van haar kinderen stonden open. Rose lag op haar rug met haar stevige armen boven haar hoofd, diep in slaap. Hughie lag onder zijn dekbed op de grond met nog steeds zijn baseballpet op. Lindsay stopte hem in en legde het kussen tegen zijn rug aan. Het was Robin geweest die hem uiteindelijk naar bed had gebracht en hij had niet geprotesteerd. Hij was juist heel stil en gewillig geweest toen Robin hem van de zitkamer naar zijn slaapkamer bracht, zo stil, dat Lindsay er heel wat voor had gegeven als ze het gebrul van Rose had kunnen horen, zodat ze zich nog iets anders zou kunnen herinneren dan alleen die stiltes van verdriet en pijn.
Lindsay keek niet naar zichzelf in de spiegel boven de wastafel. Ze had besloten om dat voor de eerstvolgende twee weken niet te doen, om zichzelf het aanzicht van de sporen van verdriet te besparen die op haar verwrongen gezicht lagen. In het badkamerkastje achter de spiegel, stonden nog steeds de scheerspullen van Joe naast haar make-up spullen. Net zoals de blauwe fles met maagtabletten waarop Joe de hele dag, sinds ze hem kende, liep te kauwen.
'Moet je dat niet eens tegen de dokter zeggen?' had Lindsay gevraagd. 'Moet je hem niet zeggen dat die tabletten helemaal niet helpen?'
'Nee,' had Joe gezegd. 'Ze werken best wel, trouwens ik denk er niet eens bij na. Het is niets.'
Lindsay liep terug naar de overloop. Niets had nooit niets voor Joe betekend maar hij had ook nooit iets echt fijn gevonden. Ze leunde tegen de muur aan, de muur die Joe zelf, met het behang van haar keuze: kleine boeketjes madeliefjes op een satijnen crème ondergrond, had behangen. Ze voelde zich ineens weer ontzettend emotioneel worden, niet over het heden of over de toekomst, en ook niet door zijn zelfmoord, maar over het verleden en alle dingen die ze nooit had begrepen. Het was allemaal te veel voor haar geweest, de hele tijd zo lang ze getrouwd was, en ze zou het niet hebben kunnen veranderen, ook al had ze het begrepen. Juist door haar onbegrip had ze door kunnen gaan. Ze liet zich op de grond zakken, op de goedkope vloerbedekking die een doorn in het oog van Dilys was. Ze sloot haar ogen en hoorde de verdrietige stilte in haar horen suizen. Was dit nu volwassen worden?

Judy en Oliver zaten in de keuken van Tideswell Farm op Robin te wachten. Ze hadden koffie gezet en hingen ieder aan een kant van de

tafel in hun stoelen. Af en toe raakten hun handen elkaar over de tafel heen aan. Oliver had zijn trui uitgedaan en hem bovenop de stapel papieren op de tafel gegooid. Boven op de trui lag de huiskat in elkaar gerold, maar met alerte ogen de boel in de gaten te houden en te wachten dat ze haar eraf zouden sturen.
'Ik dacht dat jullie allang in bed zouden liggen,' zei Robin. Hij had de hele avond met zijn zwarte begrafenisdas los om zijn nek gelopen en deed hem nu af.
'We hebben op jou zitten wachten,' zei Judy.
'Ik was bij Lindsay...'
'O.'
'Ik heb geprobeerd haar in te laten zien dat het niet haar schuld was.'
'Heb je honger?' vroeg Judy.
Hij schudde zijn hoofd.
'Koffie?' vroeg Oliver.
'Nee, bedankt. Ik heb bij Lindsay een glas whisky gedronken en dat is verkeerd gevallen, ik voel me zo ziek als een hond.'
Judy zei onzeker: 'Je bent goed voor Lindsay geweest. En voor oma.'
Robin bromde wat.
'Arme, oude oma...'
'Zit je daarmee?' vroeg Judy. 'Ik bedoel hoe oma over Joe dacht?'
Robin zei: 'Het heeft geen zin om daarmee te zitten. Dat is nu eenmaal zo. Was.'
De telefoon rinkelde schel.
'Zal ik hem opnemen?' vroeg Oliver.
Hij stond op en duwde zijn bril hoger op zijn neus, alsof hij daardoor niet alleen beter kon zien maar ook beter kon horen.
'Hallo?'
Hij wachtte een paar seconden en hield stak de haak naar Robin uit. 'Het is voor jou. Je moeder.'
Robin legde de hoorn tegen zijn oor. 'Ja, ma? Is alles in orde?'
Hij zweeg en luisterde. Oliver stond achter de stoel van Judy en had zijn handen op haar schouders gelegd.
'Je kunt maar beter komen,' zei Dilys en haar stem klonk door de hele keuken heen. 'Je kunt maar beter meteen hiernaartoe komen, ik kan je vader nergens vinden.'

11

Het strijkkwartet stond een paar meter van Judy af in een vergulde kooi te poseren. Het waren allevier vrouwen en die kooi was hun handelsmerk sinds het kwartet 'Birds in a Cage' heette. Ze stonden op het punt om in de Royal Albert Hall op te treden, ze speelden Venetiaanse Barokmuziek, hun specialiteit, en waren gekleed in iets wat Renaissancekleding moest voorstellen, gemaakt van zware zijden en brokaat stoffen, ook hun specialiteit.
Ze werden gefotografeerd voor een aantal verschillende affiches en programma's en sinds het in was klassieke zangeressen en musiciennes als sirenes te portretteren, zorgden ze ervoor zich zo sexy mogelijk te presenteren met zoveel loshangend haar en tanden en kans op moeilijkheden als de fotograaf hen toestond.
De fotograaf smulde ervan. Zoe had nog nooit met hem gewerkt maar had hem onmiddellijk getypeerd als het snelle type, gebaseerd op zijn aangemeten Hasselblad en cowboylaarzen van hagedissenleer. Hij noemde haar darling alsof ze elkaar een heel leven hadden gekend en al jaren hadden samengewerkt. Maar hij had haar niet een keer echt aangekeken. Ze deed wat haar werd opgedragen, zette de statieven klaar, de enorm grote goudkleurige reflectors, registreerde lichtsterktes maar wisselde geen woord met hem. Een van de meisjes van het kwartet keek haar aan en gaf haar een knipoog.
De studio, in een armoedig zijstraatje in High Holborn, was helemaal in wit uitgevoerd. Plafonds, muren, en vloer, alles was wit en voor de ramen hingen lange, witte luxaflex die in de meest onmogelijke posities konden worden neergelaten. De vier meisjes in hun fragiele kooi zagen eruit alsof ze ergens in de ruimte zweefden, de hele kooi leek trouwens in het grote onbekende te zweven, in een fantasiewereld. Zoe was in de kooi geweest om hun gewaden zo te plooien dat de schaduwen zo welig mogelijk uitkwamen en het satijn net een goede lichtweerspiegeling kreeg. Ze had het gevoel gekregen dat er in de kooi een speciale sfeer hing, meer dan alleen maar een illusie. Die meisjes waren bijdehand genoeg geweest om een kooi als hun specialiteit te kiezen; het maakte hen mysterieus en het gaf hen kracht. Nu, buiten de kooi, zat Zoe op

haar knieën een enorme nylon reflector vast te houden, en grinnikte naar naar de violiste.
'Draai jullie gezichten nu naar me toe,' riep de fotograaf, 'maar kijk met je ogen opzij en als ik "nu" roep, richt dan meteen jullie ogen op de camera, naar mij toe. Geef die camera alles wat je hebt!'
Zoe dacht, nu wij hier alles wat we kunnen aan die vier meisjes in hun apepakjes geven, worden ergens anders kranten verkocht en staatsloten er zoeken zwervers de afvalbakken door of kijken er mensen verveeld uit hun kantoorramen naar buiten en tellen de uren af tot ze kunnen gaan lunchen, tot ze weer naar huis kunnen gaan...
'Nu!' riep de fotograaf.
... en zitten de scholen vol kinderen en stappen er mensen in liften en in vliegtuigen of nemen de telefoon op, terwijl ik hier met die engerd met zijn Hasselblad en zijn aanverwante artikelen...
'Geweldig,' riep de fotograaf. 'Fantastisch. Jullie meisjes hebben het. Wat er nodig is, hebben jullie. Maar ik wil er nog eentje maken. Gezichten naar de camera, ogen een beetje naar links. Mondjes een beetje open? Ontspan die lippen, ontspan die mond; laat me wat tanden zien, een klein beetje maar.'
... en terwijl wij hier bezig zijn, is Gareth waarschijnlijk die smurrie uit de hokken aan het wegspuiten en is Robin ergens anders op de boerderij aan het werk en Velma is vast in de keuken bezig met haar bus luchtververser. Dennenlucht, haar favoriete...
'Hou die reflector nu eens alsjeblieft goed, darling,' zei de fotograaf op een heel andere toon tegen Zoe. 'Zoals ik je heb voorgedaan. Nee, darling, néé. Zoals ik je heb voorgedaan. Nu, meisjes, schatjes van me, zet die instrumenten eens tussen jullie knieën, spreid uit die benen. Geef me wat been te zien, kom nou, laat wat been zien.'
Ik wed, dacht Zoe, en hield de reflector op zo'n manier dat de gezichten van de meisjes van onderen een warme gloed uistraalden, ik wed, dat niemand hier ooit een koe heeft aangeraakt. Ze hebben natuurlijk nog nooit aan een koe gedacht. Ik wed, dat ze zonder er over na te denken waar het vandaan kwam, de melk in hun koffie gieten. Ze hebben er vast geen idee van hoe koeien leven en dat er mensen zijn die hen verzorgen. Het zou leuk zijn als er hier een koe zou binnenlopen. Wat zouden ze gek opkijken. De koe niet, de koe zou gewoon koe blijven...
'Darling,' zei de fotograaf, 'probeer je nu eens te concentreren. Of kun je dat niet? Kun je ons alsjeblieft een klein beetje van je aandacht schenken?'

Zoe keek naar hem. De meisjes in de gouden kooi, met hun instrumenten tussen hun gespreide benen, keken naar Zoe.
'Misschien,' zei de fotograaf, die aanvoelde dat hij een punt zou scoren, 'kun je ons deelgenoot van je gedachten maken? Zou dat kunnen, darling? Wil je ons niet vertellen waaraan je zo geconcentreerd aan zit te denken?'
Zoe knipperde niet eens met haar ogen.
'Koeien,' zei ze.

Later, in Judy's flat, terwijl ze een stokbroodje-gezond uit een papieren zak zat te eten, besloot Zoe om nog drie dagen voor het bureau dat haar dat baantje bij het strijkkwartet had bezorgd, te blijven werken om daarna weer naar Tideswell te gaan. Drie dagen extra inkomsten bij wat ze al had verdiend zou genoeg zijn om haar huur te betalen en een buskaartje te kopen. Haar moeder haatte de manier waarop Zoe met geld omging, haatte haar korte termijn visie, wilde dat ze wat spaarde, zodat ze, ook al was het maar honderd pond, toch iets had waar ze op terug kon vallen.
'Waarvoor?' vroeg Zoe. 'Waarom zou ik moeten sparen? Misschien ben ik morgen wel dood!'
Zoe's moeder spaarde voor allerlei dingen, voor een wasmachine, een video, een nest bijzettafeltjes of een magnatron.
'Maar dan heb ik het ook,' zei ze tegen Zoe. 'Dan zijn ze van mij,' waarmee ze bedoelde dat eigendommen je op een of andere manier een soort zekerheid gaven, bewijsstukken in een wereld waar een bepaald soort onzichtbaarheid om elke hoek loerde.
'Maar ik wil geen dingen,' zei Zoe. 'Ik houd er nu eenmaal niet van. Ik vind het fijn om juist níéts te hebben, zodat ik me vrij kan bewegen. Misschien ben ik wel een geboren zwerfster,' zei ze in een van haar laatste gesprekken met haar moeder. 'Een nomade.'
Nomade was een nieuw woord voor Zoe, een nieuw idee. Robin had het eens gebruikt. Toen hij vertelde dat het een van Caro's woorden was, omdat ze zelf geloofde dat zij een nomade was, dat ze essentieel een wereldreizigster was en iemand die nooit ergens echt zou kunnen wennen zelfs al leek het er aan de buitenkant een beetje op. Zoe vond het een interessant idee, had er vaak aan moeten denken, helemaal toen ze aan het graf van Caro had gestaan. Het fascineerde haar. Waarom zou dan juist een nomade een laatste onderdak zoeken bij mensen die nooit van het land waren weggeweest en eindigen op datzelfde land, in een

klein stukje aarde? Dat was het tegenstrijdige in Caro. Maar ja, Zoe herinnerde zich dat er in iedereen tegenstrijdige dingen zaten. Ze had ook vlug geleerd dat mensen hun tegenstrijdigheden gebruikten zoals het hen uitkwam zodat je nooit iets van hen zou kunnen verwachten. Zoals Judy, die haar hartstochtelijk had verteld hoe ze haar jeugd op de boerderij had gehaat, maar ontzettend jaloers en kwaad werd toen ze merkte dat Zoe wel interesse in de boerderij en haar vader had. En als ze zichzelf bekeek: door en door een stadse, altijd echt een straatkind geweest ook en nu ontzettend gefascineerd door het tegenovergestelde, door het leven op het platteland waar het weer en de seizoenen als goden regeerden. Als slechte goden, dacht Zoe nu, terwijl ze een plakje komkommer uit haar schoot viste, goden die je niet wilden helpen, maar je doorlopend leken te willen testen. Ze was pas sinds Joe's dood zo gaan denken en ze had er veel over nagedacht. Ook over Robin. Robin had wat leeftijd betreft Zoe's vader kunnen zijn, maar ze zag Robin totaal niet als een vader. Misschien kwam dat ook doordat hij niet Judy's echte vader was, alleen maar op papier, dus had hij ook geen biologisch vaderschap gekend, zoals Zoe's vader, of Joe. Was hij daarom zo op zichzelf? Leek hij daarom zo anders, alsof hij jong was en nog steeds van alles met zijn leven en met zichzelf wilde doen? En maakte hem dat zo interessant en een beetje buitenstaander, alsof hij nog zoveel in zijn mars had dat hij nog niet had gebruikt? Je had echte vaders, maar je had ook mannen die wel de leeftijd van vaders hadden, maar zich totaal niet als echte vaders gedroegen, die anders waren.
Zoe opende het stuk stokbrood dat ze nog over had en pulkte de gesneden groente eruit. Ze rolde alles in een laatste stukje slablad en propte het in haar mond. Was Robin jaloers op Joe geweest omdat hij kinderen had? Helemaal Hughie, omdat jongens voor boeren nog steeds meer telden dan meisjes: waar waren die nu eigenlijk goed voor? En als dat zo was, dacht Zoe kauwend, had hij die jaloezie dan gewoon een plaats in zijn leven gegeven, zoals het melken van koeien of naar de markt gaan? Ze stond op en maakte van de papieren zak een prop. Er viel een regen broodkruimels op de grond en op de kale neuzen van haar hoge schoenen. Misschien had hij er nooit met iemand over gesproken. Misschien sprak niemand in dat vreemde wereldje waar alles zo praktisch en noodzakelijk was, over dingen die niets met het boerenbedrijf te maken hadden. Misschien, dacht Zoe, terwijl ze de broodkruimels dieper in het kleed trapte op weg naar de keuken voor een glas water, misschien had niemand ooit aan Robin verteld dat je best gevoelens mocht hebben, dat

iedereen die had en dat niemand daar bang voor hoefde te zijn. En als niemand hem dat ooit had verteld, werd het tijd dat iemand dat nu wel deed.

Harry lag op zijn zij, met zijn kunstgebit in een glas gesteriliseerd water op het nachtkastje naast zijn bed, naar buiten te staren. Hij keek uit op de lange stenen muur van het Stretton-ziekenhuis onderbroken door keurige ramen en op de toppen van een rijtje rose kersebomen die langs het parkeerterrein voor de bezoekers waren geplant. In de verte erachter kon hij de grijze toren van een financieringsbedrijf zien en de Victoriaanse torenspits met de namaak gotische versieringen van de parochiekerk van de Heilige Maagd Maria. Nog verder weg zag hij de hoge lichtmasten van het Stretton-voetbalveld de lucht insteken. Niettegenstaande de kersebomen, vond hij het uitzicht afschuwelijk. Hij haatte het. Hij haatte het om naar stenen en cement te kijken. Hij wou maar dat hij thuis was. Als hij zo nodig in bed moest blijven – en hij zag niet in waarom dat nodig was, hij was verdomme alleen maar een beetje moe – dan wilde hij tenminste in zijn eigen bed liggen waar hij de lucht en bomen kon zien en over zijn landerijen kon kijken en waar de patrijzen nu aan het nestelen waren. Ze werden bedankt.
Hij was trouwens helemaal niet ziek. Observatie, hadden ze gezegd. Ze hielden hem daar voor observatie. Wat was er dan te observeren? In ieder geval niet iets dat hij ze niet zelf had kunnen vertellen als ze het hadden gevraagd. Maar ze vroegen niets en hij zou ze verdomme ook niet vrijwillig iets vertellen. Toen hij na Joe's begrafenis weg was gelopen, had hij helemaal niet de bedoeling gehad iets speciaals te gaan doen, hij wilde alleen maar daar zijn waar hij en Joe samen hadden gewerkt en waar hij Joe nog steeds kon voelen. Daar was hij zeker van. Toen Robin hem had gevonden lag hij als een baby onder een van de heggen te slapen. Hij kon zich van wat er daarna was gebeurd, niet veel meer herinneren, behalve dat ze allemaal heel kwaad op hem waren geweest. Vooral Dilys, ze was woest over de modder op zijn nette pak en over de scheur in zijn colbertje. Hij had, terwijl ze allemaal tegen hem liepen te schreeuwen, gewoon in zijn stoel in de keuken gezeten en hen aangestaard alsof ze vreemden voor hem waren. Het kwam in hem op dat het eigenlijk helemaal niet uitmaakte als ze dat ook waren geweest. Joe kon elk moment thuiskomen en die zou het hen wel uitleggen. Joe zou ze wel vertellen waarom Harry s'avonds om tien uur daar onder die heg en met zijn beste kleren aan, had liggen slapen.

En nu, terwijl hij naar het weerhaantje van de kerktoren lag te kijken, was hij zich bewust dat Joe niet meer zou komen. Dilys wel, Robin ook, maar Joe niet. Niet meer. Hij wist dat hij dat ergens ook wel had geweten, maar het niet had willen geloven. Zoiets als, dat je wist dat je op een goede dag dood zou gaan, maar je het toch niet kon voorstellen. Het punt was, dat Joe helemaal niet dood had mogen gaan. Joe was zijn zoon en vaders gingen eerder dan hun zonen. Zo hoorde dat. Zodat ze nooit zonder zonen zouden zijn. De eenzaamheid die hij door Joe's dood voelde, kon Harry bijna niet verdragen en hij probeerde er zo min mogelijk aan te denken. Als hij het zich in een flits weer herinnerde, voelde hij zich afschuwelijk. Het was gemakkelijker om nergens aan te denken en alleen maar naar de kersebomen en die grijze kantoortoren te kijken. Je kon je kwaad maken over dat verkeerde uitzicht, een uitzicht waar je helemaal niet naar wilde kijken. Je kon kwaad worden omdat je in de stad lag en niet op je eigen platteland. En je kon kwaad worden omdat zij er nog wel waren en Joe niet meer.

'Ben jij al vijf?' vroeg Gareths zoon Eddie. Hij zat in zijn 'Batman For Ever-T-shirt' en met zijn groene, plastic vizier op, aan de keukentafel in Tideswell Farm.
Hughie gaf geen antwoord. Hij zat naar het bord te staren dat Debbie, Eddie's moeder, had gevuld met chips en een koud gebakken worstje dat er als een dode vinger uitzag.
'Hughie?' zei Lindsay vriendelijk.
'Drie,' siste Hughie. Onder de tafel lag Zeehond op zijn schoot, die hij meteen stevig vastgreep.
Eddie rolde met zijn ogen. 'Jeetje, drie? Dríé? Ik ben al jaren geen drie meer.'
'Pas een jaar,' zei Debbie.
'Maar ik word in juli al vijf. Op dertien juli.' Hij klapte zijn vizier omhoog. 'Vergeet dat maar niet.'
Debbie zei tegen Lindsay: 'Schenk er maar geen aandacht aan. Dat komt door het verschil in leeftijd, dat heeft hij van Kevin en Rebecca die jaren ouder zijn.'
'Ik heb een voetbal,' zei Eddie tegen Hughie. 'En Gary Lineker heeft er zelf zijn handtekening opgezet. Wat heb jij eigenlijk?'
'Een cricket-slaghout,' fluisterde Hughie.
Eddie lag in een deuk. 'Cricket? Crícket? Alleen watjes spelen crícket.'
'Zo is het genoeg,' zei Debbie. Ze had zich van tevoren over dit bezoek

behoorlijk zenuwachtig gemaakt, maar toen ze Lindsay zag, die er zo fragiel en zo moe en kwetsbaar uitzag, zo ziek alsof ze verzorging nodig had, zoals ze later aan Gareth had verteld, was haar zenuwachtigheid in een klap verdwenen. Maar toen Robin haar vroeg of ze naar de boerderij wilde komen, omdat Lindsay afleiding nodig had en haar huis eens uit moest en hij niets beters wist te bedenken, had ze wel haar bedenkingen gehad.

'Wat moet ik tegen haar zeggen?' had ze aan Gareth gevraagd. 'Wat moet ik daar doen? Ik bedoel, ze is de schoonzuster van de baas, ik weet helemaal niet wat ik tegen haar moet zeggen. Ik kan toch niet... nou ja, ik kan toch niet over hem gaan praten? Of wel?'

'Neem Eddie met je mee,' stelde Gareth voor. 'Die is nooit om een woordje verlegen. En dan kan hij met...' Hij stopte even. Hij had willen zeggen: 'Met Joe's kleine jongen spelen.' Maar hij verbeterde zichzelf en zei: 'Met hun zoontje spelen.'

'Wat heb je daar toch?' vroeg Eddie, en wees met zijn worst naar Hughie's schoot.

Hughie boog zijn hoofd.

'Het is een zeehond,' zei Lindsay. 'Die houdt hem een beetje gezelschap. Heb jij dan geen knuffel?'

'Nee,' zei Eddie minachtend.

'En panda dan?' vroeg Debbie, 'En de roze panter en je egeltje?'

Eddie keek haar woest aan. Hij legde zijn worst terug op het bordje, sprong van de stoel en hees zijn spijkerbroek over zijn magere heupen omhoog. 'Ik ga naar huis.'

'Oké.'

'Ik ga naar mijn papa toe.'

Debbie kroop ineen. Ze durfde niet naar Lindsay te kijken.

'Mijn papa,' zei Eddie nadrukkelijk tegen Hughie, 'mijn papa rijdt op tractors.'

'Zo is het genoeg,' riep Debbie scherp. 'Genoeg. Ga naar huis, vlug, ga naar huis voordat ik je een oplawaai geef.'

De keukendeur viel met een klap dicht.

'Sorry,' fluisterde Debbie.

Lindsay zei: 'Dat kan hij niet weten. Hoe kan hij dat nu weten?'

'Hij zou het in ieder geval niet moeten zeggen. Hij had dat niet mogen zeggen...'

'Het geeft niet,' zei Lindsay. 'Hij gedroeg zich als een gewoon jongetje. Het is goed voor ons als de mensen zich weer normaal gaan gedragen,

dat is precies wat we nodig hebben.' Ze bukte zich over Hughie heen. 'Ga jij lekker je chips opeten?'
Hij pakte de kleinste die hij kon vinden.
Lindsay zei: 'We zijn niet zulke goede gasten geweest. Ik vond het fijn dat je hier was. Ik denk dat Robin...' Ze zweeg even en zei er toen snel achteraan: 'Ik denk dat niemand weet wat ze met ons aan moeten.' En toen, bijna fluisterend: 'Eigenlijk weten we dat zelf ook niet.'
Debbie zat met ineengeklemde handen in haar schoot te wachten. Als ze naar hen keek moest ze bijna huilen, ze voelde de tranen prikken en had een harde prop in haar keel. Ze wilde zeggen dat ze hen met alles wilde helpen, maar ze durfde haar mond niet open te doen omdat ze bang was dat ze dan echt zou gaan huilen. Ze schudde in plaats daarvan hulpeloos met haar hoofd en kneep zo hard in haar handen dat haar vingers helemaal wit werden.
'Neem er nog eentje,' zei Lindsay tegen Hughie. Hij pakte er een die mogelijk nog kleiner was dan de eerste. Lindsay zei tegen Debbie: 'We hebben zijn zusje vandaag bij Mary achtergelaten, hè, Hughie? We willen af en toe gewoon met ons tweetjes zijn.'
Debbie zei met een bevende stem: 'Rebecca was ontzettend jaloers toen Kevin werd geboren. Ik kon ze zelfs geen minuutje alleen laten. Ze stond zelfs een keer met een opgeheven pook boven zijn hoofd.'
'Rose is een ontzettend drukke baby, hè, Hughie? Dus hebben we af en toe gewoon een beetje rust nodig. Maar ze is nog maar een baby...'
Debbie leunde iets voorover en trok voorzichtig haar handen los.
'Ik wil je wel met haar helpen. Ik werk alleen maar tussen de middag op school. Als je het wil, help ik je. Je hoeft het alleen maar te vragen en dan kom ik.'
'Bedankt,' zei Lindsay. 'Dat is erg aardig. Hartelijk bedankt.' Ze keek naar Debbie die aan de andere kant van de tafel zat. 'Ik... Ik weet eigenlijk helemaal nog niet wat ik ga doen. Misschien ga ik wel een baan gaan zoeken. Maar ik weet het nog niet zeker, ik kan er gewoon niet over nadenken. Tenminste nu nog niet.'
'Nee...'
'Dokter Nichols zei dat het door de shock komt. Hij zei dat Joe's vader ook door de shock deed wat hij deed. Hij noemde het een zenuwschok.'
'Hoe gaat het eigenlijk met hem?'
'Hij ligt nog steeds in het ziekenhuis,' zei Lindsay. 'Hij mag naar huis zo gauw hij weer goed eet. Maar dat doet hij nog steeds niet.' Haar stem beefde. 'Ik kan me dat echt voorstellen. Wij hebben ook geen zin meer

om te eten. Het lijkt wel alsof het geen zin meer heeft.'
Debbie die op de klok keek, herinnerde zich ineens weer dat ze voor Gareth moest gaan koken. 'Het spijt me, maar ik moet nu naar...'
'Natuurlijk,' zei Lindsay. 'Natuurlijk, ga gerust.' Ze stond langzaam op. 'Wij ruimen de boel wel op. Hughie helpt me wel. We ruimen op en dan blijven we hier op oom Robin wachten, hè, Hughie?'
'Ik meende wat ik net tegen je zei,' zei Debbie. 'Over de baby, dat ik zou helpen...'
Lindsay legde haar hand op Hughie's hoofd. Hij kromp in elkaar en verborg zijn gezicht achter Zeehond.
'Bedankt,' zei Lindsay. 'Ik zal het niet vergeten.'

'Breng Hughie vast naar huis,' zei Robin. Hij had een colbertje aan en droeg een overhemd met een losgeknoopte das.
Lindsay stopte even met het afvegen van de bordjes die de kinderen hadden gebruikt. Hughie die naast de huiskat op de stapel papieren zat, zat duimend naar hen te staren.
'Hoezo?'
'Mary is toch bij jou thuis?'
'Ja, maar...'
'Ik wil alleen maar een half uurtje van jouw tijd. Er is iets dat je samen met mij moet doen.'
'Wat dan?' vroeg Lindsay.
Robin keek vluchtig naar Hughie. 'Laten we even het erf oplopen, dan laat ik je iets zien.'
'Wil jij hier even wachten?' vroeg Lindsay aan Hughie. 'Wil jij even hier bij de kat blijven?'
Hughie zei niets.
'Ik ben maar een paar tellen weg. Eventjes maar. Blijf maar gewoon even zitten.'
Ze volgde Robin naar buiten. Zijn oude en gedeukte stationwagen, die Caro altijd had gebruikt, stond vlakbij de deur geparkeerd. De achterbanken waren naar beneden en Lindsay zag een rol touw liggen, een paar oude kranten, een rol prikkeldraad en een lege gastank. Maar ze zag ook een keurige, kartonnen doos staan.
Robin trok de achterklep omhoog en trok de doos naar zich toe. Lindsay zag dat Robin er een plastic, bronsgekleurde bus met een schroefdeksel erop, uithaalde.
Robin zei: 'Ik ben vanmiddag naar de begrafenisondernemer in Stretton

geweest.' Hij gebaarde naar zijn das en overhemd. 'Zoals je trouwens wel kunt zien.'
Lindsay staarde naar de bus die Robin, een beetje naar haar uitgestrekt, in zijn handen hield.
'De as van Joe,' zei Robin.
Ze slikte.
'Niet alles, natuurlijk,' zei Robin. 'Als het alles was geweest zou...' Hij stopte en keek naar Lindsay. 'We moeten zijn as verstrooien,' zei hij. 'Dat wilde hij. Over de rivier. En ik denk dat we dat samen moeten doen. Tenzij je het natuurlijk alleen wilt doen.'
Ze schudde van nee. Maar haar ogen vulde zich weer met tranen. Robin zette de bus weer terug in de kartonnen doos. Hij legde zijn handen op de schouders van Lindsay.
'Het is wat hij wilde. Dat heb ik hem horen zeggen. We moeten het doen. Ik kan hem – zijn as – trouwens niet in de auto laten staan.' Hij zweeg; hij had haar willen vertellen dat de rit terug naar Dean Cross met de as van Joe in zijn wagen, onbeschrijflijk moeilijk voor hem was geweest. Bijna het moeilijkste van alles deze laatste maanden, maar hij hield zich in. 'Breng Hughie naar huis,' zei hij. 'Breng Hughie naar Mary en zorg dat je over een half uurtje bij de rivier bent.'
Hij trok zijn handen van haar schouders. Ze keek hem even aan en hij zag dat ze op het punt stond, weg te rennen. Hij hief zijn vinger tegen haar op en ze kromp in elkaar.
'Lindsay,' zei hij kwaad en het kon hem niet schelen. 'Lindsay, je zorgt er maar voor dat je er bent. Denk verdomme nu eens niet alleen aan jezelf, zorg er verdomme voor dat je er bént!'

Ze was er al nog voordat hij er was. Ze had haar auto een meter of vijftig verder op het pad geparkeerd en was het laatste stukje naar de rivier gelopen. Ze stond naast de wilgenboom waar Judy altijd als kind had gespeeld, op hem te wachten.
'Ging het een beetje met Hughie?'
'Ik geloof het wel,' zei ze. 'Ik bedoel het ging zo goed als het kon gaan. Ik wou maar dat hij zich niet zo rustig gedroeg. Soms zou ik willen dat hij het zou uitschreeuwen, zodat ik zou weten hoe hij zich voelde en wat hij dacht.'
Robin bromde iets. Hij droeg de bus in zijn armen. Lindsay keek ernaar.
'Moesten we je moeder niet vragen om erbij te zijn?'
'Nee, tenzij jij erop staat.'

'Nee, ik niet,' zei Lindsay. 'Ik zou zoiets niet mogen zeggen, maar ik wil haar er helemaal niet bij.'
'Het is geen kwestie van moeten of niet moeten,' zei Robin. 'Alleen wat jij wilt, in dit geval dus.'
Hij pakte de bus met één hand vast en draaide met zijn andere hand het deksel voorzichtig los. Hij hield hem voor Lindsay op. Het viel haar op dat hij nog steeds zijn das om had, een donkerrode das met een klein werkje erin, erg ouderwets. Het was waarschijnlijk een van de drie of vier die hij bezat. Joe had haast helemaal geen dassen gehad, behalve de paar die zij voor hem, speciaal voor feestjes, had gekocht. Opvallende zijden dassen met kleurige patronen. Plus een zwarte. Er was iets vreemds ontroerends aan om Robin met een das om bij de rivier te zien staan. Ze keek met angstige ogen in de open bus.
'Het voelt erg zacht,' zei Robin. 'Ik heb er al aan gevoeld. Veel zachter dan as van verbrand hout.' Hij hield de bus wat dichter haar richting uit. 'Stop je hand er maar in. Stop je hand er maar in en pak wat.'
'Ik kan het niet...'
'Je kunt het wel,' zei Robin. 'Je moet.'
Ze stopte voorzichtig haar hand een beetje in de bus. Wat er in zat voelde inderdaad heel zacht aan, net als zijde. Haar vingers gingen dieper, gingen dieper in...'
'Het is Joe niet,' zei Robin. 'Zo moet je niet denken. Het is Joe niet.'
'Het moet hem wel zijn...'
'Laat hem dan verdomme gaan!' schreeuwde Robin ineens tegen haar. 'Strooi hem uit over de rivier en laat die arme sodemieter gaan!'
Ze trok met een vaart haar hand uit de bus en er vloog een hele wolk lichte, grijsrose as mee uit die als een rookpluim over het water verdween.
'Meer,' zei Robin.
Ze deed opnieuw haar hand in de bus en strooide de as wijd over de rivier, toen nog meer en nog meer en liet de boog as langzaam versmelten met de lucht die boven het water hing. Ze dacht dat ze schreeuwde. Ze zag dat Robin een grote hand vol had genomen en toen zette hij de bus neer aan de waterkant. Hij boog zich voorover en liet de as, terwijl zijn hand bijna het water raakte, langzaam en doodstil in de rivier glijden. Ze hoorde hem iets mompelen. Ze riep: 'Wat zei je daar?'
Hij draaide zich om. 'Ik zei hem alleen maar gedag.'
Lindsay bukte zich en pakte de bus op. Hij was nog halfvol. Ze droeg de bus naar de plek waar Robin zat en knielde naast hem neer in het

modderige gras. Toen boog ze zich voorover en schudde de laatste as voorzichtig uit de bus en zag dat het onmiddellijk onder water verdween.
'Zo is het goed,' zei Robin. 'Zo moet je het doen.'
Hij ging staan. Lindsay stond ook op. Even stonden ze zij aan zij naar het water te kijken, naar dit onbetekenende, smalle bruine stroompje vol kiezelstenen en zachte modder, waar Joe te kennen had gegeven, verstrooid te willen worden. En toen ging Lindsay voor Robin staan en sloeg haar armen om zijn nek.
Hij hield haar tegen. Ze kon zijn verbazing in zijn afwerende armen voelen. Ze drukte zich tegen hem aan. 'Hou me vast!'
'Dat doe ik toch.'
'Niet zo,' zei Lindsay. 'Steviger.'
Hij voelde heel anders aan dan Joe, wel even lang maar hij was gespierder, minder solide, minder zwaar. Ze legde haar gezicht tegen zijn schouder en sloeg haar armen om zijn middel.
'Hij wist dat ik hem nodig had,' zei Lindsay. 'En hij heeft me toch verlaten. Hij wist dat ik me daar schuldig over zou gaan voelen en hij heeft het toch gedaan. Hij wist dat ik niet zonder hem kan leven, dat wíst hij. Maar hij liet me op hem leunen, dat liet hij toe.' Ze pakte Robin nog steviger vast. 'Jij moet me niet teleurstellen, Robin,' zei Lindsay. 'Jij niet.'
Ze voelde zijn omarming losser worden.
'Niet doen,' zei ze.
'Je praat op de verkeerde manier tegen de verkeerde persoon...'
Ze hief haar hoofd op om hem aan te kijken. 'Wat bedoel je daarmee: de verkeerde persoon?'
Robin zei onhandig: 'Ik ben zijn broer en trouwens...'
'Wat?'
'Ik heb nooit geweten wat liefde is.'
'Wat een onzin!' schreeuwde Lindsay. 'Absolute onzin! Iedereen weet wat liefde is. Het is trouwens het enige wat iedereen weet!'
Zonder waarschuwing kuste ze hem ineens heftig op de mond. Het was een harde kus, en een verbijsterende kus, hij voelde haar tong langs zijn lippen glijden. Hij trok zijn armen weg en begon een beetje te trillen. 'Je kunt beter maar naar huis gaan...'
'Nee!' schreeuwde ze.
'Je moet naar de kinderen.'
'Wat weet jij daar nu van? Wat weet jij nu helemaal van kinderen en wat ik moet of niet moet. Je weet verdomme nergens iets van.'

Hij pakte haar bij de arm en kneep erin.
'Dat klopt,' zei hij. 'Ik weet van niets. Dat heb ik je al eerder gezegd. Ik heb nooit gezegd dat het wel zo was.'
Lindsay begon te huilen.
'Sorry,' snikte ze, tegen hem aangeleund. 'Sorry, sorry. Dat had ik nooit moeten doen...'
Hij sloeg zijn arm om haar heen.
'Nee, inderdaad,' zei hij. 'Dat heb ik je daarnet nog verteld. Het is geen kwestie van moeten of niet moeten.'
'Ik zou wel iemand willen vermoorden,' zei Lindsay. 'Ik wil dat iemand hier voor boet.'
Hij begon haar langzaam de richting haar auto uit te duwen.
'Robin...'
'Ja?'
'Het spijt me van daarnet. Het spijt me dat ik me zo heb aangesteld...'
'Het geeft niet.'
'Ik weet gewoon niet meer wat ik voel. Of denk, of doe.'
Ze bleef stil staan en draaide zich om om hem aan te kijken. Haar haar werd door de wind als een wolkje om haar hoofd geblazen.
'Je laat me toch niet in de steek, hè? Alsjeblieft? Je helpt me toch wel op weg zodat ik weet wat ik moet doen en waar ik heen moet. Ik bedoel, nu ik voortaan alleen met je ouders ben. Je neemt me toch wel tegen hen in bescherming?'
Hij zuchtte. Hij kreeg een kil, pijnlijk gevoeld in zijn borst alsof er iemand een ijskoud stuk staal in had gestoken.
'Natuurlijk,' zei hij.

12

Dilys stond in de slaapkamer die altijd van Joe was geweest. Zijn hele leven, tot het moment dat hij zes jaar geleden met Lindsay was getrouwd. Het was een vreemde L-vormige kamer, waar aan een kant de boilerkast uitstak, maar Joe had het een fijne kamer gevonden omdat hij aan beide kanten uitzicht had. Hij had hier zijn huiswerk gemaakt, zijn modelvliegtuigjes verzameld en mazelen en waterpokken gehad. Aan de muur hingen nog steeds zijn klassefoto's in zwarte lijsten tegen een crèmekleurige achtergrond. Hij was een van de beste rugby-spelers van de oude Stretton-school geweest, de beste halfback die ze sinds tien jaar hadden gehad, en zijn sportkleren lagen nog steeds netjes gestreken en opgevouwen in de onderste lade van de grote kast die tussen de ramen stond. Er waren nu eenmaal dingen uit het verleden die je moest laten waar ze waren; er zat nog te veel leven in. Dilys liep elke dag even Joe's kamer in, soms wel een paar keer. Dan nam ze haar stofdoek mee en veegde de dode vliegen, die daar elke dag weer lagen, van de vensterbank bij elkaar en poetste de kleine spiegel tot hij glom – ze voelde zich nog steeds trots dat die spiegel zo hoog hing, omdat hij zo lang was – en trok het bed recht alsof iemand er sinds de laatste keer op had gezeten. Ze mocht van zichzelf een minuut of vijf blijven, op z'n langst tien en daarna bleef ze nog altijd even doodstil en met wijdopen ogen op de drempel staan voordat ze zich omdraaide en de deur achter zich sloot. Nu, terwijl ze naar het bed stond te kijken, kon ze vanuit de keuken het geroezemoes van stemmen horen. Het waren de mannen die op Robins aanvraag door het uitzendbureau waren gestuurd voor de tijd zolang Harry nog in het ziekenhuis lag. Het waren best aardige knapen, hoewel die ene niet veel meer kon dan het besturen van een tractor. En, omdat ze elke dag zo'n groot stuk moesten reizen – kantooruren, dacht Dilys schamper, van acht tot half vijf – vond ze het goed dat ze tussen de middag hun boterhammen in de keuken opaten. Dan kon ze ook meteen een oogje op hen houden om te zien dat ze deden wat Robin hen had opgedragen en er niet de kantjes vanaf gingen lopen. Zelfs de gedachte dat iemand op het door Joe geliefde land maar een beetje zou aanrotzooien, vervulde Dilys al met afschuw.

Ook had ze het onzettend moeilijk met de gedachte dat Harry eens naar huis zou komen. Elke dag, nadat de mannen waren weggegaan, knapte Dilys zich een beetje op en reed naar Stretton-ziekenhuis waar ze een uur naast Harry's bed zat. Ze nam fruit en zelfgebakken koekjes voor hem mee en flessen zelfgemaakte limonade. Ook bracht ze hem kranten – de buurtkrantjes en de nationale dagbladen, het wekelijkse boerenmaandblad waar hij een abonnement op had – en de Stretton-beursberichten. Dan maakte ze een glas limonade voor hem en las hem een beetje voor of vertelde hem wat er allemaal op de boerderij gebeurde. Intussen schilde ze een appeltje, of pelde ze een banaan voor hem en probeerde hem iets te laten eten. Als het uur voorbij was, vouwde ze netjes alle kranten op, stopte de schillen in een plastic tasje en boog zich voorover om hem een kus op zijn voorhoofd te geven.
'Probeer nu een beetje te slapen,' zei ze dan. 'En eet wat straks. Dat moet je echt proberen, hoor. Je ziet me morgen weer.'
Dan liep ze naar het parkeerterrein en reed opgelucht in haar auto terug naar Dean Place Farm. Opgelucht omdat ze het gevoel had dat ze ontsnapt was aan iemand met wie ze moest praten maar die niet meer dezelfde taal sprak.
Toch vond ze het naar om hem in het ziekenhuis te zien liggen. Ze haatte het omdat het ziekenhuis Harry ineens veel ouder had gemaakt; hij was ook zo hulpeloos geworden, het had hem verzwakt. Dokter Nichols had gezegd dat het door de shock kwam dat hij die avond na Joe's begrafenis was weggegaan; dat verdriet en rouw shock konden veroorzaken, traumatiserend kon werken en het normale denken en functioneren kon veranderen, zelfs stilleggen. Dilys kon zich dat wel voorstellen, maar ze kreeg er geen warmere gevoelens voor Harry door, integendeel, ze had een heel sterk gevoel dat hij haar in de steek had gelaten, haar had verraden op een moment in haar leven dat hij wist – en dat wíst hij – ze een onwankelbare loyaliteit van hem verwachtte. Het was bijna een verbond tussen hen geweest, een onuitgesproken verbond, dat Joe het middelpunt van hun leven was, het middelpunt van hun wereld en de bron van hun hoop en wensen. Joe had hen altijd verbonden en op zo'n manier dat Dilys altijd had aangenomen dat Harry het op dezelfde manier onderging. En toen liet hij zijn geweer zomaar in die onafgesloten kast staan. Hij had al die dagen, maanden en jaren tezamen met Joe gewerkt en wist hoe het met hem was gesteld en hij laat zomaar dat geweer staan. Zijn eeuwige koppigheid tegenover Joe's progressiviteit kon ze hem nog vergeven en ook die eeuwige ruzies die

hij met Joe maakte, zelfs het feit dat hij Joe bepaalde ontwikkelingen die hij op de boerderij wilde doorvoeren, niet toestond, maar niet dat geweer, niet dat geweer. Het geval met het geweer was in haar keel blijven steken en maakte haar dankbaar voor dat ziekenhuisbed, dankbaar dat hij nog steeds minder dan een hamster at. Maar ze had er geen idee van, dat als ze hem uiteindelijk zouden ontslaan, hoe ze ooit nog met hem zou kunnen leven.
'Mevrouw!' riep een van de mannen van beneden.
Dilys liep Joe's kamer uit en sloot de deur. Onderaan de trap stond de jongste van de twee hulpkrachten; een geestdriftige jongeman, die, zoals hij haar had verteld, met zijn vrouw en twee jonge kinderen bij zijn schoonouders aan de andere kant van Stretton, in een woningwetwoning woonde.
'Ik ga er vandoor,' zei hij.
Ze staarde naar beneden. 'Hoe bedoel je?'
'Ik heb de vrouw beloofd om haar moeder straks naar het ziekenhuis te brengen. Voor een onderzoek.'
'Je hoort hier tot half vijf te blijven,' zei Dilys. 'Dat weet je toch?'
Hij krabde aan zijn hoofd.
'Sorry. Het spijt me...'
'Heb je het aan mijnheer Meredith gevraagd? Heb je er met mijn zoon over gesproken?'
'Daar heb ik niet aan gedacht...' Hij schuifelde op zijn sokken ongemakkelijk heen en weer. 'Kunt u dat niet aan hem vertellen? Kunt u niet zeggen dat de hel is uitgebroken?'
'Dat is een nieuwe,' zei Dilys.
Hij grinnikte naar haar.
'Is het dan oké?' vroeg hij.
Ze legde haar hand op de ballustrade. Ze voelde zich ineens doodmoe en wat vervelender was, ook een beetje angstig. Ze zei: 'Nou vooruit dan maar.'
Hij knikte. 'Misschien dat ik morgen ook iets later kom, om een uurtje of negen, of zo...'
Dilys draaide haar gezicht weg.
'Goeiedag,' zei hij. 'Tot morgen.'
Ze wachtte tot hij weer buiten op het erf stond. Ze hoorde hem zorgeloos en vrolijk iets naar die andere man roepen. Toen liep ze langzaam naar de keuken en alhoewel ze er geen troep van hadden gemaakt, zag ze dat de twee stoelen scheef bij de tafel stonden en dat er een plastic

zakje en een afgegeten klokhuis op tafel lagen. Ze leunde tegen de deurpost. Harry's oude hond, die in zijn mand bij de achterdeur lag, voelde haar aanwezigheid en hief zijn kop op. Hij lag op Harry te wachten. Ze sloot haar ogen. Blind en doof lag die oude Kep nog steeds te wachten op iets dat er niet was. Net zoals ik, dacht Dilys. Ze voelde de stilte in de keuken om zich heen, alsof het haar buitensloot. Net zoals ik.

'Gaat het een beetje?' vroeg Bronwen, toen ze met een mango in haar hand en een plastic bekertje koffie in de andere, langs Judy's bureau liep. 'Je ziet er echt moe uit.'
'Ik ben ook een beetje...'
'Wil je een mango?' vroeg Bronwen.
'Nee, dank je, nee.'
'Je zou eens met vakantie moeten gaan,' zei Bronwen. 'Dat heeft een mens gewoon nodig. Ik ga dit jaar naar Formentera; ik huur daar met een stel vrienden een villa. Het schijnt er nog echt onbedorven te zijn.'
Judy keek naar haar computerscherm. 'De trend voor dit najaar heeft veel met kinderen te maken' had ze geschreven. 'De kamer waar we allemaal mee aan de slag zullen gaan, is de kinderkamer. Denk in ruitjes en vrolijke kleurtjes. Denk in behangrandjes en geweven kleedjes. Denk in hobbelpaarden'.
Slecht, dacht ze, slecht, sléćht. Ze klikte haar muis in om de hele boel weg te vegen. 'Wilt u dit document bewaren?' vroeg de computer beleefd.
'Nee!' zei Judy bijna schreeuwerig.
Bronwen, alweer aan haar eigen bureau, en met een slap plastic mesje haar mango probeerde te snijden, keek op.
'Sorry,' zei Judy. 'Sorry. Maar ik had zulke onzin geschreven, vandaar.'
'Heb je wel gehoord wat ik tegen je zei?' vroeg Bronwen. 'Ik bedoel over die vakantie.' Ze hield een stuk mango in haar opgeheven hand zodat het dikke, gele sap langs haar pols liep. 'Christus, ik vergeet altijd dat je die dingen alleen maar in het bad kan eten.'
'Ik heb de laatste tijd al zoveel dagen opgenomen,' zei Judy.
'Maar dat had met je familie te maken. Dat was toch geen vakantie. Ze kunnen je toch niet straffen omdat, omdat...'
'Omdat er iemand in mijn familie is overleden,' zei Judy.
Bronwen deed verwoede pogingen om met haar elleboog haar la open te maken en viste er een gedeukte doos tissues uit.
'Kun je niet met Ollie ergens heen?'
'Dat weet ik niet, daar heb ik het nooit met hem over gehad. Trouwens

hij heeft zich de laatste tijd zo uitgesloofd, me zo gesteund...'
Bronwen trok met haar tanden een groot stuk vruchtvlees uit de mango.
'Dat vindt hij misschien wel leuk. En met Zoe, dan?'
Er viel een kleine stilte. 'Niet met Zoe.'
Bronwen nam weer een hap. 'Ik dacht dat je Zoe zo fantastisch vond?'
Judy moest aan de lijst met rouwwoorden denken die ze op dat groene papier had geschreven, aan hun nachtelijk geklets en aan haar stille, bijna onzichtbare aanwezigheid in de flat.
'Ja, in het begin wel.'
Bronwen gooide de schil van een halve mango in haar prullenbak. 'Wat is er dan fout gegaan?'
Judy aarzelde. Ze keek naar de foto van Tideswell met de koeien in hun zonnige weide en het figuurtje in de verte dat misschien wel Robin was, maar waar zich tot nu toe nooit voor had geïnteresseerd. Ze keek naar de foto en wenste ineens heel sterk dat het Robin was die daar bij de schuur stond. Ze bekeek hem van dichtbij. Hij leek te groot om Gareth te zijn, maar het haar was niet donker genoeg voor Robin. Misschien was het Joe wel. Judy pakte de foto op en hield hem een beetje scheef zodat het licht op het glas viel en er van de foto niets meer te zien was. Als het Joe was, wilde ze er nog even niet naar kijken.
'Nou?' vroeg Bronwen. Ze had de hele mango nu opgegeten en likte haar vingers af. Ze stopte ze een voor een in haar mond en zoog eraan, het was echt heel smerig om te zien.
'Ze heeft zich op een of andere manier op mijn familie gegooid,' zei Judy.
'Hoe bedoel je?'
Judy kroop half achter haar computer zodat Bronwen haar gezicht niet meer kon zien. 'Ze wilde een keer mee naar de boerderij en dat heb ik toen gedaan. En toen is ze er, zonder dat ze het mij heeft verteld, later in haar eentje weer naartoe gegaan. En nu zit ze er weer.'
'Wauw,' zei Bronwen.
'Ze heeft het me deze keer wel verteld,' zei Judy, en toen, vechtend om eerlijk te blijven, 'ze wilde niet naar de begrafenis van mijn oom komen omdat ze vond dat dat niet hoorde. Maar ze is er gisteren wel weer gewoon naartoe gegaan, met de bus.'
Bronwen hief haar handen dramatisch op.
'Bizár,' zei ze, met de nadruk op de laatste lettergreep.
'En ik heb alsmaar het idee dat ze op iets uit is, alhoewel zij zegt dat het niet zo is. Ze zegt dat ze het er alleen maar fijn vindt.' Judy stopte. Wat

Zoe gisterenochtend, voordat ze naar de bus ging, letterlijk had gezegd, was: 'Ik ben het niet die jouw vragen moet beantwoorden, Judy. Die moet je bij jezelf zoeken. Jij hebt altijd gezegd dat je het daar vreselijk vond, je hebt me verteld dat je het niet bij je familie kon uithouden, dat je daar niet kon ademhalen. Nou, ik vind het er fijn en ik vind iedereen ook aardig, dus ik neem niets van jou af. Ik neem trouwens helemaal niet iets van iemand af. Ik logeer daar alleen maar. Alleen als je vader zegt dat ik weg moet, dan ga ik.'
Judy zei nu tegen Bronwen: 'Ik kan het allemaal niet zo goed uitleggen. Als zij het zegt lijkt het allemaal zo logisch, maar als ik er dan weer over nadenk, klopt het weer niet.'
Bronwen begon haar interesse te verliezen. Ze stond op en hield haar plakkerige handen voor zich uit. 'Ik ga mijn handen wassen, ik heb die rotzooi zowat in mijn oksels zitten. Zal ik meteen een bekertje koffie voor je meenemen?'
Judy staarde naar haar lege scherm. Ze moest om twaalf uur een tekst van vijfhonderd woorden bij haar eindredacteur inleveren.
'Nee, bedankt.'
'Oké,' zei Bronwen. 'Neem je dan mijn telefoon op als hij gaat? Ik ben zo terug.'
Judy knikte. Toen legde ze de foto van Tideswell Farm op z'n kop op haar bureau zodat ze de man niet kon zien die bij de schuur stond. 'Het is helemaal mijn echte huis niet,' had ze eens geïrriteerd tegen Zoe gezegd. 'Het is alleen maar de plek waar ik ben opgegroeid.' Tja, dacht Judy nu, terwijl ze de muis weer oppakte. Tja, was dat nu gemeend geweest of niet?

Robins geweer lag op de keukentafel. Het was kapot en er lag een handjevol patronen naast die hij uit zijn zak had genomen en ook op de tafel had gelegd. Zoe had nog nooit in haar leven een echt geweer gezien, en zeker niet een met zo'n lange loop, en de houten kolf met de metalen plaatjes erop. Hij zàg er helemaal niet uit zoals een geweer uit een film, veel ouderwetser en eleganter. Niet iets dat je in een stad zou tegenkomen. Ze raakte hem af en toe even aan. Robin had gezegd dat hij hem later zou schoonmaken, maar dat hij eerst een probleem met het bacteriële telsysteem van het melkquotum van afgelopen maand moest oplossen. Het leek hem veel te hoog, had hij Zoe verteld. Hij moest er zo met iemand over praten en het voer ook eens goed nakijken. Ze had geen idee waar hij het over had. Soms, als hij vakjargon gebruikte, vroeg

ze hem wel eens wat hij bedoelde, maar dat had ze nu niet gedaan. In plaats daarvan had ze aldoor naar het geweer moeten kijken en zich afgevraagd of Joe zich met eenzelfde geweer had doodgeschoten.
Robin had het geweer een avond ervoor nog gebruikt om er dassen mee af te schieten. Die, zoals hij had gezegd, wel beschermd waren, maar waar de onwetende wetgevers uit de stad, geen idee van de resultaten hadden. Dassen waren oké, had hij gezegd, op afstand en in kleine aantallen.
'Maar het zijn smerige beesten en ze komen elke dag een beetje dichter bij de boerderij en bevuilen het grasland. En het zijn dragers van TBC, runder-TBC. Ik wil ze niet in de buurt van mijn vee zien.'
Hij had Zoe niet aangekeken toen hij dit had gezegd. Hij had haar trouwens nog helemaal niet aangekeken, sinds ze drie uur geleden was aangekomen en hij haar ineens bij Gareth in het melkhuis had aangetroffen.
'Ben je er weer?' had hij gevraagd, net zoals Gareth.
'Ja.'
Hij had niet geglimlacht. Het enige wat hij zei, was: 'We kunnen momenteel wel een paar extra handen gebruiken.' Maar dat had hij eerder tegen Gareth, dan tegen Zoe gezegd.
Gareth was ook stiller dan zij zich herinnerde. Zijn gezicht zag er ook ouder uit, strenger, alsof hij zijn hoofd vol nare, inbeslagnemende gedachten had. Hij vertelde haar dat hij geen idee had wat er nu zou gaan gebeuren, wat de toekomst inhield, wat Robin van plan was en wat ze op Dean Place Farm van plan waren. Die ouwe baas, zei Gareth, terwijl hij ruimte voor een langslopende koe maakte, lag nog steeds in het ziekenhuis. Als die nu niet meer zou kunnen boeren? Niet dat hij echt oud was, zei Gareth, maar het had hem een ontzettende klap gegeven en het was best mogelijk dat hij niets meer zou kunnen doen. Robin kon geen twee bedrijven leiden. Trouwens, die had een hekel aan landbouw.
'Heeft er totaal niets mee,' zei Gareth, terwijl hij op het achterwerk van een koe sloeg om haar in haar hok te krijgen. 'Heel wat anders dan een veebedrijf. Compleet anders.'
Het had op het puntje van Zoe's tong gelegen om Gareth te vragen of hij nu ook plannen maakte om weg te gaan. Maar iets in de atmosfeer hield haar tegen. De hele plek kwam deze keer anders op haar over, er hing een onzekere sfeer, alsof de toekomst er niet meer zo simpel en uitgestippeld uitzag als daarvoor. Die sfeer maakte dat Zoe zich ook onzeker ging voelen en ze durfde ook niet meer zoals eerst zoveel vragen te

stellen of gewoon haar gang met fotograferen te gaan. Ze had het gevoel dat haar aanwezigheid hen net zo min raakte als de aanraking van een vlinder op de muur. Toen ze na haar bezoek aan het melkhuis de keuken binnenstapte, bleef ze daar onhandig en ongemakkelijk een beetje rondhangen. Vroeger had ze zich daar altijd op haar gemak gevoeld en had zich meteen en ontspannen op een stoel aan de tafel laten zakken. Maar nu stond ze aarzelend tegen de tafel aangeleund met haar ogen op het geweer gericht en had het gevoel dat ze in een eng sprookje was terechtgekomen. Dat de krachten die het weer en het land regeerden ineens alle daken van de huizen zouden blazen en alle boerderijen zouden vernietigen en de mensen in de gaten zouden houden die in paniek alle kanten zouden oprennen.
Ze liep naar de gootsteen om een beker af te spoelen, want ze had dorst. Ze zag het bord van Robin, met de beker en het mes die hij voor zijn lunch had gebruikt, in de gootsteen staan. Het zag er allemaal zo ontzettend eenzaam uit, tekens van aanwezigheid maar niet van leven. Ze pakte de beker en spoelde hem onder de kraan af. Ze vulde hem met water en dronk de beker in een gulp leeg. Het smaakte een beetje naar metaal. Zoe begon de rest ook af te spoelen en zette alles in het afdruiprek. Toen pakte ze het doekje, door Velma in een keurig opgevouwen vierkantje achtergelaten en begon het aanrechtblad en de kranen op te poetsen. Zoiets had ze nog nooit in haar leven gedaan en ze was verbaasd hoe mooi de chroomen kranen begonnen te glimmen. Ze boog zich voorover en keek naar haar vervormde spiegelbeeld in de mengkraan. Ze had enorme ogen, en grote neus en een raar klein mondje met een kin die je nauwelijks zag. Ze trok haar hoofd een beetje terug en stak haar tong uit en haar hele spiegelbeeld zwol ineens tot een enorme proportie op; ze leek wel een grote, natte en idiote ballon.
Achter haar rinkelde de telefoon. Robin had wel een antwoordapparaat, maar dat vergat hij vaak aan te zetten. Zoe wachtte. Ze telde twee, drie, vier, vijf. Hij stond dus niet aan. Ze liep ernaartoe en pakte de haak op.
'Tideswell Farm...'
'Wie is dat?' klonk de scherpe stem van Dilys.
'Zoe,' zei Zoe.
Stilte.
'Zoe? Wat doe jij daar?'
'Ik ben gewoon gekomen,' zei Zoe.
'Ik had gedacht,' zei Dilys, 'ik had gedacht dat je meer tact in je lijf zou hebben dan om nu te komen. Ik zou denken dat je zou begrijpen dat je

nu niet had moeten komen. Waar is Robin?'
'Hij kijkt de telling na, of zoiets. In de melk. En daarna moest hij naar iemand toe...'
'Ik wilde voor hem een boodschap inspreken,' zei Dilys. 'Over zijn avondeten.'
'Zeg het maar tegen mij.'
Weer een korte stilte.
'Dat hoeft niet,' zei Dilys. 'Dat hoeft niet meer, ik spreek hem straks nog wel.'
'Ik kan wel even langskomen om het op te halen. Dan leen ik Gareths fiets.'
'Ik moet zo weg,' zei Dilys. 'Ik moet naar het ziekenhuis.'
'Nu, op dit moment?'
'Met een half uurtje...'
'Ik kan er over tien minuutjes zijn,' zei Zoe.
'Nou, goed dan.' Haar stem klonk onzeker. 'Maar het is alleen maar een stuk hartige taart...'
'Tien minuten,' zei Zoe. 'Ik ga meteen weg.'
Ze gooide de haak op de telefoon en rende naar het erf. Gareth was net met het melken klaar en was bezig om alles schoon te spuiten. Zoe ging vlak naast hem staan en probeerde boven het gesis van de spuit uit te komen.
'Mag ik je fiets even lenen? Om naar Dean Place Farm te gaan?'
'Hoelang blijf je weg?'
'Een half uurtje!' gilde Zoe.
Gareth knikte zonder haar aan te kijken. Het water storte zich kletterend op de betonnen grond.
'Hij staat in de voorraadschuur, achter de tractor. Doe voorzichtig met mijn versnellingen.'
Ze rende langs de melkvoorraadtank, naar de schuur. Robin was nergens te zien. Gareths oude fiets, een van de eerste mountain bikemodellen, lag op zijn kant tegen de zakken maïsvoer aan. Zoe greep de fiets en rende ermee terug naar het erf, toen sloeg ze al rennend haar been over de stang, waar Gareth lichtgevende tape omheen had gewikkeld en fietste met een vaart weg.
Het was heerlijk om weer eens op een fiets te zitten. Zoe had al in geen jaren en jaren meer gefietst voordat ze die eerste keer Gareths fiets had geleend. Het gaf een gevoel van vrijheid en aan de andere kant een eenheid met de natuur. Nu ze zo hard reed kreeg alles ook een ander per-

spectief. Ze trapte met gebogen hoofd hard tegen de wind in en vloog als een furie met een missie over de wegen.
Dilys stond voor het keukenraam op haar te wachten. Ze zag Zoe het erf op komen racen en de fiets, alsof het een wild paard was, tot een halt stoppen. Ze zag er nog net zo afschuwelijk uit als Dilys zich herinnerde, helemaal in het zwart en ze leek met dat haar meer op een jongen dan een meisje. Je zou niet zoveel nek van een meisje mogen zien, dacht Dilys. Het was niet netjes en het zag er op de een of andere manier veel te bloot uit. Zoe zette de fiets tegen een van Dilys' tonnen met geraniums en rende naar de deur.
'Zo'n haast hoef je nu ook weer niet te maken,' zei Dilys toen ze de deur opendeed. 'Het is geen zaak van leven of dood.'
Zoe stond te hijgen.
'Ik wilde niet dat u te laat kwam...'
'Dat doe ik ook niet,' zei Dilys.
Ze liep Zoe voor naar de keuken. Op de tafel stond een bord keurig in aluminiumfolie gepakt met ernaast een plastic doos.
Zoe vroeg: 'Gaat u zo naar het ziekenhuis?'
Dilys begon een gevouwen vatendoekje weer opnieuw op te vouwen. 'Ja.'
'Hoe gaat het met hem?'
'Niet zo goed,' zei Dilys. Haar stem klonk vreemd, bijna alsof ze een plezierige mededeling deed. Dankbaar ook. 'Ze kunnen hem maar niet aan het eten krijgen. Hij wil gewoon niet eten.' Ze legde het vaatdoekje weer waar het lag. 'Ze hebben gisteren een infuus bij hem aangelegd.'
'O.'
'Hij kan nog niet thuiskomen,' zei Dilys, weer in die vreemde stem, maar nu met iets van triomf erdoorheen. 'Hij kan pas naar huis als hij van dat infuus af is.'
Zoe keek naar haar. Ze zag dat haar handen beefden. 'Zal ik met u meegaan?'
Dilys staarde terug. 'Wat?'
Zoe zei: 'Zal ik met u mee naar het ziekenhuis gaan? Om hem te bezoeken? Ik kan wel niet rijden, maar ik kan u wel gezelschap houden.'
'Maar ik ken je helemaal niet goed,' zei Dilys.
'Toch wel een beetje?' zei Zoe.
Dilys liep naar de tafel en begon met het bord en de plastic doos te schuiven. 'Het... het hoort niet.'
'Waarom niet? Ik kan beter wel meegaan. Dat maakt het veel gemakke-

lijker voor u. Gemakkelijker om er naartoe te gaan en gemakkelijker om weer weg te gaan.'
'O,' zei Dilys ietsje te snel. 'Weggaan is niet moeilijk. Om ernaartoe te gaan, dat is moeilijk...'
'Ja,' zei Zoe. 'Dat snap ik best.'
Dilys keek van haar bezige handen op en staarde naar Zoe.
'Je weet nooit van tevoren, waar je echt bang voor bent,' zei Zoe. 'Het overvalt je altijd als je er niet op rekent, en dan ben je ineens bang. Echt bang.'
Dilys antwoordde niet.
'Ik kan die spullen op de fiets naar huis brengen en dan kunt u langzaam met de auto achter me aanrijden. En dan kunnen we samen naar het ziekenhuis gaan.' Ze stopte even en vervolgde toen: 'Ik zou echt graag mee willen gaan. Eerlijk.'
Dilys ontweek Zoe's blik en streek het zilverpapier glad.
'Breng jij die fiets nu maar terug dan neem ik dit wel mee in de auto, dan kan er ook niets met de taart gebeuren.'
Zoe grinnikte.
'Oké,' zei ze. 'Oké.'
Ze liep naar de deur. Dilys bleef nog steeds bij de tafel staan staren.
'Tien minuten?' zei Zoe.

Harry had geen last van het infuus. Op een vreemde manier herinnerde het hem aan Robins melkmachine, met al die slangen en buizen, behalve dan de de melk in dat geval naar buiten stroomde en in zijn geval, hadden ze hem verteld, liep de glucose naar binnen, glucose en vitaminen en zo. Om je eerlijk de waarheid te zeggen, kon het hem allemaal niets schelen. Hij had zich nooit druk gemaakt om vitaminen; nieuwigheden die ze in de oorlog hadden bedacht vanwege het voedseltekort. Toen hij nog jong was, was er totaal geen sprake van vitaminen geweest, ze hadden het varken gehad en ze aten brood en kaas en aardappelen en kool. Je kon aan het eten zien wat voor dag het was. En als Harry, of een van zijn zusters ziek waren, brouwde zijn moeder een van haar eigen drankjes uit brandnetels, zuring en munt, en zo. Harry lag en bekeek het ingewikkelde apparaat waar ze hem mee hadden verbonden en moest aan zijn moeders keuken denken. Als ze hem nu had kunnen zien had ze een aanval gekregen. Ze had trouwens alleen aan het geld kunnen denken, wat dat allemaal niet zou moeten kosten.
'Harry,' zei Dilys. Ze stond aan het voeteneinde van zijn bed, zoals ze

altijd deed als ze binnenkwam en hij moest zijn ogen half dichtknijpen om haar goed te zien. 'Dag lieverd.'
'Hallo,' zei hij.
'Ik heb iemand meegenomen,' zei Dilys. 'Je kunt je Judy's vriendin toch nog wel herinneren... Zoe?'
Harry kneep één oog dicht om nog beter te kunnen zien en Dilys maakte plaats voor Zoe. Ze lachte naar hem.
'Ik heb u toen bij de heg gezien,' zei Zoe. 'Weet u nog wel. Toen u de heg een het vlechten was? Judy en ik hebben u toen een thermosfles thee gebracht.'
Harry knikte. Het schoot hem ineens te binnen dat hij zijn gebit niet in zijn mond had.
'Ik wilde zelf komen,' zei Zoe. 'Ik heb Dilys gevraagd of ik mee mocht.' Ze liep naar de zijkant van het bed, tegenover waar Dilys was gaan staan en keek, nog steeds glimlachend, op hem neer.
'Zal ik uw gebit pakken?'
Hij knikte weer en staarde naar haar. Hij kon zich dat rare haar nog wel herinneren, maar hij was vergeten wat een grote ogen ze had. Grote ogen, zoals van een koe, behalve dat ze niet dromerig stonden, maar alert. Scherpe ogen die veel zagen.
Dilys gaf hem zijn gebit in een tissue aan. Hij hield een hand voor zijn mond terwijl hij met zijn andere hand zijn gebit, een beetje onhandig door het infuus, in zijn mond deed.
'Logeer je weer bij Robin?'
'Ja.'
'Is Judy er ook?'
'Nee,' zei Zoe, 'die moet werken. Maar ze doet u de hartelijke groeten.' Ze ging op de rand van zijn bed zitten. 'Ze wil heel graag weten hoe het met u gaat.'
'Ik denk dat die zusters daar niet blij mee zijn,' zei Dilys. 'Dat je zo op de rand van dat bed zit.'
Zoe keek naar haar. Ze glimlachte nog steeds.
'Ik wacht gewoon tot ze me eraf gooien.' Ze richtte haar aandacht weer op Harry. 'Wat zal ik Judy vertellen? Ik bedoel hoe u zich voelt?'
'Doodmoe,' zei Harry.
'Maar u eet ook helemaal niet.'
'Wil ik ook niet.'
'Wie heeft daar nu baat bij?' vroeg Zoe. 'Wie wordt daar nu beter van als u niet eet?'

Dilys trok de grijze plastic stoel vanonder het bed uit en ging erop zitten. Het viel Harry op dat ze ontspannen achterover leunde, alsof het haar niet aanging.
'Het gaat jou helemaal niet aan,' zei hij tegen Zoe.
'Dat is waar.'
'Het gaat niemand wat aan,' zei Harry. 'Niemand heeft met mij iets te maken. Niet op dit moment.'
'Behalve bepaalde mensen die u moeten verzorgen. En u bent een last voor hen als u niet wilt eten. Echt onuitstaanbaar.'
Hij moest ineens grinniken. 'Ben ik m'n hele leven al geweest. Onuitstaanbaar. En lastig.'
'Ik ook,' zei Zoe.
Ze keek op hem neer. Ergens in dat oude, vervallen gezicht herkende ze Robins trekken, hetzelfde beenderstelsel, dezelfde snelle glimlach en dezelfde heimelijke ogen. Harry was een kleine man en zeker aan de kleine kant om de vader van zulke grote zonen te zijn, maar hij had een groot hoofd. Een hoofd dat eigenlijk bij een veel grotere man hoorde, dacht Zoe. Dat hoofd dat nu vol gedachten zat die hij niet kon verdragen, maar waar hij nu tot veroordeeld was. Ze richtte haar blik even snel naar de andere kant van het bed, op Dilys. Zij zat met precies hetzelfde. Ze zat daar op die grijze, plastic stoel, op haar georganiseerde manier, maar ze kon net zomin als Harry, de gedachten die in haar hoofd rondspookten, verwerken. Geen van hen trouwens, Robin niet en dat meisje waar Zoe de vorige keer thee bij had gedronken en die nu Joe's weduwe was, ook niet. Ze vouwde haar handen in haar schoot.
'Weet u wat?' zei Zoe.
Harry keek haar aan.
'Als u zo doorgaat met niet te willen eten, gaat u dood. Is dat uw bedoeling?'
Harry's blik werd onzeker.
'U kunt niet beslissen?'
Hij opende geluidloos zijn mond en sloot hem meteen weer.
'Goed,' zei Zoe. 'Dan beslis ik maar voor u. Als we toch nog in leven zijn, blijven we gewoon leven. En daar gaat u nu mee beginnen.' Ze keek naar Dilys. 'Zo is het toch?'

13

Lindsay lag op een tuinstoel in de tuin van haar ouders, in een dorpje onder de rook van Stretton. De zon scheen wel, maar het was een neveus, laat lente-zonnetje, dat iedere keer achter een wolk verdween en Lindsay's moeder was haar een plaid, een vest en een maandblad komen brengen. Lindsay dacht, ze behandeld me alsof ik ziek ben.
Lindsay's vader had dit huis dertig jaar geleden gebouwd op een stuk grond dat toentertijd de boomgaard van een grote villa was geweest. Het huis zelf was afgebroken om plaats te maken voor een tennisclub. De broer en zuster van Lindsay, beiden een stuk ouder dan zij, waren tijdens hun jeugd lid van de tennisclub geweest. Haar zuster was later met iemand getrouwd waar ze gemengd-dubbel mee speelde en was met hem naar Droitwich verhuisd. Ze hadden twee kinderen en Lindsay's zuster had een baan als personeelschef bij een productiebedrijf in tuinbouwmachines. Lindsay's broer was accountant en Lindsay's moeder, die heel lang in de zaak van haar man op de boekhouding had gewerkt, zei altijd dat haar zoon zijn hoofd voor cijfers van haar had geërfd.
Niemand had het ooit over Lindsay en wat zij misschien had geërfd. Ze leek het meest op haar grootmoeder van moeders kant, die ook zo lichtblond en knap was geweest. Maar die was artistiek geweest met haar talent voor aquarelleren en borduren maar Lindsay, alhoewel handig met haar handen, had nooit de neiging gehad om een penseel of een naald op te pakken. Ze was altijd heel duidelijk het jongste kind geweest, zowel wat haar temperament betrof als haar opvoeding. Altijd als baby behandeld, vonden haar broer en zuster. Verwend. De hele zitkamer stond dan ook vol met foto's van Lindsay op elke leeftijd, tot op de radiator aan toe. Ze schaamde zich nu dood als ze naar de foto's van dat kind in die feestjurkjes met witte sokjes aan en met strikken in het haar keek en het verbaasde haar niets dat haar zuster daar altijd zo geïrriteerd over deed.
Ze waren echt verbaasd, maar ook opgelucht geweest, toen ze Joe mee naar huis had genomen.
Ze had zich nooit echt serieus met die schoonheids-business bezigge-

houden hoewel ze wel na haar schooltijd een tweejarige cursus in Stretton had gevolgd. Maar ze wachtte op haar vaders beslissing of ze wel of niet een eigen salon zou starten en toen had ze Joe ontmoet. Ze stond benzine voor haar moeders auto te tanken toen een of ander mechanisme in de slang niet werkte en zij een grote golf benzine over zich heen kreeg. Ze begon te gillen en Joe, die een eindje verderop zijn truck met diesel stond te vullen, rende naar haar toe om haar te helpen. Joe zei – althans in het begin – dat benzine voor hem het heerlijkste parfum betekende.

Na drie weken vroeg hij haar ten huwelijk. Ze zei al bijna ja nog voordat hij was uitgesproken en ze realiseerde zich later dat ze zo ongeveer vanaf het eerste moment, toen hij de spuitende slang uit haar handen had getrokken, op zijn aanzoek had gewacht. Voor haar ouders was hij alles wat zij zich maar wensten: ouder, betrouwbaar, knap en kennelijk rijk. Ze waren dankbaar dat hij hun taak om voor Lindsay te zorgen vanaf dat moment van hen zou overnemen. Terwijl hij met een glimlach naar de foto's in de zilveren lijstjes had gekeken had hij gezegd dat ze nooit haar handen vuil zou hoeven te maken. Ze hadden hem geloofd.

Ze waren nu allemaal in een soort shock. Zoiets wreeds dat Joe zichzelf had aangedaan, kwam bij hen niet eens op, ze hadden zoiets ook nooit meegemaakt. Ze hadden Lindsay voor een paar dagen uitgenodigd, ze was tenslotte hun dochter, en de kleinkinderen waren er ook nog, maar het was allemaal zo afschuwelijk, het was echt afschuwelijk. Het had ook zo iets buitensporigs, iets zo extreems, dat ze er geen woorden voor hadden. Ze wisten zich ook geen houding te geven. Toen Lindsay was gekomen hadden ze haar vriendelijk, maar ook plichtmatig ontvangen, alsof er iets met haar mis was. En daarna waren ze haar als een invalide blijven behandelen, ontbijtje op bed, kopjes thee, glaasjes sherry, kleine dutjes in de tuin, toegedekt worden met een geruit dekentje.

Haar vader, nu gepensioneerd, was heel geduldig met de kinderen. Ze kon hem nu ook ergens in het huis oude soldatenliedjes voor Rose horen zingen. Rose was gek op zingen. Ze hield van alles dat geluid maakte, muziek, motorfietsen, blaffende honden en rugby op de televisie. Hughie zou er ook wel naar zitten luisteren, maar hij zou nooit zoals Rose, met het zingen meebrullen. Hij had de laatste paar nachten weer in bed geplast en Lindsay's moeder had zonder iets te zeggen maar met blikken die boekdelen spraken, een zeiltje op zijn matras gelegd.

'Het ging per ongeluk,' had Hughie haar verteld. Hij weigerde sorry te zeggen. 'Per ongeluk!'

Hij had al verschillende keren tegen Lindsay gezegd dat hij naar huis wilde.
'Mis je de crèche dan?'
'Nee,' zei hij.
'Waarom wil je dan naar huis?'
Hij hield Zeehond op zijn kop tegen zijn gezicht en keek over de staart naar Lindsay.
'Ik woon daar,' zei hij geduldig.
Ik vraag me af of ik daar nog woon, dacht Lindsay nu, terwijl ze naar de bleekblauwe lucht staarde. Ik vraag me af waar ik woon. Haar ogen dwaalden naar beneden, langs de altijd groene heg die de tennisbanen aan haar blik onttrok en bleven rusten op het huis van haar ouders. Een keurig, solide en beschaafd huis. Nou, hier woon ik zéker niet. In ieder geval nu niet meer.
Haar moeder kwam door een van de openslaande deuren van de zitkamer naar buiten. Ze liep een beetje mank door de artritis waaraan ze leed maar nooit over wilde spreken. Ze droeg een opvouwbaar tuinstoeltje. Lyndsay werkte zich een beetje omhoog en probeerde wat vrolijker, in ieder geval minder als het slachtoffer te kijken.
Haar moeder klapte de stoel uit en ging naast haar zitten. 'Ziezo.'
Ze keek naar Lindsay. 'Heb je het warm genoeg, schat?'
Lindsay knikte.
'Pa zingt liedjes voor de kinderen. Heb je hem gehoord? Rose vond *Pack up your troubles* het mooiste, die lieverd.'
Lindsay zei: 'Als het maar keihard klinkt vindt ze het prachtig.'
Sylvia Walsh keek naar haar handen. Ze had net als Lindsay, mooie, goedverzorgde handen en als ze niet aan het schoonmaken was droeg ze altijd haar verlovingsring – twee saffieren en drie diamantjes – en de liefdesknoop, drie gouden ringen ineen, die Roy haar op hun twaalfenhalfjarig huwelijksfeest had gegeven.
'Ik wil graag even met je praten, lieverd. Over je toekomst. Je weet dat pa en ik alles zullen doen om je te helpen.'
Lindsay stopte haar handen onder de plaid zodat ze er stiekem hard in kon knijpen. 'Wat bedoel je?'
'Nou, ja,' zei Sylvia Walsh. 'Ik bedoel, wat zijn de mogelijkheden? Is het de bedoeling dat je hier blijft? Of ga je terug naar de boerderij?'
Zonder erover na te denken, zei Lindsay: 'Natuurlijk ga ik terug naar de boerderij. Dat is mijn huis!'
Sylvia trok haar vest wat rechter.

'Maar het is nu toch allemaal anders geworden? Ik bedoel, jij kunt toch niet op die boerderij gaan werken? En misschien hebben de Merediths het huis wel nodig voor een nieuwe knecht.'
'Niemand heeft daar een woord over gezegd...'
'Nee, natuurlijk niet. Ze zitten daar zelf in de moeilijkheden. Ik bedoel met je schoonvader nog in het ziekenhuis. Maar eens zullen ze er wel over na gaan denken, denk je ook niet? Waarschijnlijk is het wel in Robins gedachten.'
Lindsay zei opzettelijk, omdat ze wist dat haar moeder bij het horen van zijn naam ineen zou krimpen: 'Joe had aandelen in het bedrijf. Net zoals zijn vader, maar hij had de meeste. Die zijn nu toch van mij?'
Sylvia staarde haar aan.
'Maar die hoef je toch niet te houden, dat wil je toch zeker niet?'
Lindsay zuchtte. 'Nee, nee, niet echt, denk ik...'
'Wat ik bedoel,' zei Sylvia, 'is dat je nu helemaal niet naar die boerderij terug moet gaan, niet nu je rechtstreeks met – met je schoonouders te maken zult krijgen. Of je moet samen met hen het bedrijf willen leiden?'
Lindsay keek de andere kant op. 'Dat zou ik niet eens kunnen. En in ieder geval...' Ze stopte even en zei toen heel vlug, alsof ze vond dat ze hen onrecht aandeed: 'In ieder geval haat ik die boerderij.'
Sylvia begon voorzichtig: 'Pa en ik vroegen ons af wat je van ons kleine plannetje zou denken. Het is alleen maar een voorstel, hoor. Iets waar je over na kunt denken.'
Lindsay trok haar handen onder de plaid vandaan en strengelde ze op haar buik in elkaar.
'We vroegen ons af,' zei Sylvia, 'of je de draad van zeven jaar geleden niet weer op wilde pakken. We vroegen ons af of je niet weer terug naar Stretton zou willen komen en dat wij vast op zoek naar een ruimte voor een salon zullen gaan. Een kleine salon. Zolang de kinderen klein zijn, zou je dat misschien zelfs wel parttime kunnen doen.' Ze pauzeerde even. Toen zei ze in een stem die vriendelijk bedoeld was: 'We dachten dat een complete verandering goed voor je zou zijn.'
Lindsay legde haar handen bovenop elkaar en duwde hard tegen haar buik. Haar buik voelde hol aan, ze kon hem helemaal tussen haar heupen wegdrukken. Ze was in haar hele leven nog nooit zo dun geweest, dacht ze. 'Maar dat zou dan toch geen echte verandering zijn,' zei ze tegen haar moeder. 'Of vind jij dat niet? Het is toch gewoon teruggaan naar waar ik begon...'
'Behalve dat je nu dus kinderen hebt... je hebt kleine Hughie en je hebt

Rose. En je hebt trouwens nooit afgemaakt waaraan je toen bent begonnen omdat... omdat je toen ging trouwen.'
Lindsay keek weer de andere kant op. Er waren momenten, zomaar ineens, dat ze zo ontzettend naar Joe verlangde, dat ze bijna hysterisch werd. Trouwen, o, god. Trouwen, tróúwen...
'Denk er eens over na,' zei Sylvia. 'Ik snap best dat het moeilijk voor je is om iets te beslissen. Maar het moet wel gedaan worden. Het leven gaat nu eenmaal door.'
'En als ik dat nu niet wil? Als ik gewoon niet wil dat er nog een morgen komt?' vroeg Lindsay.
Sylvia stond op en streek met kleine, korte pluk-bewegingen, die Lindsay zich zo goed kon herinneren, haar rok en vest recht.
'Zo mag je niet denken,' zei Sylvia. 'Niet nu je kinderen hebt. Met kinderen mag je zulke dingen helemaal niet in je hoofd halen.'

'Ik kan staren,' zei Eddie tegen Zoe.
Hij zat, met een rood plastic waterpistool voor haar op zijn hurken. Zoe zat met gesloten ogen en gekruiste benen tegen de stalmuur aan. Ze had net van Gareth, op die oude en moeizame tractor, haar eerste rijles gehad en het was duidelijk dat ze er niet veel gevoel voor had.
'Ik kan veel langer staren dan jij,' zei Eddie. 'Ik ga nú naar je staren, hoor.'
Zoe opende haar ogen. Eddie's gezicht was zo'n tien centimeter van haar gezicht af en zag er een beetje vreemd uit door zijn gestaar. Hij had kleine, blauwgrijze ogen.
'Waarom? vroeg Zoe.
Hij gaf geen krimp.
'Waarom wil je naar me zitten staren?'
'Ik staar net zolang naar je tot je bang bent.'
'Ik ben niet zo gauw bang,' zei Zoe.
Ze keek hem aan. Hij had een smal gezicht met veel sproeten. Zoe stak haar tong naar hem uit. Hij reageerde niet.
'Dit vind ik vervelend!' zei Zoe.
Hij boog zich nog dichter naar haar toe, zodat ze hem kon ruiken. Een beetje zurige lucht, maar ook nog een beetje babylucht. Hij lijkt een beetje op Gareth, dacht ze, maar hij had Debbie's lichte bouw. De lichte bouw die ze altijd associeerde met stadskinderen; kinderen die in groepjes gillend heen en weer renden tussen de huizenblokken van de woningbouwvereniging waar ze was opgegroeid. Dat had ze toen heel normaal

gevonden, normaal om in een wereld vol stenen muren, smalle stoepen en hoge trappen en veel mensen in bekrompen ruimten op te groeien. Pas hier was ze er over na gaan denken dat er andere manieren waren om groot te worden. Tenslotte was Judy hier opgegroeid. Zij had lucht en velden en stoffige weggetjes en de de rivier gehad. En eenzaamheid. En ze had het gehaat. Zoe leunde naar voren en gaf Eddie een duwtje.
'Hou ermee op.'
Hij wiebelde even op zijn hielen maar bleef in balans. Toen dook hij naar voren en zijn neus raakte nu bijna Zoe's neus.
'Je bent stomvervelend,' zei Zoe. 'Het is tijd dat je weer naar school gaat en ik hoop dat ze je daar een oplazer zullen geven als je zo vervelend doet.'
Er klonk een geluid van een auto en de Land Rover kwam het erf oprijden en stopte, zoals Robin altijd deed, met een draai terug, naar de achterdeur. Zoe keek naar de auto.
'Ik heb gewonnen!' gilde Eddie. 'Ik heb gewonnen, ik het het staren gewonnen!'
Zoe haalde haar benen uit de knoop, ging staan en liep op Robin af die inmiddels was uitgestapt. Achter haar vuurde Eddie twee grote waterstralen op haar af.
De Land Rover zat vol balen. Zoe tuurde erin. 'Wat is dat?'
Robin greep een van de balen bij de plastic strips vast en gebaarde met zijn hoofd dat zij hetzelfde moest doen. 'Geperste gerst. Ik wil ze op die pellets daar, naast de maïs gestapeld hebben.
Zoe pakte een baal. 'Waar is dat dan voor?'
'Voor de kalveren. Ik ga dit jaar kalveren inkopen voor fokvee.'
Hij liep met grote passen naar de schuur. Zoe liep achter hem aan, op de voet gevolgd door Eddie met zijn druipende pistool.
'Heb je dan al niet genoeg kalveren?'
'Te veel stierkalfjes.'
'Maar weet je dat dan niet. Van tevoren, bedoel ik. Als je een koe insemineert weet je dan niet wat ze zal krijgen?'
'Nee.'
'Waarom niet?'
'Omdat de wetenschap nog niet zo ver is gevorderd. Het kopen van een buisje stierensperma is hetzelfde als het kopen van een lot in de loterij. Omdat ik dertig van die verdomde buisjes van tweeëntwintig pond per stuk heb gekocht en het, buiten twee, allemaal stiertjes bleken te zijn. En omdat koekalveren me zevenhonderd pond per stuk zouden gaan kos-

ten.' Hij draaide zich, nog steeds met de baal stro in zijn hand, naar haar om. 'Zevenhonderd. Per stuk. Oké? Weet je nu genoeg? Heb je verdomme nu niet genoeg gevraagd?'
Zoe zette haar baal op de grond. 'Sorry.'
'Werk alsjeblieft een beetje door, ja?' schreeuwde Robin. 'Hou nou eens een keer je kop en laat je handen wapperen. Heb ik al niet genoeg werk zonder dat jij je als een of andere verdomde journaliste opstelt? Ik weet wat ik doe en ik kan je beloven dat ik niets voor de grap doe en dat er voor alles een goede reden is!'
Zoe boog zich over haar baal. Uit haar ooghoeken kon ze Eddie weg zien sluipen, weg van de moeilijkheden. Ze keek naar haar handen die uit haar te korte mouwen van haar T-shirt staken. Ze zagen er ineens heel vreemd uit, wit en mager en een beetje eng. Ze slikte.
'Sorry,' zei ze weer. 'Ik vroeg het alleen maar.'
Robin gromde wat en liep de schemerige opslagschuur in. Zoe liep achter hem aan en dumpte haar baal precies naast die van hem.
'Ik doe de rest wel,' zei ze. 'Ik doe ze allemaal.'
Het bleef even stil. Hij liep een paar passen terug en zei toen: 'Oké.'

Toen de Land Rover helemaal leeg was ging ze in de cabine op de bestuurdersplaats zitten en staarde naar het dashboard. Er lag van alles op, folders, lege chocoladepapiertjes, lege pakjes vruchtensap, parkeerbonnetjes en een oud, rood notitieboekje waarop 'Behandelingstechniek kalveren' stond gekrabbeld. De zitplaats naast de bestuurder en de vloer zagen er niet veel beter uit, het was overal een bende, het lag vol strootjes, papiertjes en vuile lappen met olie. Over de rug van de passagiersstoel lag een oude, blauwe trui die waarschijnlijk van Robin was. Zoe trok hem in haar schoot en streek erover alsof het een kat was.
Ze stak haar hand uit en raakte het contactsleuteltje aan. Ze draaide hem bijna, maar nog net niet om, dat durfde ze niet. Ze dacht als ze had kunnen rijden had ze nu naar Dean Place Farm kunnen gaan om hun avondeten op te halen. Crisis of geen crisis, Dilys kookte gewoon elke dag. Ze bakte ook nog koekjes en cakes die ze naar Harry meenam en waarvan Zoe dacht dat hij ze aan de verpleegsters gaf. Dilys had zelfs Zoe aangeboden om haar te leren koken.
'Wat?'
'Nou ja, je moet het toch eens leren.'
'Waarom?' vroeg Zoe. 'Voor wie dan?'
'Voor jezelf, bijvoorbeeld. Je moet toch ook eten? En voor anderen als

het nodig is. Kun je wel een kamer schoonmaken?'
Zoe begon te grinniken. 'Nooit van gehoord.'
'Of een overhemd strijken?'
Zoe schudde haar hoofd.
'Ik neem aan,' zei Dilys, 'dat jij denkt dat vrouwen zulke dingen niet meer hoeven te doen?'
'Nee...'
'Dat het alleen nog gaat om carrièremaken en zo...'
'Ik doe zulke dingen niet, omdat ik het niet hoef,' zei Zoe. 'Als ik het ooit wel moet doen is het vroeg genoeg om het te leren.'
Dilys stond tijdens dit gesprek bij de gootsteen roosjes broccoli onder de kraan af te spoelen. Ze hief haar hoofd op en begon, terwijl ze naar buiten stond te staren, op een heel andere toon: 'Als Harry weer naar huis mag, zou ik wel wat hulp kunnen gebruiken. Dan zou ik best een paar extra handen kunnen gebruiken.'
Er viel een stilte.
'Ja,' zei Zoe ten slotte. 'Dat begrijp ik.' Ze stond van de hoek van de tafel op, waar ze had gezeten. 'Dat verandert de zaak wel. Als u wilt dat ik leer strijken, wil ik het best leren.'
Twee dagen later wist Zoe hoe ze roereieren moest maken. Het was wel leuk geweest, dacht Zoe, behalve het schoonmaken van de pan. Dat schoonmaken duwde haar, abrupt en nadrukkelijk, met haar neus op de zin van het maken van sandwiches en plastic dozen met spaghetti en hamburgers in meeneem-dozen. Ze keek naar de oude trui van Robin op haar schoot. Er staken strootjes in en had gaten in de mouwen en gerafelde boorden. Ze duwde de trui tegen haar gezicht. Het enige wat ze rook was wol; stof en wol. Ze had zich naar gevoeld toen Robin tegen haar had geschreeuwd, niet bang, maar gewoon naar. En ze voelde zich rot dat zij daar de schuld van was. Ze wilde helemaal niet dat hij tegen haar schreeuwde, juist het tegendeel. Ze schudde de trui uit zoals ze Dilys altijd met de was zag doen voordat ze die ophing. Toen vouwde ze de trui op, hing hem terug op de stoel en aaide er nog eens over.
'O, god,' dacht Zoe ineens. 'Wat ben ik aan het doen. Wat ben ik in godsnaam aan het doen?'

'Wat doet zij nu weer hier?' vroeg Debbie. Ze had net Gareths eten op tafel gezet. De kinderen zaten voor de televisie te eten. Normaal vond Debbie dat niet goed, maar voor vandaag had ze genoeg van kinderen. Het kon haar vandaag even niet schelen waar ze aten, of dat ze über-

haupt aten en al helemaal Eddie niet. Eddie had, nadat ze de badkamer had schoongemaakt, ineens de fles bleekwater ontdekt die ze daar per ongeluk had laten staan. Hij had zijn waterpistool ermee gevuld en het pistool toen op zijn slaapkamergordijnen gericht. Nieuwe, donkerblauwe gordijnen, met vliegtuigjes erop, die Debbie zelf had gemaakt. Eddie was gefascineerd geweest door het effect van de uitgebeten sporen op het donkerblauwe katoen, zo gefascineerd dat hij terug naar de badkamer was gegaan om zijn pistool weer te vullen, waar Debbie hem snapte.
'Weet ik veel,' zei Gareth, diep gebogen over zijn bord. 'Ik heb haar vandaag rijlessen op de tractor gegeven.'
'Gareth,' zei Debbie, 'begin jij nu verdomme ook niet iets...'
'Ze kon er niks van...'
'Daar heb ik het niet over.'
Gareth stak een vork frietjes in zijn mond en knipoogde naar haar. 'Niet mijn type. Ze is net een jongen.'
Debbie ging tegenover hem zitten en schonk zichzelf een kop thee in. 'En Robin dan?'
'Wat met Robin?'
'Zij met Robin?'
Gareth haalde zijn schouders op. 'Niks aan de hand, voorzover ik het kan zien. Hij was nogal kwaad op haar vanochtend en heeft haar staan uitfoeteren. Op dit moment kan het hem geen zier schelen wie er is of wie er niet is. Dat merkt-ie niet eens.'
'Ik merk het anders wel.'
'Jij en wie nog meer?'
'Velma en het halve dorp,' zei Debbie.
Gareth pakte de fles tomatenketchup en schudde een grote scheut op zijn bord. 'En wat ga je er dan aan doen?'
'Dat weet je heel goed,' zei Debbie. 'Ik wil dat we hier weggaan.'
Gareth zuchtte. 'Ik dacht dat we dat hadden uitgesproken. Ik dacht dat jij Lindsay met de baby zou gaan helpen.'
'Ze is naar haar moeder gegaan.'
'Maar ze komt toch terug?'
'Gareth,' zei Debbie. 'Dat is het punt niet. Het is de verandering. Daar gaat het om. Het is hier niet meer zoals het was.'
Gareth nam een grote slok thee.
'Kijk,' zei hij. 'Ik heb hier een goede baan. Ik kan met de baas opschieten. We hebben een fijn huis, de kinderen doen het goed op school, jij

hebt een baantje, we zitten op rozen.'
'Zo voel ik het niet meer. Ik moet er aldoor aan denken dat er wat gaat gebeuren. Ik weet zeker dat als we blijven er iets gaat gebeuren.'
'Het is vervelend geweest, dat geef ik toe, maar dat was maar tijdelijk, dat is alles...'
'Nee,' zei Debbie. 'Nee. Dingen zijn veranderd. Het wordt nooit meer zoals eerst.'
Hij keek naar haar. Haar blonde haar, dat hij altijd zo leuk vond als ze het los had, had ze nu strak naar achteren gebonden en gaf haar een harde uitdrukking. Maakte haar ouder. Ze zag er nog steeds goed uit, vond Gareth, maar ze was veranderd, net zoals haar lichaam. Ze gedroeg zich ook anders. Tien jaar geleden zou ze nooit zo gereageerd hebben. Maar ja, tien jaar geleden had ze ook nog geen kinderen, alleen Rebecca, die toen nog maar een baby was. Ze was verrukt met dat kindje geweest, ze speelde ermee alsof het een pop was, met al die kleine kleertjes. Maar ze maakte zich nu zorgen. Die kinderen hadden haar veranderd, ze hadden haar zorgelijk gemaakt en ze zag er ook tien jaar ouder uit. Hij stak zijn hand over de tafel naar haar uit.
'Kunnen we nog even wachten?'
'Wat bedoel je daarmee?'
'Kunnen we nog even wachten voordat we daar serieus over na gaan denken? Een paar weken of zo?'
Ze keek naar zijn hand. Ze wilde er niet aan denken waar die hand die dag aan had gezeten. 'Je bedoelt tot er weer iets is gebeurd?'
'Wie weet.'
Ze zuchtte. Ze pakte haar beker op en keek erin. 'Goed dan.'

Toen Robin 's avonds thuiskwam besloot Zoe niet veel tegen hem te zeggen. Ze zou in ieder geval niet gaan zitten mokken maar ze zou haar aanwezigheid ook niet benadrukken. Ze zou er gewoon zijn. Maar toen ze de deur open hoorde gaan en meteen het geluid van de televisie hoorde was ze al naar boven, naar haar slaapkamer gerend, waar ze haar nagels begon te knippen die door het sjouwen met de balen stro waren gebroken. Ze vond het niet erg, ze waren toch al veel te lang. Ze liet ze de laatste tijd extra lang groeien om zichzelf te laten zien dat ze ze niet meer afbeet.
Toen ze weer naar beneden ging stond Robin, met een been nog in zijn overall, naar te televisie te staren. Hij draaide zich een beetje naar haar toe toen ze binnenkwam. 'Hi.'

'Hi,' zei Zoe.
Robin stapte uit zijn overall en bukte zich om hem op te rapen. Over zijn schouder heen, zei hij: 'Sorry dat ik zo tegen je tekeerging daar straks.'
'Het geeft niet,' zei Zoe. 'Ik vroeg je inderdaad veel te veel op de verkeerde tijd.'
Ze liep naar de oven, waarin ze volgens Dilys' instructies twee gepofte aardappelen en een stoofpot had gemaakt.
'Ik denk,' zei Zoe, 'dat ik maar beter terug kan gaan. Naar Londen bedoel ik. Het was mijn bedoeling helemaal niet om je in de weg te zitten, maar ik krijg het gevoel dat ik dat wel doe.' Ze opende de ovendeur en stak voorzichtig haar handen naarbinnen. 'Wil je dat ik weer wegga?'
Er werd even niets gezegd. Ze hoorde dat Robin een stoel wegtrok en erop ging zitten om zijn schoenen aan te doen.
'We beginnen maandag met het inkuilen van voer, van zonsopgang tot zonsondergang. We kunnen daar wel wat extra handen bij gebruiken.'
Zoe stond op en sloot de ovendeur. 'Ik denk niet dat ik daar erg handig in ben.'
Voor de eerste keer sinds haar komst keek hij haar recht in haar gezicht aan en begon te grinniken.
'Nee,' zei hij, 'maar dat kun je wel worden.'
'Heeft Gareth je over mijn rijles op de tractor verteld?'
'Nee, maar daar kan ik me wel iets bij voorstellen. De volgende keer gaat het vast beter.'
Zoe leunde tegen de oven aan. 'Je hoeft niet zo vriendelijk te doen. Tenslotte kwam ik hier onuitgenodigd en ik kan zo weer vertrekken. Ik wil alleen maar dat je eerlijk tegen me bent.'
'Ik doe helemaal niet vriendelijk,' zei Robin. Hij stond op en zette de televisie uit.
'Weet je,' zei Zoe, 'ik wil wel vriendelijk tegen jou doen. Ik wil je zo graag helpen, ik wil dat je je beter gaat voelen.'
Robin zat aan de keukentafel, half met zijn rug naar haar toe, wat papieren door te kijken.
'Daar zul je een hele klus aan hebben. Los van alles, heb ik hier weer een boete voor me liggen die ik van de waterinspectie heb ontvangen. Twaalfhonderd pond met de instructie dat ik binnen zes maanden een oplossing voor die smurrie-afvoer moet hebben gevonden. Anders kan ik op een officiële dagvaarding rekenen.'
Hij streek door zijn haar. 'Soms denk ik wel eens...'
'Klote,' zei Zoe. 'Echt klote allemaal.'

'Ik snap gewoon niet waar dat allemaal vandaan komt,' zei Robin met nauwelijks verstaanbare stem. 'Het lijkt wel als het eenmaal begint, het niet meer te stoppen is. Ik kan het gewoon niet meer...'
Zoe liep zachtjes naar hem toe en bleef, zonder hem aan te raken maar heel vlak bij hem, naast zijn stoel staan.
Weet je wat ik denk,' zei ze, en haar stem klonk bijna nonchalant, 'ik denk dat jij het al jaren niet meer gedaan hebt.'
Hij hief met een ruk zijn hoofd op en keek haar scherp aan. Ze zag er uit zoals ze er altijd uitzag, totaal niet sentimenteel.
'Wanneer heb je voor het laatst seks gehad?' vroeg Zoe.
Hij knipperde met zijn ogen. 'Vorig jaar,' liet hij zich ontvallen.
'Waar?'
'In Londen, na een landbouwtentoonstelling.'
'Met een hoer?'
'Nee,' zei Robin, verbaasd over zichzelf, 'met een meisje van het ministerie. Visserij, als ik me goed herinner.'
Zoe liet zichzelf heel langzaam op Robins schoot zakken. Ze sloeg haar armen om zijn nek. Hij bewoog zich niet, maar liet haar begaan.
'Nou, hier ben ik heel handig in. Dan komt het tóch goed uit dat ik hier ben.'
Hij moest bijna lachen. Hij merkte dat hij ook zijn armen om haar heen sloeg. Trillend. 'Waarom...'
'Omdat ik het wil,' zei Zoe met haar gezicht vlak bij zijn gezicht. 'Wil jij het dan niet?'
'Maar ik ben oud,' zei Robin. 'Oud! Veel te oud voor jou. Ik had verdomme je váder wel kunnen zijn...'
'Nou, en?'
'Het is onfatsoenlijk.'
'Vind jij dat?'
'Nee, dommie, nee...'
'Dat maak ik dan zelf wel uit,' zei Zoe. 'Wat fatsoenlijk of onfatsoenlijk voor me is. Trouwens ik vind het onfatsoenlijker om met een hele troep vriendjes het bed in te duiken. Leeftijd heeft er niets mee te maken. Je trilt helemaal.'
'Natuurlijk tril ik,' zei hij. Hij greep haar steviger beet en trok haar hoofd tegen zijn hoofd aan zodat ze wang aan wang zaten. Verdomme, dacht hij, ik moet me eigenlijk scheren. Ik moet me echt eerst scheren...
'Je hebt een vreselijke tijd achter de rug, hè!' zei Zoe over zijn schouder heen. 'Ik bedoel, al jaren. Een verschrikkelijke tijd.'

'Het was haar schuld niet...'
'Jouw schuld ook niet.'
Ze streek met haar hand door zijn haar
'Dit is gewoon te gek,' zei hij.
'Niet zo gek als aparte slaapkamers,' zei ze onschuldig.
'Ik wil geen vieze, ouwe man zijn...'
'Dat beslis ik wel.'
'Verdomme,' zei Robin. 'O, verdomme!'
Hij verborg zijn gezicht in haar schouder, in de donkere, grijze wol van haar jonge, magere schouder. De tranen kwamen, dikke, hete tranen die niet meer te stoppen waren.
'Sorry,' schokte hij. 'Sorry. O, Zoe, sorry...'
Ze zei helemaal niets. Ze zat daar maar met zijn armen stijf om haar heen geslagen en zij hield haar armen om zijn hals en hoofd en wachtte terwijl hij uithuilde. Toen stond ze op en scheurde een lang stuk van de met paddestoeltjes bedrukte keukenrol af die Velma in de dorpswinkel had gekocht.
'Hier,' zei ze en gaf het aan hem.
Hij snoot met veel lawaai zijn neus.
Ze zei: 'Zeg maar niets. Er valt niets te zeggen.'
Hij snoot weer. Ze wachtte tot hij klaar was en ging weer op zijn knieën zitten.
'Waar waren we?'
'God zal het weten,' zei Robin en sloeg zijn armen weer om haar heen. Hij begon bleekjes te lachen. 'God weet het...'
Ze nam hem nauwkeurig op. 'Je neus is rood.'
Hij knikte en sloot zijn ogen. Ze boog haar hoofd en likte aan zijn neus en toen kuste ze hem zachtjes op zijn mond.
'Gelukkig maar,' zei Zoe, 'gelukkig maar dat ik niet zo geïnteresseerd ben in je neus.'

14

De ambulance reed het erf van Dean Place Farm op en stopte voor een van de geraniumtonnen van Dilys. Buiten de chauffeur in zijn lichtblauwe overhemd, zat er nog een assistent in, ook in uniform en Harry. Harry zat in een rolstoel. Hij was gekleed in de kleren die Dilys een dag van tevoren naar het ziekenhuis had gebracht, maar hij had wel zijn pantoffels aangehouden. Dilys wist niet waarom het gezicht van die pantoffels haar zo irriteerde. Ze had zijn bruine veterschoenen, waar ze zo hard op had gepoetst, ook meegenomen en snapte gewoon niet waarom hij die schoenen nu niet had kunnen dragen, in plaats van die pantoffels.

'Dag lieverd,' zei ze.

Ze stond bij de klep die ze hadden neergelaten zodat de rolstoel er gemakkelijk kon worden uitgereden. Ze vond Harry er klein uitzien, kleiner dan ze zich kon herinneren.

'Hier gaan we dan,' zei de assistent, terwijl hij de stoel van de rem deed. 'Klaar voor de trip?'

Ze hadden in het ziekenhuis tegen Dilys gezegd dat ze het bed weer nodig hadden. En sinds Harry weer een paar pondjes was aangekomen en meer zou aankomen als hij weer eenmaal op de been was, mocht hij terug naar huis.

'Dat is toch fijn?' had Zoe tegen Dilys gezegd. 'Ik zorg dat ik er ook ben als hij door de ambulance wordt thuisgebracht.' Maar Zoe was er niet en Dilys was te trots om naar Tideswell te bellen om te vragen waar ze bleef.

'U zult dan wel hulp nodig hebben,' had Zoe gezegd. 'U heeft iemand nodig om hem uit die rolstoel te tillen, dus zorg ik wel dat ik er ben.'

Maar ze had helemaal geen hulp nodig. Althans geen fysieke kracht. Ze wilde er niet over nadenken, maar hij was zo licht als een veertje. Ze had Zoe nodig als afleiding terwijl ze Harry weer thuis had. Harry, en niet Joe. Ze dacht dat Zoe dit wel zou begrijpen. Het was zo vreemd met dit meisje, ze was zo'n beetje de laatste persoon met wie Dilys dacht om te kunnen gaan. Maar ze had iets in zich, wat Dilys op dit moment prettig vond; ze begreep Dilys goed en ze relativeerde Dilys' angst die ze kreeg,

toen ze erachter kwam hoe afhankelijk ze eigenlijk was.
De rolstoel werd het erf opgereden.
'Er is iemand in de keuken die heel blij is om je weer te zien,' zei Dilys. Ze legde haar hand op zijn schouder; ze kon zich er niet toe brengen hem een kus te geven en zeker niet waar die ambulance-
mensen bij waren. Er schoot een korte. krankzinnige blik van hoop in Harry's ogen die meteen weer verdween. 'Kep?' vroeg hij. 'Ouwe Kep?' Ze knikte. De assistent begon de rolstoel naar de open achterdeur te duwen.
'Ik dacht dat Zoe zou komen. Dat heeft ze me tenminste verteld.'
Harry zei: 'Ze dachten in het ziekenhuis dat ze m'n kleindochter was.'
'Ze heeft erg haar best gedaan,' zei Dilys. Ze duwde met haar rug tegen de deur zodat de rolstoel er gemakkelijk doorheen kon.
'We hebben een dieetlijst bij ons,' zei de assistent, 'en een looprek.'
'Ik hoef geen looprek,' zei Harry. 'Ik heb een paar wandelstokken. Die zijn nog van mijn vader geweest. En die gebruik ik wel.'
De assistent knipoogde naar Dilys. 'Zo'n looprek is een stuk steviger.'
'Ik hoef helemaal niet iets stevigs,' zei Harry. 'Ik hoef ook niet meer als een klein kind behandeld te worden.'
In de keuken kwam Kep, bibberig van opluchting, kwispelstaartend en grommend van blijdschap, uit zijn mand op Harry toegelopen.
'Dag jongen,' zei Harry en aaide hem over zijn kop. 'Gaat het een beetje, ouwe jongen? Is alles weer goed nu?'
De assistent haalde een paar keurig gevouwen papieren uit de zak van zijn uniform en legde ze op de keukentafel. 'Deze formulieren...'
'Wat voor formulieren?'
'Voor het lenen van de stoel en het looprek. Ziekenhuiseigendommen.'
'Neem die spullen maar meteen weer mee terug,' zei Dilys. 'We willen ze niet. Help even mee om hem aan de keukentafel te zetten, dan kun je meteen dat ding weer meenemen.'
De assistent keek haar aan. 'U kunt de eerste tien dagen beter...'
'Nee, bedankt,' zei Dilys. Ze vond het eigenlijk een beetje eng om het zonder die hulpdingen te moeten doen, maar ze wilde het toch. Als Zoe hier was geweest, zou ze er niet eens over nagedacht hebben. 'Neem ze maar mee. We redden het wel.' Ze keek naar Harry. 'Hij is pas eenenzeventig hoor, geen honderd.'
De assistent haalde zijn schouders op. Hij pakte de papieren van tafel, maar liet er een liggen. 'Ik zal de dieetlijst maar wel achterlaten.'
'Ik ben boerin,' zei Dilys. 'Denk je soms dat ik niks van voeding afweet?'

De assistent zuchtte. 'Zoals u wilt,' zei hij, en toen er overdreven achteraan, 'madam.'
Op weg naar buiten gaf hij Harry een klopje op zijn schouder. Ze hoorde hem buiten iets tegen de chauffeur roepen.
'Je wilt dat ding toch ook niet?' vroeg Dilys aan Harry, terwijl ze naar de rolstoel gebaarde. Hij schudde zijn hoofd.
'Ik zal je wandelstokken halen. Zoe heeft ze prachtig opgepoetst. De wandelstok van sleedoorn en die van je vader met de knop van wolfsklauw.'
De mannen van de ambulance stapten de keuken weer in.
'Vooruit dan maar,' zei de chauffeur tegen Harry. 'Als we zo graag onze onafhankelijkheid willen bewijzen, moet het maar, nietwaar mijnheer? Welke stoel is van u? Die daar? Vooruit dan, op de stoel.'
Dilys keek toe hoe de beide mannen Harry gemakkelijk uit de rolstoel tilden en hem in zijn eigen houten leunstoel aan het hoofd van de tafel lieten zakken. Hij zag er zo breekbaar in hun handen uit.
'Denk je dat je het allemaal aan kan, lieverd?' vroeg de chauffeur aan Dilys. 'Baden en toilet, en alles?'
'Dat gaat hij allemaal zelf doen,' zei Dilys. 'Hij is thuis en hij wordt snel weer de oude.'
'De eerste paar dagen moeten jullie het een beetje kalm aan doen, hoor. Beter om de eerste tijd iemand in huis te halen om te helpen.'
'Ik heb hulp,' zei Dilys. 'Ze kon toevallig vanochtend hier niet zijn, maar dat is allemaal geregeld.'
'Goed,' zei de chauffeur. 'Fijn dan.' Hij zwaaide naar Harry. 'Het beste, mijnheer. Zorg goed voor uzelf.'
De assistent stond naar Dilys te kijken. Ze hield hem duidelijk bezig.
'Weet u het zeker?'
Ze knikte nadrukkelijk. 'Bedankt voor het brengen.'
Ze grinnikten.
'Gewoon ons werk,' zei de chauffeur. 'Geen probleem.'
Ze hoorden de klep van de ambulance weer omhoog gaan, twee deuren die dichtgegooid werden en de auto starten.
'Zo, die zijn weg,' zei Harry.
Hij zat een beetje voorover geleund met zijn handen in zijn schoot. Dilys kon niet naar hem kijken. De ambulance reed langzaam het erf af, de weg op en het geluid van de motor klonk zachter en zachter.
Ze zaten beiden doodstil in de keuken. Ze bewogen zich niet en het enige geluid dat je kon horen was het gehijg van ouwe Kep die onder

de tafel op Harry's voeten lag. Harry keek Dilys aan.
'Is Lindsay al terug?'
'Nee.'
'Werken die mannen vandaag niet? Van het uitzendbureau?'
'Nee,' zei Dilys. 'Robin heeft ze de zak gegeven. Hij zou vandaag iets anders regelen.'
'Niet zo goed, dan,' zei Harry. 'Niet zo goed, met het inkuilen volgende week.'
Dilys gaf geen antwoord. Harry nam haar nauwkeurig op.
'Dus er is hier verder niemand?' Zijn handen bewogen zenuwachtig in zijn schoot. 'Alleen jij en ik?'

Velma zette haar fiets waar ze hem altijd stalde: tegen het hek bij de achterdeur van Tideswell Farm. Ze trok een plastic boodschappentas over het zadel voor het geval het zou gaan regenen. Er waren, zoals Caro en Robin wel duizend keer tegen haar hadden gezegd, talloze plekken waar ze hem beschut kon neerzetten maar, net zoals met elektriciteit, had Velma zo haar eigen ideeën.
Ze pakte nog een plastic tas uit haar fietsmandje die gevuld was met de door Robin opgegeven boodschappen. Een pak cornflakes, een pak sinaasappelsap, een brood en een pot marmelade. Het brood was een wit, gesneden en in plastic verpakt en zowel de sinaasappelsap als de marmelade waren van de goedkoopste soort die de dorpswinkel verkocht. Velma kon geen garantie geven voor de kwaliteit ervan, maar dat maakte niet uit want Robin proefde toch niets en alles was nog goed genoeg voor dat meisje, die vriendin van Judy. Toen Velma haar fiets had neergezet had ze even naar boven gekeken en gezien dat de gordijnen van Zoe's slaapkamer nog dicht waren. Negen uur en nog steeds in bed en dat op een donderdag. Zondag zou anders zijn. Op zondag mocht je uitslapen, maar niet op een donderdag. Velma opende de achterdeur. Het was maar beter om helemaal niet aan de zondagen te denken. Wat haar man en zoon en schoonzoon betrof, die hingen dan tot een uur of twaalf niet aangekleed rond, want dan gingen ze naar de pub en kwamen dan drie uur later wankelend thuis om vervolgens in de voorkamer te gaan liggen snurken. Dat betekende ook dat zij haar dochters en schoondochter de hele dag op haar nek had zitten, en die deden niets anders dan sigaretten roken en klagen. Ze zette de tas met boodschappen op de keukentafel. Zondag was zo ongeveer de slechtste dag van de week.

Het kleine rode lichtje op het antwoordapparaat knipperde en ze zag dat er drie keer gebeld was. Velma overwoog om te horen wie er gebeld hadden maar besloot toen van niet. Dat kon die madam boven mooi doen als ze zich verwaardigde op te staan. Dat was ook zo'n beetje het enige wat ze kon, behalve plaats innemen. Debbie had gezegd dat ze op Dean Place altijd ontzettend veel deed, maar Velma geloofde dat niet. Ze kon zich totaal niet voorstellen dat Zoe ooit ergens veel zou doen; ze had nog nooit iemand ontmoet die zo nutteloos was behalve Patsy misschien, die met haar zoon Kevin was getrouwd en haar hele leven zeurde over vaste vloerbedekking en vakanties in Ibiza. Als Kevin een warme maaltijd wilde eten moest hij naar huis komen want Patsy weigerde om te koken. Patsy en Zoe, dacht Velma en keek gelaten in de gootsteen, die waren precies hetzelfde en van een soort waar zij geen tijd voor had. Als je niet eens 's avonds die ovenschaal wilde afwassen, dan zou je hem tenminste onder water kunnen zetten, zodat die de volgende dag niet zo aangekoekt was? Maar ja, er was gegeten. Robin had zijn best gedaan zo te zien. Zoe zou hier geen hap van hebben genomen. Zoe leefde op rotzooi, net zoals Patsy. Gezond voedsel was aan Zoe niet besteed.
Velma liet de gootsteen vol heet water lopen en probeerde, zoals ze elke ochtend deed, een beetje lijn in de chaos van papieren op de keukentafel te brengen.
'De chaos in vierkantjes leggen,' noemde Caro het altijd. 'Maar dat maakt toch dat je je op een of andere manier beter voelt, hè? Alsof jij het in de hand hebt en niet andersom.'
Velma dacht nog steeds bijna iedere dag aan Caro, of ze het nu wilde of niet. Het kwam waarschijnlijk door het huis, omdat Caro hier jaren had geleefd. Vrouwen lieten altijd een stempel op een huis achter, zelfs op een huis waar ze zich niet prettig voelden, en Caro had Tideswell afschuwelijk gevonden. Maar ja, ze had hier toch lange tijd gewoond. Ze was altijd een raadsel voor Velma gebleven. Aardig om voor te werken, attent ook, maar er niet helemaal bij en op de een of andere manier toch altijd een beetje, nou ja, buitenlands. Ze had er nooit bijgehoord. Zelfs niet als ze niet aan die vreselijke tumor was doodgegaan en een oude dame was geworden. Zij zou er nooit hebben bijgehoord. Heel anders dan Joe. Joe had er helemaal bijgehoord. Velma kon nog steeds niet aan hem denken zonder tranen in haar ogen te krijgen.
Ze spoot wat afwasspul in de gootsteen en klopte het water met de afwasborstel op. Ze dacht dat ze alles beter een tijdje kon laten weken.

Ze kon maar beter eerst naar boven gaan en de badkamer een beurt geven. Met veel lawaai, zodat die meid eens wakker zou worden. Robin liet de badkamer trouwens elke ochtend als een varkensstal achter dus dat zou geen moeite kosten. Soms leek het wel alsof hij de halve boerderij mee naar huis had genomen. Toen Caro nog leefde was dat nooit gebeurd. Maar Caro was een Amerikaanse en de Amerikanen hadden nu eenmaal een tic voor hygiëne en droombadkamers. Dat had ze wel eens in bladen gelezen en op de televisie gezien.
Velma pakte de schoonmaakspullen uit het gootsteenkastje en liep langzaam naar boven. Er lag een schoen op de trap, zo'n lelijke hoge legerschoen die Zoe droeg. Nou, die kon ze mooi zelf opruimen. Op de overloop zag Velma dat alle deuren, behalve die van Caro's en Zoe's kamer, openstonden. Velma kon zo al zien dat Robin zijn bed niet had opgemaakt; het dekbed lag half op de grond. Meestal trok hij zijn bed wel recht. Misschien had hij vandaag haast gehad omdat hij ook nog voor Dean Place Farm nieuwe hulpkrachten moest regelen. Ze besloot om deze keer gewoon zijn slaapkamer binnen te lopen en zijn bed op te maken. Hij had al genoeg op zijn brood.
Ze zette de spullen op de grond voor de badkamer neer en liep Robins slaapkamer in. De gordijnen aan een kant waren open maar die naast het bed waren nog gesloten. Velma keek naar het bed. Het bed was niet opgemaakt omdat er nog iemand in lag. Zoe, diep in slaap, met haar rug naar Velma toe en met haar donkerrode hoofd diep in het kussen. Het was warm in de kamer door de zon die naar binnenscheen en Zoe had het dekbed gedeeltelijk van zich afgeschopt. Niet helemaal, maar ver genoeg om Velma te laten zien dat ze helemaal naakt was.

'Ik ben gekomen omdat ik wilde zien hoe het met je gaat,' zei Robin.
Hij zat in de zitkamer van Lindsay's ouders in zijn normale positie: op het randje van de leunstoel en met zijn ellebogen op zijn knieën. Hij ziet er anders uit, dacht Lindsay, hoewel ze niet precies wist waardoor dat kwam. Minder moe waarschijnlijk, minder door ongelukkige gedachten in beslag genomen.
'Het gaat wel goed met me,' zei Lindsay.
Hughie zat aan haar voeten op de grond. Hij had zijn baseballpet op en zijn nieuwe schoenen aan die zijn opa voor hem had gekocht. Ruige, hoge jongensschoenen van suède, met koperen vetergaatjes. Hij was verbijsterd door zijn nieuwe schoenen, hij herkende zijn eigen voeten niet meer. Rose zat een ietsje verderop, snel en verrukt omdat ze wist

dat het niet mocht, de boekenkast leeg te halen. Haar schuldige opgewondenheid, maakte haar in ieder geval, voor eventjes, heel stil.
'Wanneer ga je weer terug?'
Hughie keek meteen op.
'Gauw,' zei Lindsay.
'We hebben een boel te bepraten,' zei Robin. 'Er moet heel veel worden uitgezocht. Pa is trouwens vanochtend thuisgekomen.'
'O,' zei Lindsay. Ze staarde naar haar schoot. 'Ik weet niet zeker of ik wel blijf.'
'Waar?'
'In Dean Place.'
Robin boog zich voorover. 'Blijf je niet?'
'Ik weet het nog niet zeker,' zei Lindsay. 'Het is nog maar een idee van mijn ouders. Een... een nieuw begin. Een nieuw leven voor mij.'
'Lindsay,' zei Robin. 'Je bezit nu tweeënvijftig procent van de aandelen in dat bedrijf.'
'Ik... ik weet nog helemaal niet of ik die wel wil hebben.'
Robin stond op en liep met snelle passen naar de bank waar Lindsay zat en liet zich naast haar vallen.
'Zo moet je niet denken.'
Ze keek hem van opzij aan.
'Lindsay,' zei Robin. 'Het is te vroeg om zulke dingen te beslissen. Eigenlijk is het jouw beslissing niet eens.' Hij keek naar Hughie. 'Hij is er en je hebt Rose. Boerderijen...' Hij zweeg even. 'Boerderijen zijn anders dan gewone zaken, je mag die niet zomaar wegdoen. Ik denk dat het te maken heeft met een bepaalde manier van leven.'
'En dood,' fluisterde Lindsay. Ze ging zo zitten dat ze half naar Robin zat toegedraaid. 'Ik denk dat ik het niet aankan.'
'Wat niet?'
'Om dat op me te nemen. Om dat bedrijf samen met je ouders te leiden.'
'Ik heb je toch gezegd,' zei Robin en in zijn stem klonk iets van de oude vermoeidheid, 'dat ik je daarbij zou helpen.'
'Maar doe je dat echt? Zul je echt naast me staan?'
'Waarom denk je dat ik hier ben? Waarom zou ik, met een miljoen dingen te doen, helemaal naar Stretton komen rijden als ik het niet zou menen?'
'Het zou wel een verschil maken,' zei Lindsay, 'maar ik weet het toch nog niet...'
'Ik wel,' zei Robin, 'en je gaat die aandelen niet verkopen.'

'Jij zou ze kunnen kopen.'
'Nee, dat kan ik niet en dat wil ik ook niet. Ik wil niets met landbouw te doen hebben.'
Hij stond op, zij ook, maar langzamer. Hughie kroop snel op de bank en ging op hun plekje liggen.
'Je moet in ieder geval wel weer gauw thuiskomen,' zei Robin.
'Ja,' zei Hughie.
'Kom dan morgen of overmorgen.'
'Misschien wel,' zei Lindsay, 'nu ik weet dat jij me echt zult helpen.'
'Maar dat had ik je toch al gezegd...'
'Dat weet ik wel, maar ik was toen zo emotioneel, je had wel van alles kunnen zeggen om me maar rustig te krijgen. Maar vandaag is anders. Vandaag geloof ik je. Ik ben blij dat je geweest bent.'
Hij boog zich voorover om haar wangen te kussen. Ze sloeg haar armen om hem heen en ze bleef even zo staan.
Toen vroeg ze: 'Is Zoe er nog? Op Tideswell?'
Ze voelde hem onder haar handen verstijven.
'Ja.'
'Zit ze je in de weg?'
'Nee,' zei Robin. Zijn stem klonk vreemd, en ook een beetje afwijzend.
'Ze is ontzettend goed voor ma geweest.'
'Ja, ik heb zoiets gehoord.'
Robin deed een stap terug om zichzelf uit haar armen los te maken.
'Bel je me dan? Als je weer naar huis gaat?'
'Ja, dat zal ik doen.'
Hij keek naar Hughie op de bank.
'Zorg dat ze het doet, jochie. Afgesproken?'

Gareth stond in het schuurtje naast het melkhuis, waar Robin alle medicijnen en spullen voor hoef-behandelingen van de koeien bewaarde. Hij inspecteerde het injectiepistool dat, sinds de koeien vorig jaar buiten stonden, niet meer was gebruikt. Robin had instructies achtergelaten dat de vaarzen een antiworm-pil moesten krijgen voordat ze het land op gingen. Vlak naast hem stond een half dozijn spierwitte kartonnen doosjes met de pillen in de verder zeer stoffige ruimte. Robin bewaarde alles, hij gooide letterlijk niets weg. Er stonden dozen op de met spinnewebben bedekte planken die daar misschien al meer dan tien jaar stonden en ver voorbij de houdbaarheidsdatum waren. Gareth sloeg het pistool tegen zijn handpalm. Hij kon wel een paar extra handen gebrui-

ken om de pillen in de onwillige kelen van de dieren te schieten. Misschien dat Zoe hem wel zou willen helpen. Hij zou haar dat straks, als hij ging koffiedrinken, vragen.
'Nou ja!' zei Velma nadrukkelijk vanuit de deuropening.
Gareth draaide zich om en zag Velma staan, gekleed zoals altijd in haar leggings, oude sweatshirt en op gympen.
'Wat is er?' vroeg Gareth.
'Ik ging naar boven om zijn bed op te maken en daar lag ze.' Ze klonk een beetje hijgerig.
Gareths gezicht begon te stralen. 'Zoe?'
'In zijn bed,' zei Velma. 'In Robins bed! Diep in slaap en helemaal bloot.'
Gareth grinnikte.
'Met Robin?'
Velma zei driftig: 'Ze bewoog niet eens, ze bewoog zelfs geen ooglid. Ik wist het. Ik wíst gewoon dat dat zou gebeuren. Dat heb ik allang zien aankomen. Wat denkt ze wel dat ze is?'
'Jong,' zei Gareth. Hij voelde zich vreemd ontroerd door dat nieuws. 'En bereidwillig.'
Velma snoof.
'Bereidwillig, precies. Dat had ze al vanaf het begin in haar kop.'
Gareth stak het injectiepistool in een zak van zijn overall.
'Waar twee kijven...'
'Mannen...'
'Gun die man toch eens wat, alsjeblieft,' zei Gareth. 'Gun die man nu gewoon wat.' Hij deed een stap naar Velma toe en duwde zijn gezicht zowat in het hare. 'Debbie en ik kwamen hier toen Kevin nog maar een baby was, zo'n acht jaar geleden en ik kan je wel vertellen dat Caro toen al in haar eigen slaapkamer sliep. Acht jaar geleden. En misschien sliep ze er toen al jaren. Wat denk wat dat voor hem betekende? En heb je ooit in het dorp geroddel over hem gehoord? In al die jaren? Geen woord dus.'
Velma keek hem aan en ze haalde diep adem.
'Nou, dat krijgen ze nu dus wel te horen.'
'Niet via jou, Velma Simms...'
'Ik heb ermee te maken,' zei Velma. 'Ik werk hier. En ik heb nog voordat jij hier was, altijd voor hem gezorgd. Lang voordat jij hier was.' Ze stak haar vinger voor Gareth op. 'Begrijp me niet verkeerd. Ik heb er niets op tegen als Robin weer een vrouw vindt. Integendeel, ik zou het fijn vinden als een vrouw hier weer de scepter zwaait. Maar dit is een

kleine hoer. En wie is ze nu helemaal, dat zou ik wel eens willen weten. Ze is alleen maar iemand die Judy ergens in Londen heeft opgepikt. Ik wist dat ze moeilijkheden zou geven, dat wist ik al vanaf het begin. En ik heb gelijk gehad. Robin zet zichzelf voor gek. Let maar op, dat zul je wel merken.'
Gareth draaide zich om en begon een beetje met de doosjes te schuiven. Het kwam in hem op dat Zoe helemaal geen moeilijkheden zou geven, dat ze helemaal geen spelletje speelde en dat ze op een vreemde manier veel minder gemeen was dan Velma of die andere vrouwen in Dean Cross, Debbie meegerekend. Maar het had geen zin om zoiets hardop te zeggen. Totaal geen zin. Velma zou meteen zeggen dat hij ook tuk op Zoe was en dan zou ze nog een beetje gelijk hebben ook. Als je Zoe zag, zag ze er niet uit. Maar ze had iets speciaals, iets waarvoor je viel, ze was een vrije vogel, ze was een beetje gek. Gareth had er wel eens aan gedacht dat als iemand met haar een relatie zou hebben, zij toch op een of andere manier vrij zou blijven, ze zou nooit iemand claimen, ze zou nooit iemand opeisen. Het zou waarschijnlijk precies andersom zijn.
'Jij laat hen met rust, hoor je,' zei Gareth. 'Ze doet helemaal geen kwaad en hij mag wel eens een keertje lekker neuken.' Hij zweeg even en zei toen tot zijn eigen verbazing: 'Ze maakt hem waarschijnlijk ook aan het lachen.'
'Lachen?' zei Velma. 'Lachen? Wat heeft lachen ermee te maken?'
'Een boel,' zei Gareth. Hij dacht aan al die sessies thuis de laatste tijd, Debbie in tranen smekend dat hij een nieuwe baan moest zoeken, dat ze weg wilde van Tideswell, dat ze meer en meer geloofde dat ze moesten vluchten voor de vloek die op Tideswell rustte. Hij schreeuwde ineens: 'Een boel, het heeft er een boel mee te maken, stomme, bemoeizuchtige ouwe trut!'

Toen ze terug naar Dean Place Farm reed viel Rose in haar babyzitje in slaap. Lindsay kon haar in het achteruitkijkspiegeltje in de gaten houden. Ze zag er warm en rood uit en haar goudblonde hoofdje rolde van de ene naar de andere kant, net een lappenpop. Als ze een bocht moest maken sloeg haar ene armpje tegen Hughie aan en het viel Lindsay op dat hij, zover als zijn veiligheidsriem toeliet, van haar af probeerde te gaan zitten. Zelfs in haar slaap gedroeg ze zich zelfverzekerd en die zelfverzekerdheid kon hij niet uitstaan.
Lindsay's ouders waren enorm verrast geweest toen ze plotseling aankondigde dat ze toch liever weer naar huis ging. Eerlijk gezegd waren

ze er nogal ontsteld over geweest, ze voelden het als een ondankbaarheid en onbeleefdheid jegens hen na alles wat ze voor haar en de kinderen hadden gedaan. Lindsay's vader, met zijn ogen op Hughie gericht, zei: 'Maar we zouden vanmiddag samen gaan zwemmen, hè Hughie?'
'Ander keertje,' zei Lindsay. Ze vertelde hen dat Robins bezoek haar had duidelijk gemaakt dat ze door hier te blijven, nogal wat moeilijkheden voor Joe's ouders veroorzaakte, omdat er van alles besproken en besloten moest worden en dat dit niet zonder haar kon gebeuren. Haar vader had gevraagd hoeveel procent de aandelen van Joe in het bedrijf waard waren en Robin had gezegd behoorlijk veel.
'Maar dat boerenbedrijf is toch niet van henzelf?' had Lindsay's vader gevraagd. 'Of wel?'
Nee, had ze gezegd, ik geloof het niet. Maar ze begreep er niet veel van. Robin had haar verschillende dingen proberen uit te leggen maar ze begreep er nog steeds niets van. Hij had gezegd dat hij minstens een miljoen pond aan kapitaal nodig had om goed te kunnen boeren op de manier zoals hij dat deed en dat hij daarom zoveel schulden had en dat hij ook daarom Joe's aandelen niet kon overnemen. Ze had naar hem zitten staren. Het betekende allemaal niets voor haar. Een miljoen in geld kon ze niet bevatten, al helemaal niet omdat ze altijd zo zuinig, zeg maar schraal, hadden geleefd. Zulke bedragen verdwenen, zonder dat de vrouw en kinderen er iets van zagen, gewoon in het boerenbedrijf. Dat nam ze nu wel aan. Het werd uitgegeven aan landbouwmachines, aan schuren en bijgebouwen en aan vee, maar uiteindelijk behoorde alles, raar genoeg, toch toe aan de bank. Maar of ze het nu wel of niet begreep, Robin had haar kunnen overtuigen dat ze terug naar huis moest om daar haar beslissing te nemen. Door Hughie en Rose erin te betrekken had hij haar over de brug gekregen.
'Slaap je?' vroeg Lindsay aan Hughie.
'Nee.'
'Ben je blij dat we weer naar huis gaan?'
Hughie knikte. Hij hoopte maar dat papa alweer thuis was, maar wilde het haar niet vragen want ze zei aldoor nee en dat wilde hij niet meer horen. Hij zwaaide Zeehond in de lucht.
'Zeehond, ook.'
'Je mag morgen ook naar de crèche toe, als je wilt.'
'Misschien,' zei Hughie.
'Misschien zit Mary wel thuis op ons te wachten.'

Hughie keek naar buiten. Hij kon de velden weer zien en de weiden met de schaapjes. Bij oma Sylvia waren geen schapen en als je in de tuin rende, moest je dat heel voorzichtig doen. Het was heel moeilijk om daar vliegtuigje te spelen.
'Kijk,' zei Lindsay, 'daar hebben we de kerk al en de winkel.'
De arm van Rose zwaaide weer tegen hem aan.
'Au,' riep hij heel hard om haar wakker te maken.
Ze opende heel langzaam haar ogen en keek naar hem. Haar blik was zoals altijd, vol kalme vastbeslotenheid. Ze wreef met haar handje over haar gezicht en drukte haar neus plat. Toen gaf ze een kleine schreeuw.
'Weer thuis!' riep Lindsay.
De auto draaide van de snelweg af het weggetje op, richting Dean Place. Hughie kon zijn huis al in de verte zien liggen en het zag er nog precies zo uit als altijd.
'Uit!' gilde Rose en rukte aan haar veiligheidsgordels in het babyzitje. 'Uit, uit, uit uit!'
'Je mag zo...'
Lindsay zag dat Mary wasgoed had opgehangen – een paar lakens en handdoeken en een hele rij gele stofdoeken. Wat aardig toch van haar, vooral omdat ze alleen maar af en toe op de kinderen hoefde passen. Joe en zij gingen maar heel af en toe uit, echt uit... Lindsay beet op haar lip en schakelde terug om de oprit naar haar huis op te rijden. Ze parkeerde de auto waar ze hem al jaren parkeerde, soms wel een paar keer per dag, als ze naar de winkel was geweest, of Hughie naar de crèche had gebracht, als ze terug van Dean Place of Tideswell kwam, of nadat ze naar de supermarkt was geweest, naar Caro in het ziekenhuis, ze was maar heen en weer gegaan, heen en weer. Ze voelde zich ineens zo aangeslagen dat ze even dacht dat ze de auto niet meer uit kon komen.
'Uit!' gilde Rose.
'Haal haar er nou uit,' zei Hughie met een afgewend gezicht. 'Haal haar er toch uit...'
Lindsay stapte uit de auto en boog zich over de achterbank om Rose te pakken. Rose spartelde woest tegen en schopte en hijgde om maar los gelaten te worden. Ze wilde op de grond gezet worden, om weer onafhankelijk zijn.
'Voorzichtig nou,' zei Lindsay. 'Wacht nu even...' Ze zette Rose op een heup en sloot de achterdeur af. Ze zag dat Joe's laarzen nog steeds achter in de auto stonden, die oude laarzen waar hij, zoals hij iedere keer zei, altijd blaren in kreeg. Die dag had hij zijn nieuwe aangehad die

natuurlijk met hem waren meegegaan, eerst naar het politiebureau, toen naar het lijkenhuisje en daarna naar die lege ruimte waar Lindsay geen idee van had.
Ze opende de achterdeur naar de keuken. Het zag er ontzettend schoon uit. Lindsay zette Rose op de grond en liep terug om Hughie te halen.
'Zeehond vindt jou lief,' zei Hughie.
'O, fijn. Ik vind Zeehond ook lief.'
Ze maakte zijn veiligheidsriem los en tilde hem naast de auto op de grond.
'Gauw naar binnen.'
Hij hief zijn gezicht op en snuffelde als een diertje dat zijn eigen plek herkende. Ze zag hoe hij ineens zelfverzekerd, als iemand met een doel voor ogen, voor haar uit stapte. De telefoon rinkelde. Lindsay boog zich over de stoel om haar handtas op te vissen en rende haar huis binnen. Ze struikelde bijna over Rose in de haast om de telefoon nog op tijd te pakken.
'Hallo?' zei ze. 'Hallo, met Dean Place Cottage.'
Rose hield op met het graaien in de aardappelen in het groenterek, haar aandacht even afgeleid door zoiets interessants als een telefoon.
'O, Velma,' zei Lindsay. 'Ja, ja, ik ben net thuis gekomen, een minuutje geleden...'
Ze stopte. Rose stopte een aardappel in haar mond en haalde hem er met een vies gezicht weer uit. Haar mond zat vol zand.
'O, hemel,' zei Lindsay. 'O, hemel. O, god...'
Rose gooide de aardappel weg en begon in een rap tempo naar de zitkamer te kruipen.
'Heme, heme, heme!' schreeuwde ze en sloeg met haar stevige handjes op de grond. 'Heme, heme!'

15

Judy zat met een plastic flesje mineraalwater op een bankje in het St. James' Park. Naast haar zat een oude man te slapen. Het was nogal een vieze en onverzorgde oude man en ze had besloten om zo gauw hij wakker zou worden, ervandoor te gaan. Ze was tenslotte niet voor een gesprek naar het park gegaan; ze was hier gekomen om na te denken.
Voor haar stonden een paar wilgebomen waarvan de zachte, lange varenachtige takken bijna in het water hingen. Judy kende het park heel goed want het was maar vijftien minuten lopen van Soho af, waar haar kantoor was. Ze kwam hier vaak omdat het er zo groen was en omdat ze hier kon ademhalen. Toen ze pas in Londen was kwam ze nooit in parken, ze deden haar te veel aan het platteland denken, maar langzamerhand begon ze zich er prettig te voelen en zich ook voor de verschillende soorten bomen te interesseren. St. James Park kende ze inmiddels op haar duimpje, ze wist de beste bankjes en zag vaak bekende gezichten van mensen die er ook vaak kwamen. Maar vandaag, op haar tweede keus-bankje – op haar beste lang een jongen met een rode rugzak uitgestrekt te slapen – kwam haar niets, maar dan ook niets bekend voor. Ze dacht, het lijkt wel alsof ik hier voor de eerste keer zit.
Ze draaide de dop van haar mineraalwater af en nam een slok. Het water was lauw en smaakte daardoor, gek genoeg, minder schoon.
Gisteravond had Lindsay haar gebeld. Ze was in een rare bui geweest, niet huilerig, maar eerder gespannen, opgewonden. Ze belde haar speciaal om te vertellen dat Zoe met Robin naar bed was geweest en dat Velma haar 's ochtends om negen uur en spiernaakt in Robins bed had gevonden.
Lindsay had woedend geklonken. Zelfs door haar eigen ontzetting heen was het Judy opgevallen dat Lindsay klonk alsof zij de bedrogen echtgenote was.
'Hoe durft ze?' had Lindsay geschreeuwd. 'Hoe durft ze? Ze is hier naartoe gekomen, zonder dat ze uitgenodigd was. Ze heeft hem bewust verleid.'
Toen Judy de haak weer op de telefoon had gelegd, had ze zich heel vreemd gevoeld. Ze wist niet of ze zich nu kwaad, beledigd of gewoon

geschokt voelde. Ze kon niet bedenken of ze zich nu gebruikt voelde of verraden. Ze kon voor lange tijd haar gevoel niet analyseren, behalve dat ze wist dat ze dit al van het begin had verwacht en dat ze, misschien wel onbewust, gewoon had zitten wachten tot het eindelijk gebeurde.
Ze had geprobeerd Oliver te bellen, maar die was met een client van de galerie uit eten en de hele avond weggebleven. Ze wist eigenlijk ook nog niet wat ze hem precies wilde zeggen. Maar ze wilde weten wat zijn reactie zou zijn. Alleen maar om te zien of hij er net zo over dacht als zij.
Toen ze hem eindelijk aan de lijn kreeg, om een uur of twaalf 's nachts, klonk hij bijna nonchalant, ongeïnteresseerd.
'Nou, en?' vroeg hij, 'wat had je anders verwacht?'
'Maar het is mijn vader!'
'Ja,' zei Oliver, 'en mijn ex-vriendin.'
Daarna viel er niet veel meer te zeggen. Of misschien juist wel, maar ze hadden opgehangen. Er was zoveel meer om over na te denken. Judy had de halve nacht wakker gelegen. Op een bepaald moment was ze naar Zoe's kamer gegaan en had intens, bijna woest, naar Zoe's weinige eigendommen staan staren. Alsof ze een antwoord op de vraag kon vinden wat Zoe nu verder van plan was.
Het was toch niet alleen om de seks, of wel? In Zoe's leven, in Zoe's wereld betekende seks niet veel; je deed het gewoon als je er zin in had. Simpel. Maar met Robin?! Als ze aan Zoe en Robin samen dacht, zag Judy haar vader ineens als een man, een man die ook kon vrijen, een man die misschien wel precies op dit moment lag te vrijen, met Zoe, op Tideswell Farm. Judy had nooit aan seks willen denken in verband met haar ouders – hun aparte slaapkamers waren normaal voor haar en dat had ze altijd zo gevonden. Haar solidariteit lag bij Caro, omdat Caro daar altijd onbewust om had gevraagd, ze had subtiele nadrukken op haar eigen anderszijn gelegd, had subtiele kritieken geuit op de verplichting om tot een van de vulgaire stervelingen te behoren waartussen ze zich bevond. Judy voelde zich warm worden van schaamte omdat ze zich nu pas realiseerde dat ze nooit iets vanuit Robins standpunt had bekeken, dat ze daar zelfs nooit over had nagedacht, zo verleid was ze door Caro's ideeën. Ze kreeg het nog benauwder toen het tot haar doordrong dat Zoe allang had gezien wat zij nooit had gezien en ook niet had willen zien. Zoe had iets gewild en was, om het te krijgen, recht op haar doel afgestevend. Maar het lag niet zo simpel en ze was ook niet zo egoïstisch als het klonk. Ze kneep in het plastic flesje en hoorde het zachte, knappende geluid. Judy moest toegeven dat Zoe

medeleven had getoond. Totaal niet gehypnotiseerd door Caro's aanwezigheid of herinneringen, had Zoe Robins situatie meteen doorgehad en had zich vol medeleven getoond. Voor haar was hij een mens, een aardige man in moeilijkheden, in diepe moeilijkheden. Dus was ze er naartoe gegaan om hem te helpen en tegelijkertijd ook om te krijgen wat ze wilde hebben. En omdat ze dat gewoon had gedaan, of ze er nu op uit was geweest of niet, had ze Judy, heel simpel, jaloers gemaakt.

De jonge veilingmeester die zich altijd met de kalveren bezighield vertelde Robin dat hij deze week een flinke daling in de prijzen verwachtte. Hij tuurde in de aanhanger waar zeven stierkalfjes en twee onvruchtbare koeien stonden te wachten tot ze zouden worden uitgeladen.
'Die Friezen doen misschien nog wel honderdentwintig. Zestig erbovenop voor topklasse. Heb je er soms Blauwe Belgen bijzitten? Die doen een stuk beter, vorige week gemiddeld zo'n tweehonderdvijftig. Er zijn altijd prijsschommelingen wanneer ze 's zomers van de stal naar het land gaan.'
'Ik hoop dat ik honderdveertig voor deze vang,' zei Robin. 'Minimaal.'
De veilingmeester grinnikte. Hij was een vrolijke, gisse jongen die, als hij niet aan 't veilen was, zich bezighield met het taxeren van boerenbedrijven, gebouwen en landerijen. Hij was op Joe's begrafenis geweest. Robin had hem, respectvol in een donker pak gekleed, naast de voornaamste landbouwkundige veilingmeester uit Stretton zien staan.
Nu vroeg hij aan Robin: 'Hoe gaat het met je ouwe heer?'
'Wat beter,' zei Robin. 'Hij gaat vooruit, maar langzaam.'
'Denk je dat hij nog ooit in het bedrijf terugkomt?'
Robin zuchtte. 'Geen idee. Ik heb er werkelijk geen idee van. We nemen het momenteel maar van dag tot dag, ik kan hem echt niet onder druk gaan zetten.'
'En jij?'
Robin keek de andere kant op voor het geval zijn buitengewone lichthartigheid in zijn ogen te lezen was.
'Volgens mijn idee,' zei de veilingmeester, en in zijn plagerige stem klonk ook iets van jaloerse bewondering door, 'volgens mij gaat het met jou wel goed.'
'Je kunt hier verdomme niet eens een paar schone sokken aantrekken, zonder dat iemand...' bromde Robin.
'Nou, je bent anders wel een geluksvogel,' zei de veiligmeester. 'Wij zijn ongeveer ons hele leven bezig om een leuke meid te vinden en bij jou

loopt er zo een in je armen. Geluk? Eerder onfatsoenlijk.'
Robin bromde weer wat. De veilingmeester gaf hem met het klembord dat hij in zijn handen had een tikje op zijn schouder.
'Alleen maar jaloersheid, hoor. Ik zie groen van jaloezie.'
Hij liep fluitend naar het veilinggebouw. Robin maakte de haken van de achterklep van de aanhanger los en liet hem op de grond zakken. De twee onvruchtbare koeien keken hem zielig aan. Een was zo'n beetje haar hele leven al ziekelijk geweest, als kalf al en nu had ze weggezonken ogen en slechte longen, uit haar natte neus hingen altijd lange snotdraden. Hij had haar nooit zo lang moeten houden, maar het was moeilijk om een dier wat je zelf gefokt had niet nog een kans te geven, niet te blijven hopen dat nog een antibioticum-kuur haar er misschien bovenop zou helpen. Het was de veearts geweest die ten slotte haar lot had bezegeld; hij zei dat ze nu echt weg moest nu ze er nog redelijk uitzag, voordat ze aan de zomer-
mastitis ten prooi zou vallen en dan echt ziek en waardeloos zou worden.
'Je kunt haar maar beter met verlies van de hand doen, dan helemaal niets krijgen, zei de veearts.
'Ja,' zei Robin, 'dat weet ik, dat doe ik mijn hele leven al.'
Toen hij de ochtend nadat Zoe hem mee naar bed had genomen, wakker was geworden, had hij een tijd lang met verrukking, opluchting en verbijstering naar haar liggen kijken. Hij kon het bijna niet geloven dat er écht een meisje in zijn bed lag, een warm, ademhalend en naakt meisje, en dat zij de hele nacht was gebleven, zelfs toen hij uit een of ander rare fatsoensnorm had gezegd dat het beter was als ze weer naar haar eigen bed terugging, had ze gewoon geweigerd.
'Waarom?' had ze gezegd. 'Waarom? Je hebt toch niets te verbergen?'
Toen had ze zich tegen hem aangenesteld en was in slaap gevallen alsof ze al jaren zo met hem had geslapen. En toen hij snel de wekker had uitgezet, doodsbang dat ze wakker zou worden, had ze niet eens bewogen. Hij had zichzelf op een elleboog opgewerkt en had zich voorovergebogen om naar haar gezicht te kijken.
'Heerlijk,' had ze gezegd toen ze hadden gevreeën. 'Het was echt heel fijn.' Ze had erbij geglimlacht. Iets van die glimlach was op haar gezicht achtergebleven, zelf uren erna nog. Hij bukte zich om haar oor, vol zilveren ringetjes, te kussen en dacht, terwijl hij zijn benen over de rand gooide, dat hij zich nooit in zijn hele leven had kunnen indenken dat hij eens, op een doordeweekse dag, zijn bed zou uitstappen terwijl er nog

een meisje in lag te slapen. Dat hij zoiets ooit zou kunnen meemaken. Maar het was waar. Het was die nacht gebeurd, en de volgende nacht ook en alle nachten daarna. Zoe bleef haar spaarzame eigendommen in de logeerkamer houden, maar ze sliep in zijn bed. Ze leek volkomen op haar gemak, liep gapend en alleen in een handdoek gewikkeld in en uit de badkamer, pakte zijn kussens en nestelde zich dan weer lekker tegen hem aan om te gaan slapen.
'Velma heeft het niet meer,' had hij gisteravond tegen haar gezegd.
Zoe zat net in het bad en hield een been omhoog om haar teennagels te inspecteren.
'Dat had je kunnen verwachten. Ik ben voor haar die hoer uit de stad. Ik ben vergif, ik maak jou ook nog slecht.'
'Absoluut,' glimlachte Robin tegen zichzelf in de badkamerspiegel. 'Ik denk dat ze het aan iedereen heeft rondgebazuind. Gareth gedraagt zich iets meer respectvol en Debbie kijkt me niet meer aan. En wat denk je van ma?'
Zoe wisselde van been.
'Wat kan jou je moeder schelen? Of die anderen?'
'Ze hebben natuurlijk een mening,' zei Robin. 'En je kunt erop rekenen dat ze die aan ons kenbaar zullen maken.'
'Maakt het jou wat uit?'
'Niet voor mezelf...'
'Voor mij?'
'Jij,' zei Robin en liep naar haar toe om haar een kus op haar hoofd te geven, 'jij kan voor jezelf opkomen.'
'Precies. Over wie maken we ons dan zorgen?'
'Niet echt zorgen...'
'We doen niemand pijn,' zei Zoe. 'We zijn alletwee vrije mensen en er zijn geen kinderen in betrokken.'
'Jij bent een kind.'
Zoe stond op en stak haar armen voor de handdoek uit.
'In mijn hart ben ik oud. Je moet het je niet zo aantrekken wat de mensen zullen denken. Dat is hun probleem. Wij zijn niet verantwoordelijk voor hun complexen.'
Robin sloeg de handdoek om haar heen en tilde haar uit bad.
'Ik heb je gezegd dat ik ga als jij vindt dat ik moet gaan. Dat geldt nog steeds.'
'Dat zal ik nooit zeggen. Ik wil helemaal niet dat je weggaat.'
'Fijn.' Ze bleef wachten tot hij haar zou afdrogen. 'Dan is het toch goed?

Als je wilt vertel ik dat precies zo aan Velma. Ik ben niet bang voor haar, eerlijk gezegd mag ik haar wel. En ze heeft recht op haar eigen opinie en wij op de onze, maar ze moet er gewoon niet op rekenen dat wij de hare zullen adopteren. Zelfs als ze zou kunnen uitleggen waarom ze er bezwaar tegen heeft en dat betwijfel ik.'
Hij kuste haar schouder. 'Hou op met kletsen.'
Ze keek hem aan 'Ik praatte alleen maar.'
'Ja, over Velma,' zei hij. 'Ik heb geen zin om over Velma te praten.'
'Je bent er zelf mee begonnen.'
Hij liet de handdoek op de grond zakken en nam haar in zijn armen. 'En nu heb ik er geen zin meer in.'
'Luister,' zei Zoe. Ze nam zijn gezicht tussen haar beide handen. 'Ik denk dat de hele buurt al jaren over jou heeft gekletst. Oké? En nu, met alles wat er gebeurd is en de begrafenissen, wordt er nog veel meer gekletst. En nu met mij, natuurlijk nog meer. Maar daar hoef je toch niet naar te luisteren? Het is jouw leven, Robin. En misschien wel voor de eerste keer in je leven, jouw leven, dus waarom zou je er nu niet eens van genieten?'
Zou de veilingmeester dat hebben bedoeld, toen hij zo joviaal over groen van jaloezie zijn, sprak? Bedoelde hij dat hij vond dat hij vrij was om te doen wat hij wilde? Robin was er niet aan gewend zich vrij te voelen. Wel aan het gevoel van onafhankelijkheid, dat wel, maar onafhankelijkheid had zijn eigen regels, creëerde zijn eigen structuur en verantwoordelijkheden, zodat iemand, op een bepaalde manier nooit vrij was, men moest altijd rekening houden met de gevolgen van zijn eigen besluiten, men moest het pad volgen dat men voor zichzelf had uitgezet. Hij keek naar het vee in de aanhangwagen, ze stonden te wachten zoals ze altijd stonden, te wachten op het volgende wat er met hen zou gaan gebeuren, wat iemand nu weer over hen had besloten. Misschien had hij ook wel jarenlang zo geleefd; was het wachten, het reageren op iets en het op zijn tanden bijten, zo normaal voor hem geworden dat hij alles als een robot onderging? Een van de kalfjes trappelde in het stro waarop hij stond en staarde hem aan. Veertien dagen oud, uit een tube ontstaan, zonder aanraking of paring, helemaal zonder seks. Robin keek hem medelijdend aan.
Hardop zei hij: 'Arme kleine sodemieter.'

'Jij kunt voortaan wel de boel schoonmaken,' zei Velma. 'Hoog tijd dat je dat trouwens leert.'

Om haar woorden te benadrukken gooide ze een stapel stofdoeken op de keukentafel. 'De stofzuiger staat onder de trap. De vuilnismannen komen op vrijdag.'
'Oké,' zei Zoe. Ze keek naar de stofdoeken. Dilys zou haar wel vertellen wat ze daarmee moest doen. Of anders Debbie wel.
'Robin kan me betalen als hij langskomt, ik krijg nog twee weken loon van hem.'
'Ik zal het hem zeggen,' zei Zoe. Ze pakte de stofdoeken op en legde ze een stukje verder op de tafel alsof de verantwoordelijkheid nu officieel in andere handen was overgegaan. 'Ga jij ander werk zoeken?'
'Natuurlijk,' zei Velma.
'Hier in de buurt? Of moet je dan helemaal naar Stretton?'
'Dat gaat jou toch niks aan.'
'Natuurlijk niet,' zei Zoe. 'Ik hoop alleen maar dat je wat vindt. Je hoeft hier niet weg, hoor.'
'O, nee?' Velma kreeg een harde glans in haar ogen. 'Denk je dat?'
'Tuurlijk,' zei Zoe. 'Je hoeft hier helemaal niet weg. In ieder geval niet van Robin. Niemand wil dat je gaat. Wat is er dan veranderd?'
'Jij durft,' zei Velma. 'Jij durft verdomme. Tegen mij te doen alsof er niets aan de hand is!'
Zoe zei redelijk: 'Maar ik trouw toch niet met Robin. Ik ben er gewoon. En iedereen kan zien dat hij zich veel en veel beter voelt. Dat kun jij toch ook wel zien. Zelfs al heb je een hekel aan me, je moet toegeven dat Robin er veel beter uitziet.'
Velma liep naar de keukendeur waar haar anorak hing, die ze elke dag, winter en zomer, droeg, omdat ze het altijd koud had op haar fiets, zelfs op de warmste dagen.
'Ik ga,' zei ze. 'Ik heb geen zin om naar die onzin te luisteren.'
Zoe bleef bij de tafel staan. 'Ik zal het Robin zeggen, over je loon bedoel ik.'
Velma werkte zich met moeite in haar anorak. Zoe kon haar gezicht niet zien maar iets in haar kwade, stijve bewegingen gaf Zoe het idee dat ze misschien op het punt stond in huilen uit te barsten.
'Ik wou maar dat je niet ging,' zei Zoe. 'Ik wou maar dat je bleef...'
Velma schoot met een triomfantelijk gezicht met haar arm in een mouw. 'Ik ben blij dat ik het niet meer hoef te zien,' riep ze. 'Ik ben blij dat ik wegga, blij dat ik er niets meer mee te maken heb.'
En toen was er een hoop lawaai van plastic tassen geweest en de deur die werd opengedaan en toen met een klap in het slot viel. Zoe keek

naar de stofdoeken op de tafel. Ze zag dat Velma een laatste lunch voor Robin had klaargezet, heel duidelijk voor één persoon, een in tweeën gesneden gekookt eitje en een handvol zure uien. Ze pakte het bordje op; dit voedsel was zo vreemd voor haar dat ze zich niet kon voorstellen wie dat zou willen eten. Ze trok het plastic folie eraf en gebruikte het als een beschermende handschoen om de uien een voor een in de afvalbak te gooien. Toen pakte ze een mes, sneed het ei in hele kleine stukjes en liep ermee naar buiten om het aan de vogeltjes te geven.

'Waar is pa?' vroeg Robin.
'Weg. Met een van de nieuwe knechten. Hij weet niet veel, maar hij is heel gewillig en wil graag leren. De gerst staat er slecht bij.'
'Dat heb ik gezien,' zei Robin.
Dilys was magerder geworden. Nu ze zo aan de keukentafel zat met de hele boekhouding om zich heen, zoals altijd tijdens de laatste week van de maand, kon Robin zien dat haar ringen over haar magere vingers tijdens het werken heen en weer schoven en een zacht tikkend geluid maakten.
'We moeten zien dat we een vaste kracht krijgen, ma.'
Ze gaf geen antwoord. Robin liet zichzelf tegenover zijn moeder in een stoel zakken en leunde met zijn ellebogen op de tafel.
'We moeten een bespreking houden, ma, nu Lindsay weer terug is. We moeten praten.'
'Jij bent geen aandeelhouder,' zei Dilys, maar keek hem niet aan.
'Nee, maar ik ben wel je zoon. En ik leid dit bedrijf, naast het mijne, ook nog eens zo'n beetje in mijn eentje.'
'Dat zullen wij wel doen,' zei Dilys, 'net zoals we het altijd gedaan hebben.'
Robin zei vriendelijk: 'Nee, ma. Dat kan niet meer. Dat weet je toch.'
'Pa is veel beter de laatste tijd. Gisteren is hij vier uur naar buiten geweest.'
'Maar hij heeft toch nauwelijks wat gedaan? Omdat hij niets meer kan.'
Robin zweeg even. Eigenlijk wilde hij zeggen: 'Hij gelooft er niet meer in, net zomin als jij,' maar hij hield zich nog net in.
'Goed, we zullen jouw bespreking hebben,' zei Dilys. 'Zelfs al zal er hier niets veranderen. Hoe zou dat ook kunnen? Wat zou Lindsay nu kunnen doen?'
'We moeten haar er wel bij vragen. Zij is aandeelhoudster. Ze bezit nu ook Joe's aandelen.'

Dilys keek hem even aan. 'Je hebt Lindsay pijn gedaan.'
Robin wachtte.
'God weet wat ze in haar hoofd had,' zei Dylis. 'Maar je hebt haar veel verdriet gedaan.'
'Ze wilde mijn hulp,' zei Robin, 'en die krijgt ze. Dat weet ze ook.'
'En Zoe?'
'Wat Zoe?'
'Waarom is Lindsay zo kwaad op Zoe?'
'Dat weet je heel goed, ma. Doe nu maar net niet of je het niet weet.'
'Ik doe niet alsof,' zei Dilys. 'Ik wist al vanaf het begin dat dit zou gebeuren.' Ze glimlachte flauwtjes naar Robin. 'Zoe is een lekkere meid. Ik had nooit gedacht dat ik dat ooit zou zeggen, maar ze is een fijne meid. Ze is geduldig met je vader, zo geduldig als een heilige. Maar Lindsay ziet zulke dingen natuurlijk niet. Judy trouwens ook niet.'
'Ik heb nog niet met Judy gesproken.'
Dilys maakte een paar rekeningen met een paperclip vast.
'Vrouwen haatten het om los te laten. Ze raken gewend aan de mannen in hun leven, ze krijgen het idee dat ze daar recht op hebben.'
'Ik ben niet minder geworden omdat... omdat...'
'Omdat je met Zoe een affaire hebt.'
'Ja.'
'Zo ziet het er niet uit voor Lindsay. Of Judy. Of Velma. Velma was hier vanmiddag nog. Ze was in alle staten. Ze is vanochtend voor het laatst op Tideswell geweest.'
'Stom wijf...'
'Ze wilde niet op de tweede plaats komen,' zei Dilys.
'Zoe zou dat nooit doen...'
'Zoe hoefde er ook niets voor te doen. Velma hoefde alleen maar je slaapkamer binnen te lopen.'
'Ma, hoe komt het dat je ineens zo filosofisch bent geworden? Ik dacht dat je me met Zoe om de oren zou slaan.'
Dilys hief haar hoofd op en keek hem aan.
'Ik ben moe, lieverd.'
'Natuurlijk.'
'De dingen zijn veranderd, het leven is veranderd, het heeft geen kleur meer.' Haar hand, met een paar rekeningen erin, trilde licht. 'We moeten er maar het beste van zien te maken. Ja, toch? We moeten doen wat we kunnen, Lindsay ook. En jij.'
Robin liep om de tafel heen en ging naast Dilys staan.

'Stuur jij Zoe straks maar naar me toe,' zei Dilys. 'Ik kan vanmiddag wel wat hulp gebruiken nu dat de cricket op de televisie is afgelopen. Pa zal vanmiddag wel moe zijn.' Ze keek op naar hem en er lag bijna een glimlach op haar gezicht. 'Tenminste, als je nieuwe huishoudster een paar uurtjes vrij kan maken.'

Zoe was niet thuis. De keuken zag er vreemd verlaten uit, zelfs met de stoelen die schots en scheef om de tafel heen stonden en een was die aan een rek te drogen hing.
'Ben weg met Gareth' stond er op een briefje dat op tafel lag. 'Straks weer terug. Veearts komt om half vier, Velma heeft opgezegd. Sorry'. Met eronder drie kussen en een grote zwierige Z. Robin keek naar het antwoordapparaat. Drie boodschappen. Een van een verkoper van voer, een van een adviseur betreffende alternatief gebruik van landbouwgrond die hij voor Dean Place Farm had opgebeld en een van Judy.
'Ik moet met je praten,' zei Judy. Ze klonk ontzettend emotioneel. 'Ik moet met je praten maar alleen als je alleen bent. Ik geloof dat ik medelijden met je heb, maar ik weet niet zeker hoe ik me echt voel. Bel me alsjeblieft. Bel me vanavond.'
Robin zuchtte. Ze had medelijden met hem. Waarvoor, in godsnaam? Medelijden om wat hij allemaal had meegemaakt? Of voor wat hij haar aangedaan had? Hij ging zitten en pakte Zoe's briefje. Die kussen en die Z waren wel anderhalve centimeter hoog. En alles dat Judy kon voelen was medelijden. Medelijden! In godsnaam, medelijden! 'Heb medelijden als je zonodig moet,' zei Robin hardop tegen de geest van Judy in de lege keuken. 'Heb medelijden als je dat wilt. Ik kan dat niet tegenhouden. Maar ik wil je wel vertellen dat de beste reactie, de liefste en aardigste reactie, voor één keertje in je leven, gewone acceptatie zou zijn. Accepteer nou eens een keer iets zonder er meteen over te oordelen.'

16

Lindsay's vader had een lijstje gemaakt van vier panden die eventueel voor Lindsay geschikt zouden zijn. Allevier met een kleine winkelruimte beneden en een flatje op de eerste verdieping. Een had een balkon en een ander een kleine verwaarloosde tuin waar nog een paar vermoeide bloemen langs de rand stonden en een bijna verdroogde seringenstruik. Haar ouders hadden haar beloofd dat zij haar het benodigde geld zouden lenen tot ze haar aandelen van het boerenbedrijf had verkocht en ook dat ze de eerste tijd de kinderen zouden opvangen terwijl zij haar salon probeerde op te starten. Haar vader zei dat het pand met het tuintje wel klein was, maar dat het structureel goed in elkaar zat en dat hij nog genoeg mensen in de aannemerswereld kende die het voor haar wel voor een redelijk bedrag zouden willen verbouwen.
'En als de kinderen een keertje in een echt grote tuin willen spelen, kunnen ze altijd bij ons terecht,' zei Sylvia.
Lindsay had wat bleekjes naar hen geglimlacht en geknikt. De tuin van haar moeder was zo'n duizend vierkante meter en het lapje achter dat pand in Stretton misschien vijftien. Ze stond op de eerste verdieping van het pand naar beneden te kijken, en waar ze ook keek, naar de straat, naar het tuintje, naar de zijkant, naar de stenen muur van het volgende pand, het zag er allemaal even benauwd en ingesloten uit. Ze dacht eraan hoe ze de kinderen in een van die kleine slaapkamertjes naar bed zou moeten brengen, om daarna de hele avond in haar eentje in de kleine voorkamer te moeten doorbrengen. Hoe ze, om zich maar niet alleen te voelen en net zoals ze tijdens die vreselijke eenzame laatste maanden van Joe's leven had gedaan, de hele avond naar de televisie zou gaan kijken.
'Mooi vakwerk,' zei haar vader en sloeg met zijn hand op een raamlijst. 'Solide en professioneel gedaan.'
'Het is wel erg klein...' merkte Lindsay zwakjes op.
'Geen wonder,' zei Roy Walsh. 'Geen wonder, natuurlijk ziet het er klein uit als je aan een boerderij gewend bent. In het centrum van Stretton heb je natuurlijk geen uitzicht op eindeloze havervelden. Maar het is een fijn pandje. En op een fantastisch punt, midden in het centrum.'

Lindsay wilde haar vader uitleggen dat Joe nog nooit in zijn leven haver had gezaaid en geteeld, maar hield zichzelf net in. Ze raakte een stukje muur aan waar het imitatie hout-
behang has losgelaten en zag dat er hardgroene verf onder zat.
'Is het eerlijk tegenover de kinderen?' vroeg Lindsay. 'Is het eerlijk om hen van het platteland naar hier te laten verhuizen?'
'Ja, natuurlijk wel. Zolang ze hun moeder maar bij zich hebben. En wij zitten hier maar tien minuten vandaan, en het park ook. Dat is meer dan de meeste kinderen hebben, veel meer.' Hij keek Lindsay aan. Zijn zware gezicht gefronst zoals hij altijd deed wanneer hij zich een beetje zorgen om haar maakte. Hij vond haar nog steeds zo kwetsbaar, zo naief en helemaal niet van deze tijd waar vrouwen zich steeds meer zelfstandiger opstelden en waar je moest oppassen dat ze het heft niet helemaal overnamen. Lindsay paste daar helemaal niet in, ze was gewoon geen vrouw van deze tijd. Maar een ding was zeker, ze leefde wel in deze tijd. Ze had een man gehad die voor haar had gezorgd, maar nu hij er niet meer was, moest ze het alleen zien te klaren.
Vriendelijk zei hij: 'Je kunt de klok niet terugdraaien, lieverd. Je kunt niet net doen alsof je nog een man hebt, je weet dat je er nu alleen voor staat. Je bent weduwe. Een weduwe met jonge kinderen en met waarschijnlijk nog dertig arbeidsjaren in het vooruitzicht.'
Ze krabde met haar nagel aan het stijve stukje behangselpapier.
'Je zei toch dat die bijeenkomst op Dean Place Farm niet zo goed is gegaan?' hield Roy aan.
'Inderdaad,' zei ze. 'Het ging helemaal niet goed. Ze wilden dat ik partner werd en daar bleef wonen om het boerenbedrijf in de familie te houden.'
'En daar heb jij geen zin in?'
Ze gaf geen antwoord.
'Lindsay,' zei Roy, 'als je dus niet op die boerderij wilt blijven, zul je toch iets anders moeten doen. Dat snap je toch wel?'
Ze liep over de vuile, vaste vloerbedekking in bloempatroon en nagelaten door de laatste bewoner, naar het raam om weer naar buiten te kijken. Onder het raam stonden twee meisjes, alletwee met een baby in een wandelwagen, tegen een paar vuilisbakken aan, te roken. Ze zag een oude man met een boodschappenwagentje in een schotse ruit voorbij schuifelen en een vrouw van middelbare leeftijd in een gestreepte tuinbroek die iets sneller liep. En ze zag het verkeer. Auto's, bestelwagens en een koerier op een motor. Als ze in de laatste zes jaar naar buiten had

gekeken had ze bijna nooit iemand gezien, af en toe de postbode, of Rose in haar kinderwagen. En het enige verkeer dat er reed was de Land Rover van Joe geweest en de wagen van de visboer die eens per week langskwam. Ze had dat wel eens gehaat, die eeuwige stilte en die eindeloze uniformiteit van de velden. Maar ze had het nooit willen ruilen voor zoiets als dit, ze had zich niet eens kunnen voorstellen dat dit het enige alternatief zou zijn.
'Ik vroeg je wat,' zei Roy geduldig.
'Ik ben bang voor zo'n grote verandering,' zei Lindsay.
'Maar het is al allemaal veranderd, lieverd, daar kun je verder niets meer aan doen, daar kan niemand meer iets...'
'Robin wel,' liet Lindsay zich kwaad en ongewild ontvallen.
'Robin?'
'Hij was degene die me heeft overgehaald weer terug te komen,' vervolgde ze snel, 'maar nu heeft hij dat onmogelijk voor me gemaakt.'
Roy wachtte. Hij had Robin altijd een aardige vent gevonden, rustiger dan Joe, en misschien wat stug, maar in ieder geval aardig.
'Hoe zo?'
'Dat kan ik niet uitleggen,' zei Lindsay. Haar handen grepen weer naar de kammen in haar haar. 'Hij heeft me gewoon onzettend teleurgesteld.'
'Bedoel je dat hij tijdens jullie bijeenkomst de kant van zijn ouders koos?'
Lindsay schudde haar hoofd. Nee, dat had hij niet gedaan. Het enige wat hij had gezegd, was dat de toekomst voor zijn ouders geregeld moest worden en dat ze, nu ze hun hoofdboekhouder en werkpaard kwijtwaren, erover na moesten denken hoe ze dat laatste deel van hun leven, een leven waarvan ze dachten dat er nooit verandering in zou komen, zouden gaan inrichten.
'Op een bepaalde manier is het voor hen nog erger dan voor iemand anders,' had Robin tegen Lindsay gezegd. Zijn stem had niet onvriendelijk maar wel beslist geklonken. 'Omdat ze te oud zijn om nog te veranderen. Ze hebben ook niet echt meer een toekomst maar ze moeten natuurlijk toch op een of andere manier doorgaan.'
'Maar ze hebben nog wel elkaar!' had Lindsay geschreeuwd.
Robin had haar nauwelijks aangekeken.
'En denk je nu echt dat ze daar alletwee blij mee zijn?'
'Natuurlijk moet hij hen bijstaan,' zei Roy nu. 'Ze hebben alleen hem nog maar. Net zo goed als wij jou helpen. Jij hebt jouw familie en de ouders van Joe hebben Robin.'

Lindsay zei kwaad: 'Robin heeft een meisje. Ze is zo jong dat ze wel zijn dochter kan zijn.'
'O, ja? Zo. Nou dat is in ieder geval fijn voor hem.'
Maar niet voor mij, dacht Lindsay woest. Hij heeft mij voor haar verlaten, hij heeft me gewoon opzij gezet. Ze duwde woest haar kammer weer in haar haar.
'Ik merkte dat hij geen rekening meer met mij hield,' zei Lindsay. 'Hij dacht helemaal niet meer aan mij, hij concentreerde zich niet meer op mijn situatie. Dat is alles.'
'Maar dat moet jijzelf toch doen? Het is echt jouw leven, lieverd. Misschien wil je die verantwoordelijkheid niet onder ogen zien, maar dat moet je echt wel doen, hoor. Het is aan jou om de volgende stap te nemen.' Hij liep met zijn zware tred naar de deur en begon hem heen en weer te zwaaien en keek ondertussen naar de vloer beneden de deur. 'De vraagprijs is achtentachtigduizend, maar ik heb het idee dat ik het wel voor twee- of drieëntachtigduizend kan krijgen. Maar we moeten eerst maar eens de papieren aanvragen of we hier een zaak mogen vestigen.' Hij keek haar aan, maar niet zozeer met een vaderlijke blik. Op zijn gezicht lag een slimme, speculerende trek alsof hij met een of andere zakenrelatie stond te onderhandelen. 'Nou schat, zeg nu eens, wat denk je ervan?'

Oliver zat in de bus op weg naar Judy's flat, met alweer een bos fresia's en een fles Nieuw-Zeelandse Chardonnay in een plastic tas op zijn schoot. Hij zweette een beetje. Niet omdat het nu zo'n warme dag was maar omdat hij zich lichtelijk nerveus voelde.
Hij was nerveus omdat hij al weken bezig was geweest genoeg moed op te brengen om Judy onder ogen te komen omdat hij haar iets wilde vertellen. Hij had zich voorgenomen om het haar vriendelijk te vertellen, maar in ieder geval ook duidelijk. Hij wilde haar zeggen dat hij echt van haar hield, dat ze niet alleen beschermende gevoelens in hem opriep, dat hij ook geïnteresseerd in haar was, maar dat hij niettegenstaande al die gevoelens het toch beter vond als ze elkaar een tijdje niet meer zagen. Dat hij het op dit moment niet meer zag zitten om nog met deze relatie door te gaan. Hij zou haar vertellen dat er echt niemand anders was, dat kon hij haar beloven. Maar hij kon gewoon niet doorgaan met iemand die hem continu in al haar problemen met zich mee naar beneden trok; hij snapte wel dat ze problemen had, maar hij wilde daar verder niet bij betrokken worden.

Hij vond wel dat ze het niet zo gemakkelijk had gehad, maar het was zeker niet zo'n zwaar leven geweest als zijzelf alsmaar scheen te denken. Natuurlijk was het hard om door je eigen moeder in de steek gelaten te worden, maar als die moeder je duidelijk niet wilde hebben en ze het duidelijk niet erg had gevonden om je op te geven, hoe kon je dan zo stom zijn om te denken dat een leven samen met haar je veel gelukkiger had kunnen maken? Oliver had een foto van Judy's moeder gezien en verschillende felgekleurde verjaardagskaarten met overdadig bloeiende Zuid-Afrikaanse planten en had er het zijne er gedacht. Ongevoelig en ordinair. Caro was precies het tegenovergestelde geweest en had bovendien Judy net zo ontzettend graag wel gewild als haar eigen moeder haar niet had willen hebben. En Oliver had Judy's vader heel aardig gevonden. Judy klaagde altijd over hem, helemaal over de manier waarop hij haar moeder had behandeld. Maar toen hij hem op de begrafenis had ontmoet sloeg niets van dat alles op de man die hij daar had leren kennen. Op de terugweg naar huis was het in hem opgekomen dat ze de hekel aan haar vader alleen maar als excuus gebruikte. Als excuus voor alles wat haar niet zinde, of gewoon als excuus voor het feit ze eigenlijk met niemand kon opschieten. En daar was hij inmiddels goed ziek van geworden.

Toen de bus vlak bij het station van Fulham Broadway stopte, stapte hij uit. Hij moest nog een minuut of tien lopen voordat hij bij Judy's flat was. Tijd genoeg om nog even te repeteren wat hij tegen haar zou zeggen. Hij wilde haar doorlopende moedeloosheid, noch haar eeuwige geklaag niet voeden, maar hij wilde haar wel aan het denken zetten. Hij wilde haar goed wakker schudden en haar erop wijzen dat als ze bleef doorgaan met alleen maar medelijden met zichzelf te hebben, dat niemand ooit belangstelling voor haar zou kunnen opbrengen, en terecht.

'Het is niet zo dat ik je nooit meer wil zien,' zou hij tegen haar zeggen, 'maar ik denk dat het beter is als we elkaar een tijdje niet meer zien. Tott jij wat meer interesse in mij toont.'

Hij slikte. Het papier van de bos fresia's werd klam in zijn hand. Hij realiseerde zich dat zijn moeder trots op hem zou zijn als ze wist wat hij nu ging doen. Ze zou zeggen dat het moedig was om je principes te tonen. Het vervelende was alleen, dacht Oliver terwijl hij vanaf de overkant naar Judy's flat stond te kijken, dat ze de plank dan helemaal missloeg. Hij was niet moedig en hij had geen principes.

Zoe stond in de slaapkamer die eens van Caro was geweest en keek om zich heen. Ze had op aanraden van Dilys gehoorzaam een stofdoek meegenomen, en op Debbie's advies, een vochtige lap. Ze had ze beide op de vensterbank neergelegd. Toen was ze naar het voeteneinde van Caro's bed gelopen, zo'n beetje in het midden van de kamer en probeerde de sfeer te proeven. Het was niet zo'n interessante of onthullende plek als het kerkhof, bedacht ze. Ze was hier gekomen als experiment, om te kijken of ze hier iets bepaalds zou voelen. Een paar dagen geleden had ze Dilys in Joe's kamer gevonden en Dilys had haar gezegd dat ze daar elke dag even naar binnen ging, alleen maar voor zichzelf, om even te kijken. Zoe vroeg zich af of andere mensen die iemand hadden verloren, ook hun slaapkamers binnengingen juist omdat het zulke intieme plaatsen waren. Misschien was dat wel de reden waarom in veel gevallen slaapkamers na een overlijden nooit werden veranderd, zodat de fragiele herinnering die daar bleef hangen, niet als een spinrag zou worden weggeveegd.

'Waarom gebruik jij Caro's kamer niet?' had ze aan Robin gevraagd.

Hij zat met zijn leesbril op geconcentreerd in een blad van de zuivelindustrie te lezen. 'Te kort geleden.'

'Bedoel je voor jou te kort geleden? Kun je haar aanwezigheid daar nog voelen?'

Hij legde zijn blad neer. Zoe zag een foto van een geel kalf met een witte vlek op zijn kop die zijn nek aan een hek stond te schrapen.

'Nee, ik bedoel, te kort geleden voor haar,' zei Robin. 'Het is zo lang haar kamer geweest.'

'Maar ze is nu toch dood?'

Hij keek haar over zijn bril heen even vluchtig aan en pakte zijn blad weer op. 'Dat hoeft niet te betekenen dat er een einde aan bepaalde dingen is gekomen.'

'Natuurlijk wel,' zei Zoe. 'Als we het over de overledene hebben.'

'Kijk,' zei Robin. 'Ik wil helemaal niets met die kamer doen. Ik wil er niet eens aan denken, ik heb genoeg andere dingen aan mijn hoofd.'

Zoe begon de afwas op elkaar te stapelen.

'Boerderij-dingen...'

'Ja.'

'Maar geen mensen-dingen.'

'Als het even niet hoeft.'

'Waarom niet?'

'Omdat,' zei hij en zijn stem klonk verdrietig, 'omdat er zo ontzettend

veel is dat ik toch niet kan veranderen. Helemaal uit het verleden niet.'
Het verleden zat al jaren in deze slaapkamer, jaar in, jaar uit, al vanaf de dag dat Caro niet meer in Robins slaapkamer had geslapen en Judy nog maar drie was. Dat had hij haar heel eerlijk verteld. Twintig jaar aparte slaapkamers, bijna net zo lang als Zoe oud was. Zoe greep het voeteneinde beet. Waaraan had Caro gedacht als ze hier lag? Had ze aan Robin gedacht in die andere slaapkamer? Robin die haar besluit had geaccepteerd omdat hij geen keus had, maar ook omdat hij, zeker in de eerste jaren, heel veel van haar had gehouden. Maar van wie en waarvan had zij nu gehouden, echt gehouden? Van Judy misschien, en van deze kamer met die Amerikaanse quilt en het idee dat als je eenmaal werd begraven dat niemand dat stukje aarde van je af kon nemen? Zeker niet van Robin, niet echt. Robin bleek niet de persoon te zijn waar ze van kon houden, ook al had ze het waarschijnlijk wel geprobeerd. Er waren veel mensen in Zoe's leven waar zij geprobeerd had van te houden, en wat ze toch niet had gekund. Alleen maar willen was niet goed genoeg. Er moest iets anders zijn, een of andere band, of een vonk of zo, iets dat je echt geïnteresseerd in elkaar hield. Wat zij nu met Robin had en, tenminste daar ging ze vanuit, Robin met haar. Ze liep naar het raam en pakte haar stofdoek en het aanrechtdoekje. Velma had gezegd dat ze Caro's kamer eens per week een kleine beurt gaf, duidelijk met de bedoeling dat Zoe daarmee zou doorgaan. Maar had het zin om een kamer waar nooit iemand kwam en waar Robin niet eens over wilde denken, een beurt te geven? Absoluut niet, dacht Zoe. Dat had absoluut geen zin. Ze deed een paar danspassen op de weg naar de deur en zwaaide met de doekjes in haar handen. Robin had gezegd dat je het verleden nu eenmaal niet kon veranderen, dat betekende dus logischerwijs dat je dat verleden dan maar moest laten voor wat het was. Ze maakte op de drempel nog een pirouette en zwaaide met de doekjes richting bed.
'Tot ziens,' zei ze. 'Dag,' en knalde de deur achter haar in het slot.

'We moeten het onder ogen zien,' zei Dilys. 'Waar of niet?'
Harry ontweek haar blik. Hij stond met zijn rug tegen de oude esdoorn geleund die aan het einde van het veld stond dat Joe met koolzaad had ingezaaid en dronk de thee die Dilys hem net had gebracht. Ze had hem al in jaren geen thee meer gebracht, ze had al in geen jaren meer dat lange stuk naar het einde van de akker gelopen. Hij kon nu net het dak van haar auto in de zon zien glinsteren, met erachter velden en velden

vol gerst en erwten, helemaal tot aan het punt waar Dean Place Farm in Tideswell overging en waar je in de verte Robin bezig kon zien met het inkuilen van veevoeder. Dit jaar had hij het alleen met hulp van Gareth gedaan, dag in, dag uit. Alle vorige jaren had Joe hem daarbij geholpen, net als Robin hen altijd tijdens de oogsttijd hielp.

'We moeten maar eens ophouden met net te doen alsof, vind je niet?' Ze zat een stukje van hem af op een grote kei die uit de heg leek te groeien. Een enorme steen die eruitzag alsof hij eens veel voor iemand had betekend. 'Zo kunnen we toch niet doorgaan?'

'We redden het wel,' zei Harry en nam weer een grote slok thee. 'Het gaat toch goed?'

Dilys boog zich voorover en sloeg wat grassprieten van haar rok. Ze zei rustig: 'Het gaat helemaal niet goed, dat weet je toch ook?'

Hij wachtte.

Ze zei: 'Over een maand of twee beginnen we tekorten te krijgen. Dan hebben we geen geld meer om de mannen en de rekeningen te betalen. We hebben nog nooit voor ingehuurde krachten hoeven te betalen.'

'Ze zijn voor niks goed, die jongens,' zei Harry. 'Ze kunnen helemaal niks en ze willen niet leren ook.'

'En wij,' zei Dilys, 'wij zijn te oud om nog andere dingen te leren.'

Hij keek haar vluchtig aan. Ze draaide de dop van de thermoskan weer los en zei: 'We moeten het dus wel onder ogen zien. We kunnen het maar beter toegeven dat als we willen doorgaan dat we nieuwe manieren moeten leren. Maar dat heeft dus geen zin, we kunnen het niet eens meer op de oude manier redden. Onze oude manier van leven bestaat niet meer. We houden onszelf voor de gek als we anders denken.' Ze hield hem de thermoskan voor en hij hield zwijgend zijn beker bij.

'Het was Joe die de boerderij draaiende hield,' zei Dilys. 'Meer dan we ooit hebben geweten. Hij stopte nooit met werken, hij heeft zijn leven ervoor gegeven. Zonder hem kunnen we het niet redden. Kunnen we niet eens beginnen te denken om het te redden.'

Harry nam een slok. Koppig zei hij: 'Robin is er toch ook nog.'

'Dat is niet hetzelfde,' zei Dilys, 'en dat weet jij ook. Die heeft toch zijn eigen bedrijf met zijn eigen moeilijkheden? Hij is fantastisch voor ons geweest sinds Joe's ongeluk, maar hij kan ook geen ijzer met handen breken. Hij kan niet meer dan één persoon tegelijk zijn en niet meer dan vierentwintig uur per dag werken.'

Harry zette zijn beker op de grond. Hij voelde iets zwaars en donkers in hem groeien en hij was bang.

'Toen ik uit de oorlog terugkwam,' zei hij, 'dacht ik dat ik nooit meer iets naars hoefde mee te maken. Ik dacht dat ik narigheden genoeg had meegemaakt. Genoeg voor een heel leven.'
Dilys legde haar handen naast zich op de grote kei.
'We moeten de boerderij opgeven.'
Harry zei niets.
'Ik wilde niet degene zijn die dat moest zeggen, maar iemand moet het zeggen. We kunnen het niet meer aan. We zijn te oud en we kunnen het niet meer opbrengen. Bovendien hebben we niets aan Lindsay. We kunnen dat gewoon niet van haar vragen, noch iets van haar verwachten. Maar als ze het niet kan of wil, is er geen enkele andere uitweg.'
De stilte die toen viel duurde lang. Harry stond naar het uitzicht te staren dat hij zo goed kende dat hij het wel blindelings kon uittekenen, hij kende elk plekje, elke boom en elke heg. Hij wist ook dat het geen bijzonder mooi landschap was, niet zoals die prachtige landerijen in Hertfordshire, die hij en Dilys eens op een korte vakantietrip hadden gezien. Maar het was het land waar hij elke dag met zijn handen in had gewerkt, en dat zo vertrouwd voor hem was als hijzelf, als zijn eigen lichaam voor hem was. Het woord 'onteigend' drong zijn hersens binnen en bleef daar zitten. Hij sloot zijn ogen.
'Waar moeten we dan naartoe?' vroeg hij.
Hij hoorde haar zuchten.
'Naar Stretton misschien. Een of andere bungalow in Stretton.'

Debbie zat onder het kopje 'Personeel gevraagd' de advertentiepagina van de *Farmers Weekly* na te pluizen tot haar oog op de volgende advertentie viel: 'Gevraagd veeknecht voor 70-koppig veebedrijf. Huis aanwezig. Mid-Surrey' Eronder stond er nog een. 'Attractief salaris plus een 4-kamer huis met c.v. aangeboden voor ervaren veeknecht voor bedrijf met 160 Friese/Holsteiners, Essex'. Ze omcirkelde ze allebei en vond toen een derde die ervaring vroeg in het trimmen van hoeven. Gareth zou op alledrie kunnen schrijven. Hij was ervaren genoeg, kon alles doen wat ze vroegen, en nog veel meer. Een van de voordelen van Tideswell was wel al die ervaring die Gareth er had opgedaan. Hij had er ontzettend veel geleerd.
Maar nu was hij uitgeleerd. Vanaf nu hoefde hij niet meer voor Robin Meredith te werken; hij had zijn loyaliteit lang genoeg bewezen in de tijd toen Caro ziek was en na haar overlijden en daarna, na Joe's overlijden. Trouwens hij was toevallig geen familie, hij werkte hier alleen

maar en er was nu eenmaal een grens aan loyaliteit die je kon opbrengen. Debbie dacht, als we hier nog langer blijven, komen we hier nooit meer weg; dan zou hij zich nooit meer kunnen opwerken in een groter bedrijf, in een beter bedrijf met moderne technieken. Dan bleef hij voor de rest van zijn leven op Tideswell zitten en zij, Debbie, en de kinderen met hem. Alleen maar door zijn koppigheid en gebrek aan ondernemingslust.

Debbie stond van de keukentafel op en vulde de electrische ketel. Ze was ermee gestopt Gareth te smeken om het voor haar bestwil te doen, ze had allang door dat dat niet hielp. Hij had gezegd dat ze moest ophouden met haar angsten en bijgelovigheid omdat hij dat haatte. Als hij zag dat ze de horoscoop in de krant zat te lezen trok hij die uit haar handen. Dus had ze haar tactiek veranderd. Ze had niet meer over haar angsten gesproken, maar had het alleen nog maar over zijn toekomst gehad en daarmee ook de toekomst van Rebecca, Kevin en Eddie. Ze zei dat de baan op Tideswell typisch een baan voor een vrijgezel was, voor een beginner en niet voor een ervaren kracht en vader van drie kinderen. Ze sprak bewust niet over de onzekere toekomst van de beide Meredith-boerderijen, noch over Lindsay's vertrek naar Stretton en al helemaal niet over Zoe.

Ze hoorde de achterdeur op de speciale manier van Eddie opengaan en zag hem de keuken binnenkomen.

'Zo,' zei Debbie.

Eddie legde een stijve envelop met aan een kant karton, op de tafel.

'Wat heb je daar?'

'Foto's,' zei Eddie. Hij zag eruit als een hippie met die opgerolde zakdoek om zijn hoofd.

'Wat voor foto's?'

'Foto's van mij,' zei Eddie. 'Die Zoe heeft genomen.'

Hij schudde enkele zwartwit foto's uit de envelop. Debbie tuurde ernaar.

'Heeft ze die aan jou gegeven?'

'Ja.'

'Moet ik die betalen?'

'Kweenie,' zei Eddie, 'ze gaf ze gewoon aan me.'

Hij klom op de stoel en leunde hijgend over het opengeslagen weekblad.

'Jemig,' zei hij triomfantelijk, 'jij hebt in dat boek gekrast, je weet toch dat dat niet mag.'

'Het is geen boek,' zei Debbie, 'het is een weekblad.' Ze pakte een van de foto's op. Eddie, halverwege op een hek, keek over zijn schouder heen recht in de camera. Het was een goede foto, het was hem precies. Als Zoe hem niet had genomen zou Debbie er blij mee zijn geweest.
'Ik denk niet dat je die foto's had moeten aanpakken.'
Eddie luisterde niet. Hij had Debbie's viltstift genomen en zat rondjes om advertenties te tekenen.
'Ik zal aan papa vragen of hij ze terug wil geven. Hij kan ze meteen morgenochtend mee terugnemen.'
Eddie kraste er lustig op los. Hij zat te grinniken.
Debbie sloeg de viltstift uit zijn hand.
'Klein rotjong. Waar ben je trouwens de hele middag geweest?'
'Nergens.'
'Het is tijd dat je weer naar school gaat,' zei Debbie. 'Tijd dat je weer eens wat discipline krijgt. Tijd...' Ze stopte. Eddie zat naar haar te staren. Ze had iets over zich dat suggereerde dat hij ergens in betrokken zou worden, hij zou wel eens willen weten wat dat was. Hij bleef haar aan zitten staren en wachtte tot ze haar zin zou afmaken.
Debbie gooide haar hoofd naar achteren. Wat maakte het ook eigenlijk uit? Tenslotte was Eddie nog maar net vijf en hoe dan ook zou het haar opluchten om het hardop te zeggen. En hij zou er toch niet veel van snappen.
'Tijd dat we hier allemaal weggaan,' zei ze.

Robin was vreselijk moe. Toen hij zijn schouders en rug tegen de rugleuning van de stoel in de Land Rover uitrekte, kon hij ze protesterend horen kraken, zo stijf waren ze geworden van het dag in, dag uit maaien met een machine die vijf jaar geleden al aan vernieuwing toe was. Toen hij er tegen zonsondergang mee ophield, had hij Gareth naar huis gestuurd en was zelf voor een douche en een kop thee naar binnen gegaan. Daarna had hij tegen Zoe gezegd dat hij naar Dean Place Farm ging om te kijken hoe de zaken er daar voor stonden.
'Goed,' zei ze. Dat zei ze op alles. Soms was ze er niet als hij 's avonds thuiskwam, maar meestal wel. Dan zat ze aan de keukentafel te tekenen of was op haar eigen nonchalante manier bezig met het huishouden. Maar ze leek nooit op hem te zitten wachten, ze was er gewoon en ging door met haar eigen leven, tot er toevallig een reden was om iets samen te doen. De laatste tijd was ze erg handig geworden, ze kon goed zowel met de tractor als met de melkmachine overweg. Robin liet haar alleen

niet in de buurt van het voeder komen. Niemand, buiten Robin, mocht daaraan komen, zelfs Gareth niet. Er hing te veel vanaf.
Hij draaide het contactsleuteltje van de Land Rover om. Hij zag Dilys tegen het licht van haar keukenraam naar hem staan zwaaien. Ze had nog nooit naar hem gezwaaid en alleen daaraan kon je al zien hoe veranderd ze was. Ze was helemaal een stuk zachter geworden en het maakte hem zenuwachtig om te zien hoe afhankelijk ze van hem werd, alsof ze zelf geen ruggegraat meer had. Precies zoals Lindsay. En terwijl Robin de auto het erf afreed bedacht hij dat hij momenteel absoluut geen mensen meer kon velen die zich zo onafhankelijk opstelden.
Maar toen hij met hen onder het harde licht aan de keukentafel had gezeten, moest hij zichzelf bekennen dat zijn ouders wel degelijk afhankelijk van hem waren geworden. Dilys had hem langzaam, alsof ze het uit haar hoofd had geleerd, verteld, dat ze hadden besloten om het boerenbedrijf aan de kant te doen. Ze konden het niet meer aan met z'n tweeën en ze konden geen gehuurde krachten betalen. Zo gauw de eigenaar een nieuwe pachter had gevonden zouden ze weggaan, warschijnlijk vlugger dan de overeengekomen zes maandelijkse opzegtermijn. Ze waren van plan om in Stretton rond te gaan kijken of ze iets met een beetje tuin, zodat Harry zijn eigen groenten zou kunnen verbouwen, zouden kunnen vinden. Misschien dat Lindsay's vader hen daarbij zou kunnen helpen.
'Ik had nooit gedacht,' zei Harry, 'dat ik dit ooit zou meemaken.'
'Nee.'
'Ik heb altijd gedacht dat ik hier in mijn eigen bed zou doodgaan.'
'Nou, Harry,' zei Dilys, maar er had geen terechtwijzing haar stem geklonken.
En zo gaan we maar door, dacht Robin vermoeid. We gaan door omdat we gewoon geen keus hebben, het is het enige wat we kunnen doen. Je kon nergens meer op rekenen, je kon nergens meer vanuit gaan, niets is meer zeker, zoals het vroeger altijd had geleken. Over een paar maanden zijn onze levens totaal veranderd, ma en pa weg, Lindsay weg en ik als enige nog hier en bezig met wat het ook is waarmee ik bezig ben. Vroeger wist ik dat zo precies, maar ja, dat is een eeuwigheid geleden.
Hij draaide de Land Rover door het hek het erf van Tideswell op. Hij zag dansende kleine motten in het licht van zijn koplampen. Het licht in de keuken was aan en ook in de badkamer op de eerste verdieping. Hij herinnerde zich met een pijnlijke steek hoe het was, om al die maanden na Caro's dood, thuis te komen en het donkere huis te zien. Toen

alleen de huiskat hem kalm en zwijgzaam zat op te wachten. Hij klom met stijve bewegingen uit de auto, sloeg de deur dicht en bleef er even tegen staan leunen om zichzelf weer in de hand te krijgen. Toen liep hij langzaam op de achterdeur af en liet zichzelf binnen.
Zoe stond met een beker in twee handen, naast de oven.
'Dag,' zei ze. Ze glimlachte. Ze gebaarde met een hand naar de tafel waar een onbekende Gareth zat in een vrijetijds-hemd en met zijn natte haar netjes in een scheiding gekamd. Hij was opgestaan toen Robin binnenkwam.
'Hij wacht hier al bijna een uur op je,' zei Zoe. 'Ik dacht dat je veel eerder thuis zou zijn.'
Robin keek naar Gareth.
'Sorr,.' zei Gareth. 'Sorry dat ik zomaar en zo laat op de avond ben komen binnen vallen. Maar ik vroeg me af...' Hij stopte en zei toen moeilijk, 'ik vroeg me af of ik je even kan spreken?'

17

'Nee,' zei Hughie.
Lindsay legde haar hand op zijn schouder.
'Ga nu liggen, Hughie. Toe nou. Je moet nu echt gaan slapen.'
Hughie bewoog zich niet. Hij zat, met zijn baseballpet op, stijf rechtop in bed in het kleine slaapkamertje bij zijn oma. Vandaag hadden ze hem mee genomen naar een plek waar hij helemaal niet wilde zijn en ze hadden hem verteld dat dit nu zijn nieuwe kamertje was. Hij had gezegd, nee, hij wilde geen nieuw kamertje; hij had al een kamer, de kamer waar zijn zitzak en zijn eigen bed stonden. En waar hij vanmiddag met oma Sylvia was geweest, hadden ze hem zijn nieuwe kamertje laten zien en dat kon zijn kamertje helemaal niet zijn want Rose zou daar ook moeten slapen. Dat moest wel, zei mama, want er was nog maar een andere slaapkamer en die had zij nodig. Hij snapte wel waarom zij Rose niet in haar slaapkamer wilde hebben, maar hij snapte niet waarom hij dan wel samen met Rose moest slapen. Dat wilde hij niet. Hij ging daar niet slapen en hij ging ook niet samen met Rose slapen. Hij wilde nooit meer slapen; hij wilde dat ze hem naar zijn eigen slaapkamer terugbrachten.
'Nee,' zei hij weer.
'Alsjeblieft,' fluisterde Lindsay. Ze durfde niet hardop te praten voor het geval haar ouders haar zouden horen en weer hun conclusies zouden trekken. Haar moeder had altijd al gezegd dat ze Rose niet aankon en nu begon ze opmerkingen te maken dat ze Hughie ook niet meer in de hand had. Ze zei dat ze best wist dat het moeilijk moest zijn om twee kinderen alleen groot te brengen, maar dat het niet onmogelijk was.
'Als ik naast je kom liggen,' zei Lindsay, 'ga jij dan ook liggen?'
'Nee,' zei Hughie en klemde Zeehond dicht tegen zich aan.
'Maar als je niet slaapt word je heel moe...'
'Wil in eigen bedje slapen,' zei Hughie alsof hij weer een baby was.
'Dat kan niet.'
Hughie gaf geen antwoord. Als Lindsay zulke stomme dingen ging zeggen. net zoals toen papa wegging, wilde hij niet meer praten. Hij had geleerd om niets meer te zeggen en alleen maar af te wachten. Daar was hij heel goed in geworden. Oom Robin had zelf tegen hem gezegd dat

hij moest wachten, dan kwam het allemaal weer vanzelf goed. En dat had hij ook gedaan, totdat Lindsay hem in de auto zette en hem in een opgewekte stem, die hij helemaal niet vertrouwde, vertelde dat ze weer naar oma gingen. Hij wilde helemaal niet naar oma Sylvia terug, hij wilde naar geen enkele oma. Hij wilde niet meer van het ene huis naar het andere gebracht worden alsof hij een pakje was. Hij wilde niet meer doen wat zij zeiden dat hij moest doen. Als Rose iets niet wilde, brulde ze keihard. Maar Hughie brulde niet, hij deed trouwens niets dat Rose deed. Hij was trouwens helemaal niet van plan iets te doen en zeker niet op plaatsen waar hij niet wilde zijn. Hij keek even snel naar zijn linkerschouder waar Lindsay's hand nog steeds lag. Hij kon haar ring zien met de blauwe safieren, en die andere, die gouden ring waarvan ze zei dat je die kreeg als je ging trouwen. Hughie vroeg zich even af van wie je die ring dan kreeg en toen boog hij zo vlug als de bliksem zijn hoofd, en beet hij Lindsay zo hard als hij kon in haar hand.

Bronwen had zich verloofd. De hele redactieafdeling bevond zich in een opgewonden staat en ze stonden allemaal om haar heen om haar ring – parels en granaatjes in een Victoriaanse zetting – te bewonderen en dronken witte wijn uit papieren bekertjes.
'Hij wilde tot onze vakantie wachten om me te vragen,' zei Bronwen, 'maar dat hield hij niet vol. Hij zei dat hij niet zo lang kon wachten. Dus gaan we al vóór ons trouwen op huwelijksreis en daarna ook nog een keertje.'
'Geniet er nu maar van,' zei de hoofdredactrice. 'Dit is de mooiste tijd van je leven, geniet er maar van voordat de realiteit weer toeslaat.'
Tessa hield Judy in de gaten. Ze had gezien dat Judy, net zoals de anderen Bronwens ring had bewonderd en er nu, met haar bekertje wijn in de hand, ook heel normaal uitzag. Maar Tessa wist ook dat Oliver haar nooit meer belde. Om Judy na haar moeders overlijden te troosten was moeizaam, onhandig en soms bijna onmogelijk geweest, maar om haar bij te staan nadat ze Oliver was kwijtgeraakt was iets anders, dat was bekend terrein voor Tessa. Hoeveel keren zij niet aan de kant was gezet... Ze hield Judy nauwlettend in de gaten en besloot om een zusterlijk, wat-kan-het-je-schelen-gesprek met haar te hebben zo gauw ze merkte dat Bronwens triomfantelijk gedoe te veel voor Judy zou blijken. Tessa had trouwens ook weer een nieuwe vriend, ze kenden elkaar pas drie weken en het ging fantastisch, helemaal als je bedacht dat hij een stuk jonger was dan zij en al een beetje kaal werd. Maar vóór hem was

ze bijna tien maanden zonder geweest en de herinnering daaraan maakte dat Tessa echt haar best wilde doen om vriendelijk voor Judy te zijn. Ze tikte Judy op haar arm.
'Gaat het een beetje?'
Judy keek haar vluchtig aan en knikte. Ze zag er goed uit, dacht Tessa, helemaal nu ze haar haar liet groeien. Ze had dramatisch haar, dik en glanzend, niet het soort haar dat je gauw in een bob zou laten knippen, maar juist liet groeien zodat het er een beetje wild uitzag.
'Ik vroeg me af...'
'Het is oké.'
'Wil je erover praten?'
Judy nam een slok van haar papieren beker.
'Er is niet zoveel om over te praten. Ik weet niet eens of ik wel verliefd op hem was. Ik vond hem aardig. Iedereen vindt hem trouwens aardig, maar hij was niet... nou, ja, hij was niet erg...'
'Hartstochtelijk,' zei Tessa. 'Niet je grote vlam.'
'Nee.'
'Maar ja, niemand wil natuurlijk aan de kant gezet worden.'
Judy zei, zichzelf verbazend: 'Hij heeft dat wel op een hele aardige manier gedaan. Toch gek, maar ik was er eigenlijk niet zo verbaasd over.'
'Maar je moet je toch wel verdrietig voelen? Ik bedoel, je moet je wel...'
Judy gaf haar een snelle glimlach.
'Sorry, maar nu moet ik je teleurstellen. Ik voel me helemaal niet verdrietig. In ieder geval niet erg.'
Tessa zei, om zoveel mogelijk winst uit haar liefdewerk te halen: 'En dat allemaal zo snel nadat je moeder is...'
Judy pakte een pen uit haar beker en begon hem op haar vinger te balanceren.
'Oliver was daar erg goed in, weet je. Hij heeft me aan het praten gekregen. Over haar, bedoel ik. Hij heeft het voor elkaar gekregen dat ik haar als een persoon ben gaan bekijken en niet alleen als mijn moeder.' Ze liet de pen vallen. 'Hij heeft me over een heleboel dingen aan het denken gezet.'
'Zou je hem niet willen vermoorden?' vroeg Tessa. 'Heb je niet de neiging om zijn auto kapot te maken, of zijn carrière te ruïneren of de kruizen uit zijn broeken te knippen?'
'Nee, gek hè? Dat zou je normaal wel denken, maar die neiging heb ik helemaal niet. Er zijn wel een paar mensen die ik wil vermoorden, maar Oliver niet.'

Tessa keek nadrukkelijk de kamer rond.
'Als we nu eens met deze mensen beginnen...'
Judy zei: 'Ik vraag me af of ik nog wel wil blijven.'
'Wat?'
'Ik weet het nog niet zeker, maar ik denk er wel over na. Ik vraag me werkelijk af wat ik hier doe, weet je. Ik heb echt geen idee wat ik hier doe.'
Tessa kneep haar lege bekertje in een prop.
'Nou ja, het is in ieder geval een baan, toch? Het betaalt goed, de werkcondities zijn goed. Oké, de mensen die hier werken zijn klootzakken, maar wat kun je verwachten bij zo'n blaadje als dit. En jij bent echt goed in je werk. Ik zou dat niet zo gauw willen toegeven, maar je bent beter dan Bronwen of ik. Jij hebt veel meer ideeën.'
'De meeste zijn zinloos,' zei Judy. 'Ik heb het gevoel dat dit hele blad zinloos is.'
Tessa gooide met een zelfverzekerde zwaai haar fijngeknepen bekertje precies in Judy's prullenbak.
'Vertel me nu niet dat je ineens een sociaal geweten hebt gekregen. Voor je het weet ben je een Greenpeace-activiste...'
'Nee, dat wil ik niet,' zei Judy. 'Maar hier blijven wil ik ook eigenlijk niet. Ik wil geen leven meer dat alleen maar een tijdpassering is.'
Tessa begon zich te vervelen. Iemand met een gebroken hart was interessant genoeg om mee te praten, maar een 'wat-doe-ik-met-mijn-leven' gesprek verveelde haar uitermate. Ze onderdrukte een geeuw.
'Nou ik hoor het wel van je als je weet wat je gaat doen.' Ze liep naar het bureau van Bronwen en ging op een hoek zitten en mengde zich weer in de conversatie met het groepje dat daar nog steeds stond, door Bronwen te vragen of ze van plan was om na haar huwelijk de naam van haar echtgenoot te gaan gebruiken.

Een klein aannemersbedrijf dat Roy Walsh goed kende, had Lindsay voor de verbouwing van de benedenverdieping tot schoonheidssalon, een offerte gestuurd. Er was genoeg ruimte voor een receptie, twee behandelkamertjes, een toilet en een ruimte voor een zonnebank. Volgens Roy Walsh waren de kosten voor de verbouwing zeer redelijk. Waar het meeste geld in zou gaan zitten was de installatie: de zonnebank, de verstelbare behandeltafels, de elektrische toestellen, apparatuur om af te slanken, enzovoort. Roy wilde dat Lindsay samen met hem om de tafel zou gaan zitten om alles uit te werken en een voorlo-

pige kostenplanning te maken; om te zien of het de moeite waard zou zijn een meisje aan te nemen die de telefoon kon aannemen, koffie zou zetten en kon manicuren. Maar Lindsay leek te aarzelen. Ze leek wel in te stemmen met het meeste dat hij voorstelde, maar op zo'n manier dat je dat nauwelijks enthousiast kon noemen.
'Het is nog vroeg dag,' zei Sylvia tegen hem. 'Veel te vroeg voor haar om zich nu al over dat soort zaken druk te maken. En ze maakt zich zorgen om de kinderen.'
Roy en Sylvia maakten zich trouwens ook zorgen om de kinderen. Ze vonden Rose meer op een jongen dan op een meisje lijken en bovendien een hele lastige, lawaaiige en niet erg leuke baby. En Hughie... nou ja, Lindsay had voor hen niet willen weten dat ze door hem was gebeten, maar ze konden het niet helpen dat ze het hadden gehoord. Ze hadden het haar horen uitschreeuwen van pijn en toen ze naar boven waren gerend had hij het weer geprobeerd. Niet alleen bedplassen, nu ook nog bijten. Natuurlijk had hij zijn vader verloren, arm kind, maar hij was pas drie en kon dat vast nog niet begrijpen. Ze waren ervan overtuigd dat Hughie alleen maar reageerde op de onzekere houding van Lindsay. Zij maakte dat hij zich onveilig ging voelen, je kon duidelijk zien dat zij hem zenuwachtig maakte. Hoe vlugger ze allemaal boven de salon zouden wonen, hoe beter het was want alleen op die manier kregen de kinderen weer een normaal ritme in hun leven, iets dat ze echt nodig hadden.
'Ik zal haar nu maar eens onder druk gaan zetten om te tekenen,' zei Roy. 'Ze zal me wel harteloos vinden, maar ik zet dat toch maar door. Tenslotte is het voor haar eigen bestwil. Ze moet haar toekomst nu maar eens onder ogen zien en het is tenslotte niet alsof ze straatarm is, wat dat betreft mag ze haar handen wel dichtknijpen.'
Zijn stem had ongeduldig geklonken. Sylvia kende hem zo goed, ze kon zich nog precies herinneren hoe opgelucht ze zich beiden hadden gevoeld toen Lindsay hen had verteld dat ze met Joe ging trouwen. Het was niet zo dat ze niet van Lindsay hielden, of medelijden met haar hadden, maar ze vonden dat ze ver voorbij dat deel van opvoeden waren gekomen en dat de tijd was aangebroken om, met hun drie kinderen keurig onder een eigen dak, nu eindelijk eens te kunnen doen waar zij zin in hadden. Iets waar ze vroeger, door de zaak en de kleine kinderen, nooit aan toe waren gekomen. Sylvia had een lentevakantie naar de bollenvelden in Holland in haar hoofd en Roy had visspullen gekocht en sprak erover om lid van de plaatselijke golfclub te worden. Maar met

Lindsay in Stretton konden ze weer, in ieder geval tijdens de eerste tijd, op haar kinderen gaan passen. Natuurlijk zouden ze dat doen en ook met liefde, maar ze konden niet helpen dat ze er aldoor aan moesten denken dat ze het zo niet hadden gepland.
'Vind je ook niet dat ik haar een beetje onder druk moet zetten?' vroeg Roy. 'Het is niet wat ik wil, maar het is echt voor haar eigen bestwil. Ik moet zorgen dat ze dat contract tekent, zodat we met er z'n allen eindelijk eens onze schouders onder kunnen zetten.'

Zoe parkeerde de tractor onder het afdakje van ijzeren golfplaten waar hij altijd stond. Ze was er heel behendig mee geworden en ze zag dat de mannen van de graafmachine die waren ingehuurd om een nieuwe smurriekuil te graven, waren opgehouden met werken en naar haar stonden te kijken. Ze besloot onmiddellijk een klein showtje voor hen te op te voeren, zoals een meisje op haar circuspaard. Het gaf haar een kick om heel goed te zijn geworden in iets waar ze een half jaar geleden nauwelijks iets vanaf wist en helemaal omdat ze nog niet eens auto kon rijden. Maar camera's en tractors... nou, daar kon ze goed mee overweg.
Ze liep terug naar huis en begon zich grondig aan de keukengootsteen te wassen. Velma haatte het als Robin of Gareth zich, nadat ze met de koeien waren beziggeweest, aan de keukengootsteen stonden te wassen, maar Velma was er niet meer om haar sympathieën en antipathieën kenbaar te maken en Zoe vond het prima om, net als de mannen, de gootsteen niet alleen voor de afwas maar ook voor de handen en gezichten te gebruiken. Ze rook aan haar handen om er zeker van te zijn dat ze het laatste luchtje koe had weggewassen. Ze roken naar afwasmiddel. Toen trok ze haar spijkerbroek en T-shirt uit – het had geen zin om eerst naar boven te gaan om je uit te kleden als je de vuile kleren dan toch weer mee naar beneden moest nemen – en gooide ze in de hoek waar het vuile wasgoed zich al aardig opstapelde.
Boven, in haar slaapkamer, waar ze nog steeds haar kleren had hangen, pakte ze een schone, zwarte spijkerbroek en een schoon grijs T-shirt. Ze bekeek zichzelf in de spiegel van de kast en vond dat ze er anders uitzag, niet zo mager meer en ongezond, veel minder alsof ze lang in een vochtige, donkere ruimte had doorgebracht. Ze was niet echt dikker geworden want haar kleren pasten nog precies, maar de trekken van haar gezicht en lichaam waren minder scherp dan vroeger, gladder ook en ze had sproetjes op haar neus en wangen gekregen. Vroeger haatte ze haar sproeten, maar nu haar gezicht niet meer zo groenig wit was

zagen ze er best leuk uit. Ze wreef een beetje lipgloss op haar lippen en spoot een beetje eau de cologne voor mannen in haar hals en liep toen weer naar beneden en het erf op.
Het huis van Gareth lag zo'n driehonderd meter verderop aan de andere kant van een groot veld dat met maïs was bepland. Precies door het midden liep een smal pad waar Gareth elke dag een keer of zes overheen fietste of liep. Zoe kon de afdrukken van zijn schoenen en fietsbanden in de aarde zien en als ze iets omhoog keek zag ze roodstenen voorkant van het huis met zijn glanzend schone ramen en de enorme televisieschotel aan de zijkant. Het was een onzettend lelijk huis. Zoe had Robin gevraagd, als hij dan toch zelf een huis bouwde, waarom hij in hemelsnaam zo'n lelijk huis had gebouwd. Robin was lichtelijk verbaasd geweest.
'Lelijk?'
'Ja. Ontzettend. De kleur, de afmetingen, de omgeving, echt alles.'
'Maar het voldoet precies aan wat ik ervan verlang,' zei Robin.
Net zoals zijn auto, dacht Zoe, en zijn kleren en die zielige verwaarloosde tuin waar de rozen die Caro had geplant zo ongeveer aan het onkruid ten onder gingen. Dingen moesten aan iets voldoen, ze moesten functioneel zijn om te mogen blijven; als er iets moois aan was, was dat per ongeluk.
Zoe liep van het maïsveld de kleine tuin in die Debbie om haar huis had aangelegd. Er liep een pad van lichtgekleurd natuursteen naar het huis en overal stonden potten met petunia's en goudsbloemen. Ze zag dat er ook verschillende stukken van Eddie's arsenaal lagen: plastic geweertjes, een wapenschild en iets dat op een raket leek. Gareth had haar verteld dat Kevin nooit belangstelling voor oorlogstuig had gehad, maar dat je Eddie er niet vanaf kon houden.
Zoe liep voorbij de nooit gebruikte voordeur met het kanten gordijn achter het glas, naar de achterkant van het huis. De keukendeur stond wijd open en er stond een emmer met een dweil in de ingang en er hing een mat te luchten. Zoe stak haar hoofd naar binnen.
'Debbie?'
Ze hoorde niets, maar bleef nog even wachten. Na een minuutje verscheen Debbie ineens vanuit de zitkamer in de keuken. Ze zag er netjes uit in haar rose mouwloze truitje en kort spijkerrokje. Ze staarde naar Zoe.
'Wat kom jij hier doen?'
'Ik kom voor jou.'

'Waarom?'
'Ik wil je iets vragen.'
Debbie stapte een stukje verder de keuken in en leunde met haar handen op de rug van een stoel.
'Dan kun je maar beter binnenkomen.'
'Nee, dat hoeft niet, ik sta hier goed.'
Debbie haalde haar schouders op. Ze trok het elastiekje in haar paardestaart wat strakker, toen streek ze haar rok recht.
'En?'
'Het gaat over Gareth.'
'Wat is er dan met Gareth?' vroeg Debbie scherp.
Zoe leunde tegen de deurpost aan en stak haar handen in de zakken van haar jeans.
'Hij heeft vanochtend opgezegd...'
'Wat heb jij daarmee te maken?'
'Niets. Maar het is slecht voor Robin. Op dit moment gaat het helemaal niet goed met Robin; ik snap het niet allemaal, maar ik weet dat het met geld heeft te maken en zijn ouders en het vertrek van Lindsay en de beide bedrijven. En nu komt dat van Gareth daar nog bovenop.'
'Gareth moet aan zichzelf denken,' zei Debbie snel. 'Gareth heeft verantwoordelijkheden, hij heeft nu eenmaal een gezin...'
Zoe nam haar even nauwkeurig op. Toen vroeg ze: 'Wilde jíj dat hij wegging?'
'Nee.'
'Ik vroeg me dat even af,' zei Zoe. Ze leunde een beetje naar voren alsof ze de neuzen van haar hoge schoenen inspecteerde.
'Het wordt een keer tijd dat hij een betere baan krijgt,' zei Debbie. 'Tijd om verder te gaan.'
Zoe keek haar niet aan. 'Maar waarom juist nu?'
Debbie zweeg. Haar ogen bleven op de twee enveloppen op de keukentafel rusten. De eerste twee sollicitaties van Gareth.
'Als ik zou weggaan,' zei Zoe, met haar ogen inmiddels weer op Debbie gericht, 'zou Gareth dan wel blijven? Ik bedoel, een beetje langer, tot Robin het allemaal weer op een rijtje heeft?'
Debbie keek verbaast naar Zoe.
'Dat weet ik niet...'
'Ik dacht dat dat er misschien wel mee te maken had, zie je,' zei Zoe. 'Ik dacht dat het met mij te maken had. Zoiets als de laatste strohalm.'
'Nee,' zei Debbie. 'Ja.'

'Maar zou Gareth dan op zijn beslissing willen terugkomen?'
Debbie staarde naar de brieven en kneep hard in de stoelleuning.
'Nee, dat doet hij niet.'
'En jij wil het ook niet?'
'Nee,' zei Debbie, 'daar is het nu te laat voor.' Haar ogen schoten naar Zoe. 'Er is nu eenmaal een grens aan wat je voor anderen kunt doen.'
'Vertel mij wat,' zei Zoe. 'Dat weet ik ook wel. Maar het komt op dit moment juist zo slecht uit...'
'Het komt ons allemaal slecht uit,' schreeuwde Debbie. 'En het is al heel, heel lang slecht geweest, al maanden en maanden voordat jij hier kwam!'
Zoe ging rechtop staan.
'Ja.'
Ineens liep Debbie naar het aanrecht en pakte een grote enveloppe die achter het broodrooster stond geschoven.
'Hier.'
'Wat is dat?'
'Dat zijn die foto's. Die foto's die je van Eddie hebt gemaakt. Die hoeven wij niet...'
'Maar ze zijn van hem,' zei Zoe. 'Hij mag ze hebben. Niemand anders heeft er toch wat aan?'
'We willen ze niet,' zei Debbie.
Zoe pakte de envelop aan. Langzaam zei ze: 'Waarom heb je zo de pest aan mij?'
Debbie gaf geen antwoord.
'Is het de seks?'
Debbie maakte een klein handgebaar.
'Daar moet je je maar niet druk om maken,' zei Zoe. 'Daar kun jij geen last van hebben, jij krijgt er geen ander leven door.'
Debbie sloot haar ogen.
'Nou, veel geluk dan maar,' zei Zoe.
Ze draaide zich om en Debbie hoorde haar het pad aflopen, langs de potten met bloemen en de plastic geweertjes, richting maïsveld. Ze deed haar ogen weer open en moest weer naar de brieven op tafel kijken. Ze pakte ze van de tafel; ze had tegen Gareth gezegd dat zij ze wel zou posten.
'Zoals je wilt,' had Gareth gezegd.
Ze liep weer naar de zitkamer terug met de brieven nog in haar hand. Ze kon Zoe door het grote raam door het maïsveld zien lopen. Ze vroeg

zich af of ze Gareth zou vertellen dat Zoe was geweest, hoe ze het verhaal bij zou kleuren en het op een bepaalde manier zou vertellen om haar reactie te rechtvaardigen. Toen bedacht dat ze het misschien wel helemaal niet aan Gareth zou vertellen.

'Morgenochtend,' zei Lindsay. 'Ik moet er eerst een nachtje over slapen.'
Haar vader zuchtte.
'Het is morgenochtend nog precies hetzelfde verhaal...'
'Ik wil nu nog niets beslissen,' zei Lindsay. 'Ik ben nu doodmoe.'
Roy keek even vluchtig naar zijn vrouw. Ze zat in haar gewone leunstoel te borduren. Ze was er al een jaar mee bezig en Roy begreep zelf niet waarom hij er zo door werd geïrriteerd. Maar het was wel een feit.
'Help me eens, schat.'
Sylvia duwde haar naald in en uit de stof en zei zonder op te kijken: 'Lindsay, we willen je alleen maar helpen. Je vader doet het niet voor zichzelf hoor, hij heeft dat allemaal alleen voor jou gedaan.'
'Dat weet ik.'
'Je bent niet goed bezig als je het tekenen van dat contract alsmaar uitsteld. Het moet nu eenmaal vanwege de zaak op jouw naam staan, maar als ik voor je mocht tekenen, had ik het gedaan, maar dat kan juist niet.'
Lindsay stond op en zei kwaad: 'Ik zéí toch dat ik dat morgenochtend doe.' Ze keek ze woedend aan. 'Ik ben geen kind!'
Stilte.
Roy zette zijn leesbril áf en legde hem op het ongetekende contract. Hij zei: 'Gedraag je dan ook niet als een kind.'
'Door te doen wat jij zegt?'
Hij keek weer even naar Sylvia, maar ze was te geconcentreerd bezig en keek niet op.
'Nee, niet bepaald,' zei hij vermoeid. 'Maar door een beslissing te nemen. We kwamen alleen maar met dit plan aandragen omdat jij helemaal niets deed.'
'Nog niet,' zei Lindsay giftig. 'Nóg niet. Joe is pas zes weken dood. Zes weken! Waarom zou iemand iets moeten beslissen als haar man pas zes weken dood is?'
Sylvia vouwde haar borduurwerk op. 'Het is helemaal niet nodig je zo op te winden, lieverd.'
'Ik ben opgewonden,' zei Lindsay. En kwaad. Natuurlijk ben ik kwaad! Ik gedraag me in jullie ogen waarschijnlijk al jaren en jaren opgewonden. Maar dat wéét ik niet en het kan me ook niet schelen. Maar soms

weet ik wel dat ik iets niet kan doen, ik weet dat ik dat contract niet kan tekenen. In ieder geval niet vanavond.'
Sylvia stond op zonder Lindsay aan te kijken.
'Dan doen we het morgenochtend.'
'Maar,' zei Roy, 'het moet voor morgenochtend getekend worden.'
Lindsay stond naar hen beiden te kijken. Ze opende haar mond om iets te zeggen maar sloot hem toen weer. In plaats daarvan liep ze naar de deur en opende hem.
'Welterusten,' zei ze.
Ze wachtten tot ze iets zou zeggen, haar excuses aan zou bieden, maar dat deed ze niet.
'Slaap lekker, schat,' zei Sylvia.
Boven lag Hughie tegen vier kussens aangepropt. Het was zijn compromis voor het niet willen liggen. Lindsay wist dat Sylvia het daar helemaal niet mee eens was, maar het kon haar niets schelen. Het kon haar ook niets schelen dat Hughie haar had gebeten. Ze was geschrokken, dat wel, maar het had haar niet echt pijn gedaan, en zeker haar gevoelens niet. Toen Sylvia en Roy ineens die kamer waren binnengestormd had ze zelfs iets van bewondering voor Hughie gevoeld.
Ze ging naast hem op het bed zitten. Hij lag daar zo onzettend ongemakkelijk, hij was half van de door hem zelf gemaakte kussentoren afgegleden en zijn baseballpet zat scheef op zijn hoofd. De enige tijd dat ze wist dat hij niet gespannen was, of bang voor van alles, was als hij sliep.
Waarom was hij zo bang voor alles, of deed hij alsof? Als ze nu zo naar hem zat te kijken en ze Joe's trekken in hem zag, vroeg ze zich af of hij wel kon doen alsof. Ze geloofde het niet. Als hij ergens bang voor was, zou hij wel een goede reden hebben. Lindsay had dan wel Joe's schimmen niet willen zien, maar ze zou Hughie's angsten serieus nemen. Hughie was haar kind en op dit moment totaal van haar afhankelijk en op dit moment zo dwars tegen haar omdat hij gewoon moest overleven. Hij deed niet moeilijk, hij was gewoon eerlijk. Het leek wel alsof hij op zijn eigen kinderlijke manier haar wilde laten zien dat wat ze op het punt stond te doen, zowel voor hem als voor haar helemaal fout was. Hij hield van haar. Zo jong als hij was, wist Lindsay dat niemand ooit zoveel van haar had gehouden als Hughie deed, en hoewel hij zich daar later, als hij een teenager zou zijn, vast een tijdje voor zou schamen, ze zou nooit de intensiteit ervan vergeten noch het volkomen vertrouwen dat hij in haar had. Ze pakte zijn voetje in haar hand. Ze wist dat ze bij

Joe op een bepaalde manier tekort was geschoten. Dat was nooit haar bedoeling geweest en ze had alles wel willen geven als het niet was gebeurd. Maar hoe het ook kwam, ze was tekortgeschoten omdat ze hem niet kon bereiken. Maar Hughie kon ze nog wel bereiken. Ze kon hem bereiken omdat hij dat toestond; haar binnenliet op een manier die Joe nooit had gekund. Ze moest dus zorgen dat hij haar kon vertrouwen, zodat hij ook als hij volwassen was, altijd mensen zou binnenlaten en niet zoals Joe aan de rand van zo'n fatale isolatie zou leven. Ze moest dat morgenochtend, wat ze ook zou beslissen, absoluut niet vergeten. Ze had nu nog de kans om voor Hughie niet tekort te schieten, helemaal nu, omdat hij haar zo nodig had en die kans moest ze grijpen.

Ze hadden de hele avond nog geen woord gezegd. Robin was laat thuisgekomen en hij was moe en zweterig geweest en had meteen een douche genomen. Toen hij weer naar beneden was gekomen had hij even met zijn hand door haar haar gewoeld alsof zij een hond was waar hij gek op was maar niet mee hoefde te praten. Ze zette een kop soep met een paar boterhammen voor hem op tafel en terwijl hij zat te eten, keek hij de hele stapel papieren door die zij de hele week voor hem had verzameld. De stapel bestond voor het merendeel uit rekeningen. En voor bedragen die voor Zoe onbegrijpelijk hoog leken, bovendien voor dingen die er al niet meer waren of opgebruikt waren, zoals voeder, bezoeken van de dierenarts, medicijnen en voor reparaties aan de machines. Robin bekeek stug de ene na de andere rekening. Zoe zat een tijdje naar hem te kijken, maar ging toen televisie zitten kijken. Ze zette het geluid af zodat de mensen spraken zonder geluid te maken en erals vissen in een kom uitzagen. Zoe voelde zich rot over Robin, maar er was niets dat zij kon doen, niet in dit departement. Ze had vanmiddag iets proberen te doen en dat was mislukt en juist mislukt, omdat ze Robin wel in dat andere departement kon helpen. Het vervelende was dat dat iedereen in het verkeerde keelgat was geschoten.
'Koffie?' vroeg ze.
Hij schudde zijn hoofd. Ze stond op en pakte zijn bord en soepkom en zette ze in de gootsteen. Het was nog een beetje licht buiten en ze zag de maan als een harde scherpe sikkel hoog in de lucht hangen. Ze bleef er even naar staan kijken. Ineens merkte ze dat er ergens anders ook nog licht vandaan kwam, een licht dat bewoog. Het was een auto, een auto die langzaam reed alsof hij de weg niet zo goed kende. Ze bleef staan kijken tot de auto het erf opreed en stopte. Er zat iemand achterin.

'Een taxi!' zei Zoe.
Achter haar zat Robin iets op een papiertje uit te rekenen en bromde alleen wat. Zoe boog zich over het aanrecht heen om beter naar buiten te kunnen kijken. Er stapte een meisje uit de taxi, een lang meisje in zwart gekleed, die zich voorover boog om haar weekendtas uit de auto te halen.
'Robin,' zei Zoe, en haar stem bibberde een beetje. 'Judy is er.'

18

Harry dacht, alles is dit jaar aan de late kant. Hij stond over de velden met koolzaad te turen en zag dat ze nog nauwelijks in bloei stonden. Veel te veel regen in de lente en nu weer veel te droog. De laatste tijd had er een harde, warme wind, die alles uitdroogde, gewaaid. Hij leunde met zijn armen op het oude houten hek dat toegang tot het veld gaf en voelde de papieren in zijn zak ritselen. Hij had gezegd dat hij ernaar zou kijken. Dat had hij Dilys beloofd.
'Als ik alleen ben,' zei hij. 'Daar buiten in het veld. Ik kan ze niet lezen met jou in de buurt.'
De papieren beschreven twee verschillende bungalows in Stretton, die Dilys uit een blad dat haar door een makelaar was toegezonden, had gekozen. Op het eerste gezicht leken ze precies op elkaar, volgens Harry leken trouwens alle bungalows precies op elkaar. Hij gaf er geen donder om waar hij zou gaan wonen als hij hier niet meer kon wonen. Dan was het hem allemaal om 't even. Hij had het gevoel dat zijn leven voorgoed was afgelopen als hij Dean Place Farm zou verlaten en daarom had hij ook nog steeds niet schriftelijk opgezegd. Het gaf hem het gevoel dat hij zijn eigen executie zou ondertekenen. Dilys noemde hem koppig. Dat zou dan wel waar zijn maar het was meer dan dat alleen. Hij geloofde heilig dat hij inmiddels al zoveel had verloren dat niemand van hem mocht verwachten dat hij nog meer zou verliezen. En zeker niet die laatste jaren van zijn vrijheid.
Hij trok de papieren uit zijn zak en vouwde ze langzaam open. Otterdal Close nr. 67 en The Lindens, Beech Way, nr. 20. 'Mooiere tuin' had Dilys bij een geschreven en 'serre en grotere keuken' bij de andere. Wat maakte hem dat uit! Hij zou wel eens willen weten wat hij met een tuin aan moest. En keukens waren zaken van Dilys, net zoals serres. Serres! Hij had al moeite met dat gekke woord. Hij vouwde de papieren een beetje onhandig op en stak ze weer in zijn zak. Dilys moest maar beslissen. Het kon hem niet schelen, haar waarschijnlijk ook niet echt. Maar zij moest toch maar beslissen zodat hij daar later over kon ruziemaken.
Hij klom weer op de tractor en reed piepend en ratelend het smalle pad af naar huis. Die tractor was net een chagrijnige ouwe knol, elk gewricht

stijf en krakend, vol met allerlei pijntjes en koppig als een ezel, maar wel vertrouwd. Hij had er nooit aan willen denken om die tractor voor een nieuwe in te ruilen. Nou ja, dat maakte verder ook niet meer uit, dat hoefde nu niet meer. Hij zou samen met hem aan de kant worden gezet. Hij zou die tractor wel met hem mee willen nemen. Hij zou tegen Dilys willen zeggen: 'Oké, Otterdale Close nr. 67 dan maar, zolang er maar genoeg ruimte voor mijn tractor is. Hij had Dilys beloofd om haar zijn antwoord tegen etenstijd te geven, maar een beetje opgewonden door het idee van de tractor, besloot hij haar het meteen te vertellen.
Er stond een auto op het erf en hij zag tot zijn verbazing dat het Lindsay's auto was. Hij dacht dat zij in Stretton zou zijn, druk bezig met haar schoonheidssalon die haar ouders voor haar hadden gekocht. Harry kon niet met haar ouders opschieten. Het waren best aardige mensen, maar niet zijn soort. Hij was maar een keer, en toen nog op aandrang van Dilys, bij hen thuis geweest. Het was tijdens de verloving van Joe met Lindsay geweest en hij had nog nooit in zijn leven een kamer zo vol rotzooi gezien. Kleine ditjes en datjes op elk beschikbaar plaatsje. Dilys had hem in een stoel geplant en gezegd dat hij zich niet mocht bewegen, of anders... Ze was als de dood geweest dat hij iets zou breken.
'Nou, nou,' zei Harry toen hij de keuken instapte. 'Wat een verrassing.'
Lindsay zat met Rose op haar knie aan de keukentafel. Rose was met veel gesnurf een stuk brooddeeg van Dilys op de tafel aan het kneden. Lindsay had haar haar in een paardestaart gebonden en zag er daardoor heel anders uit, ouder en een beetje alerter. Aan de andere kant van de tafel zat Hughie grote H's met een rood potlood op een oude zaadcatalogus te tekenen.
'Hallo,' zei Lindsay. Ze glimlachte naar Harry, maar een beetje verlegen, zoals vroeger toen Joe haar voor het eerst mee naar huis had genomen.
'Fijn om je weer eens te zien, lieverd,' zei Harry. Hij boog zich over Hughie. 'Kus voor opa?'
Hughie hield gewillig zijn gezichtje op.
'Mmm,' zei Rose vanaf de andere kant, vragend om attentie. 'Mmm, mmm, mmm.'
Harry liep naar haar toe.
'Ne,' zei ze en draaide zich van hem af. 'Ne, ne!'
'Rose. O, Rose.'
'Laat haar maar.'
'Ze doet zo afschuwelijk. Mijn ouders...'

Dilys zette twee glazen sap voor de kinderen neer.
'Geeft niet, lieverd.'
Hughie trok het glas naar zich toe en begon er uit te drinken terwijl het nog op tafel stond. Hij hield Lindsay over de rand heen in de gaten.
'Ik, ik ben behoorlijk uit de gratie,' zei Lindsay tegen Harry. 'Ik vertelde Dilys net...'
Harry liet zich in zijn eigen stoel zakken.
'Bij wie uit de gratie?'
'Bij mijn ouders.'
Harry wachtte. Rose sloeg met haar mollige handjes plat op het deeg.
'Ik wilde het contract niet tekenen,' zei Lindsay. 'Van dat pand in Stretton.'
'Misschien,' zei Harry, die geen idee had waar dit allemaal naar toe zou leiden, 'misschien was het geen goed pand?'
'Nee, daar gaat het niet om. Het zou nooit het goede pand zijn, weet je. Het hele idee was verkeerd. Het hele idee om naar Stretton te gaan.'
'Tja,' zei Harry, denkend aan de bungalows.
Hughie duwde heel voorzichtig en stil het glas weer van zich af. Dilys was naast hem gaan zitten en hij voelde dat zij ook stil was; heel stil. Alleen Rose maakte lawaai met haar deeg.
'Ik ben van gedachten veranderd,' zei Lindsay. Ze keek naar de achterkant van Rose's krullenkopje en naar haar stevige lijfje in haar tuinbroek. 'Ik ben van gedachten veranderd en ik ga niet meer naar Stretton terug.' Ze keek even snel naar Dilys. 'Ik blijf hier.'
'Zo,' zei Harry.
'Ik wil proberen of ik het bedrijf gaande kan houden. Net zoals Joe deed.
Dilys en Harry wisselden een blik.
Dilys zei vriendelijk tegen haar: 'Maar je weet er helemaal niets vanaf, lieverd. Je hebt je er nooit voor geïnteresseerd. Je hebt zelfs geen idee waar te beginnen.'
Lindsay gaf geen antwoord maar staarde nog steeds naar de krullen van Rose.
'Het is niet leuk meer tegenwoordig om een landbouwbedrijf te leiden,' zei Harry. Toen Lindsay sprak was er even een waanzinnige hoop in hem opgekomen, maar hij wist dat het een krankzinnige hoop was. Lindsay in het landbouwbedrijf! Een meisje dat Dean Place Farm wilde leiden? Een stadse met zachte stadse manieren die nog nooit in haar leven iets voor zichzelf had kunnen doen? Hij vond het heel lief van haar dat ze het voorstelde, maar hij moest het idee uit haar hoofd pra-

ten. 'Het is niet meer zoals het was. Het is tegenwoordig meer en meer papierwerk en je moet je met subsidies bezighouden. Je kunt geen voedsel om te eten meer verbouwen zoals eerst.'
Lindsay keek naar Hughie aan de andere kant van de tafel.
'Ik zou een manager kunnen aanstellen. Voor de eerste paar jaar bijvoorbeeld, terwijl ik leer wat er te leren valt.'
'Maar zo'n man moet je betalen.'
'Dat weet ik.'
'Waarvan betaal je die man dan?'
Lindsay haalde diep adem. 'Als ik hier zou komen wonen, kan ik kamerbewoners nemen. Of mensen voor vakantie in huis nemen. Familievakanties. Dat kan toch?'
Harry hoorde Dilys haar adem inhouden.
'Hier wonen...'
'Ja,' zei Lindsay. 'Hier. Jullie gaan toch naar Stretton? Jullie kopen toch een bungalow?'
Harry sloot zijn ogen.
'Dat jij nu hier wilt wonen.'
'Ik bezit nu de meeste aandelen,' zei Lindsay. 'En jullie wilden toch al verhuizen.'
'We willen de huur opzeggen,' zei Dilys. Haar stem klonk zacht, alsof ze niet meer wist hoe die te gebruiken.
'Maar dat kunnen jullie helemaal niet,' zei Lindsay. 'Niet zonder mijn toestemming. Ik heb bepaalde dingen besloten en daarom ben ik hier. Om het jullie te vertellen.' Ze keek naar Dilys. 'Ik dacht dat jij daar juist blij mee zou zijn.'
Dilys knikte sprakeloos.
'Verbijsterd,' zei Harry.
'Mensen kunnen leren,' zei Lindsay. Ze klonk heel overtuigend. 'Waar of niet? Er gebeurt van alles in een leven en van alles leer je wel iets, niet omdat je dat bepaald zou willen maar het gaat vanzelf. Dat is met mij ook gebeurd. Misschien lukt het me helemaal niet, maar ik ga het wel proberen.'
'Waarom?' vroeg Dilys ineens. 'Voor wie in godsnaam?'
Lindsay zei met haar ogen op Hughie: 'Dat hoef jij niet te weten. Dat hoeven wij alleen te weten.'
'En onze aandelen?'
'Willen jullie die niet houden? Of, als je dat niet wilt, ze aan iemand anders verkopen?'

Dilys leunde over de tafel naar Harry.
'Zég het dan tegen haar,' zei ze dwingend tegen hem. 'Vertel haar dat ze dat niet kan doen. Zeg tegen haar dat het haar nooit zal lukken.'
Hij keek haar even onderzoekend aan en keek toen lang en stil naar Hughie. Toen naar Rose, die nu door de gaatjes die ze met een vinger had gemaakt door het deeg zat te kijken.
'Sorry,' zei Harry.
'Wat bedoel je met je sorry?'
'Dat kan ik niet doen,' zei Harry. 'Dat kan ik haar niet vertellen.'
'En waarom dan niet?'
'Omdat,' zei hij en hij sloot zijn ogen om de goede woorden te vinden, 'omdat ik geen reden kan bedenken dat ze het mis zou kunnen hebben.'

Vanuit de tuin van Tideswell kon Judy, hoog boven de heg uit, het rode haar van Zoe zien die op de tractor bezig was. Judy had nog nooit in haar leven op een tractor gezeten. En dat dat had ze ook nooit gewild, al helemaal niet toen ze hier nog woonde. Ze vroeg zich af of Zoe dit expres voor haar deed om haar te laten zien hoe goed ze was. Als dat zo was, was het wel het enige snoeven dat ze deed want voor de rest sinds Judy's komst, had Zoe zich onzettend op de achtergrond gehouden. De eerste avond toen Judy vol verontwaardiging over de overloop liep was Zoe, volledig aangekleed, uit Robins slaapkamer gekomen, langs Judy gelopen en zonder een woord te zeggen haar eigen slaapkamer binnengegaan. Ze had de deur achter zich gesloten en Judy gefrustreerd en lamgeslagen en zwijgend op de overloop laten staan. Ze had daar heel lang gestaan terwijl er binnenin haar langzaam een furie van haar meester begon te maken; ze wilde een scène veroorzaken maar wist dat er op dit moment totaal geen aanleiding toe was. Zoe had haar lamgeslagen. Judy was teruggekomen dus had Zoe zich uit haar vaders slaapkamer teruggetrokken en Judy met lege handen laten staan.
Judy boog zich over de rozen en trok er een hele kluit hardnekkig woekerkruid tussenuit. Het kwam heel gemakkelijk los in een warwinkel van spinachtige witte worteltjes, zelfverzekerd in de overtuiging dat er nog veel meer tussen de rozen bleef zitten dan Judy er ooit zou kunnen uittrekken. Judy overdacht de situatie met Zoe. Je kon haar nooit te pakken nemen, je kreeg het nooit voor elkaar dat ze zich schuldig ging voelen. Als ze haar ermee zou confronteren, zou ze zeggen dat ze er niemand kwaad mee deed en zich verder gewoon in haar eigen wereld terugtrekken. Natuurlijk deed ze er niemand kwaad mee, behalve Judy

dan en dat sproot voort uit Judy's eigen fantasie.
'Ik haat het hier,' had Judy tegen Zoe gezegd. 'Ik kom hier dus ook nooit.' Maar Zoe had het er heerlijk gevonden en ze had dus ook nooit iets van Judy afgenomen. Tenminste, tot nu toe. Judy trok woest nog een kluitje onkruid weg. Nu was alles anders geworden, en zo anders dat Judy niet wist hoe ze met deze nieuwe situatie om moest gaan.
Ze wist al om te beginnen niet hoe ze zich tegenover Robin moest opstellen. Hij was verrast geweest toen hij haar had gezien, vriendelijk, maar op een soort vermoeide manier. Geen wonder, had ze in haar boosheid gedacht, hij weet niet hoe hij zich moet houden omdat ik weet dat hij met Zoe slaapt. Maar ze kreeg al snel door dat hij zich daarover niet in 't minst opgelaten voelde, net zoals Zoe trouwens. Hij was moe van haar, Judy, omdat hij nooit wist hoe hij met haar moest omgaan. Zelfs niet toen ze nog een baby was. Ze had hem haar hele leven doorlopend duidelijk gemaakt dat alles wat hij deed, fout was. Hij zat nu ook weer duidelijk op haar terechtwijzingen te wachten. Maar voor de eerste keer in haar leven voelde ze iets van respect voor hem en kreeg ze helemaal geen gevoel om hem terecht te wijzen. Ze maakte zichzelf wijs dat dat de schuld van Zoe was, maar ze wist dat dat niet waar was. Ze wist dat de verandering niet bij Robin of Zoe zat, maar bij haarzelf.
Ze bukte zich om de grote hoop uitgetrokken onkruid in de kruiwagen te gooien. Het was bewolkt, maar erg warm en benauwd. Ze reed de kruiwagen naar de plek waar Caro ooit een composthoop had gemaakt, dumpte haar lading en liep naar de keuken om een glas water te drinken. Robin zat in de keuken met de nagel van zijn duim post open te scheuren.
'O...'
Hij keek op.
'Wat?'
'Ik dacht dat je weg was...'
'Dat was ik ook en ik ga zo weer. Maakt dat wat uit?'
'Nee,' zei Judy en voelde dat ze begon te blozen. 'Nee, natuurlijk niet.'
Hij zei niets. Ze liep naar de gootsteen en vulde een glas met water.
'Pap...?'
'Ja?'
'Mag ik je wat vragen?'
'Natuurlijk.'
Ze draaide zich om en stond met een druipend glas water in een hand en met de andere hand iets in haar broekzak te zoeken.

'Ik was in de kamer van mam. Ik weet eigenlijk niet waarom maar ik heb in de kasten en laden enzo gekeken...'
Robin zat naar haar te kijken, de half opengescheurde envelop in zijn hand.
'En ik heb dit gevonden.'
Ze stak een verkleurd, dun kartonnen omslagje naar hem uit. 'Weet je wat dit is?'
'Ja, een vliegbiljet,' zei Robin.
'Ja, maar waar was dat dan voor?'
'Het is het retourgedeelte van het biljet dat ze in 1971 had gekregen.'
'Dat ze nooit heeft gebruikt...'
'Nee.'
'Maar wist je dat ze dat nog steeds had?'
Hij aarzelde. Toen legde hij de envelop neer.
'Ja.'
'Heb je ook in haar laden gekeken?'
'Nee, maar ze heeft het me laten zien.' Hij stopte even en vervolgde toen rustig. 'Heel vaak.'
'Heel vaak?'
'Judy,' zei Robin, 'ik wil geen ruzie met je krijgen maar de waarheid is dat ze me dat biljet – dat vliegbiljet – een paar keer per jaar liet zien.'
'Maar het was maar zes maanden geldig.'
'Dat weet ik.'
'Pap?' vroeg Judy, 'dreigde ze doorlopend bij je weg te gaan?'
Hij keek haar kort en ongelukkig aan, maar zei niets.
'Maar ze ging nooit...'
'Nee.'
'Ze hield van het idee.'
'Misschien,' zei Robin. 'Het maakt nu toch niet meer uit.'
Judy zei, bijna schreeuwend: 'Het maakt wel uit! Het maakt mij uit! Mij!'
'Waarom?' vroeg hij, op zijn hoede.
'Omdat ik haar helemaal niet echt gekend heb. Ik kende alleen stukjes van haar die ze me toestond!'
Hij boog zijn hoofd.
'Ze kon hier maar niet wennen,' zei Robin, 'maar ze kon ook niet meer terug. Misschien gaf dat vliegbiljet haar de illusie dat ze dat wel kon.'
'O, pap...'
'Het is oké,' zei Robin.
'Maar ze heeft je al die tijd getergd...'

'Niet getergd.'
'Werd je er niet gek van?'
Hij begon zijn post weer door te kijken.
'Ik wende eraan.'
Judy gooide het vliegbiljet in de richting van de prullenbak en ging dichter bij Robin staan. Ze stak haar hand uit en raakte voorzichtig zijn mouw aan.
'Pap,' zei ze, en wist dat haar stem nauwelijks boven gefluister uitkwam. 'Pap, het spijt me zo. Het spijt me zo!'

'Heb je nu je zin?' vroeg Gareth. Hij staarde lang en hard naar Debbie. 'Heb je het eindelijk voor elkaar gekregen?'
Debbie stond met de wasmand op haar heup. Ze was op weg naar de waslijn toen Gareth haar onderschepte. Hij had een brief in zijn hand die hij nu woest bovenop de natte T-shirts en sokken gooide. 'Lees. Vooruit, léés die brief.'
De brief kwam van vlakbij Melton Mowbray in Leicestershire. Gareth kreeg als gevolg van zijn sollicitatie een plaats aangeboden in een viermans-team dat vierhonderd koeien beheerde, allemaal in afgeschutte hokken, automatische schrapers en automatisch voedermachines en een modern huis dichtbij het werk. 'We ontvangen uiteraard graag eerst twee schriftelijke referenties'.
'Je hebt nu ook al een modern huis,' zei Gareth. 'En ik ben zo'n beetje m'n eigen baas hier, geen onderdeel van een team. Maar als jij er nu op staat...'
Debbie knikte zwijgend. Gareth was bijna nooit kwaad en ze vond het afschuwelijk als hij dat een keer wel was, maar ze zou hierin geen haarbreed toegeven.
'Het is veel minder eenzaam als je in een team werkt...'
'Ik ben niet eenzaam,' zei Gareth.
Ze dumpte de wasmand op de grond.
'Jij bent niet alleen op de wereld.'
Gareth greep kwaad naar de brief.
'Kijk,' zei hij. 'Ik verdien daar verdomme geen cent meer.'
Koppig zei ze: 'Maar het is een veel groter bedrijf, veel technischer en veel moderner...'
'Je geeft het niet op, hè! Je hebt iets in je kop en dat gaat er niet meer uit.'
Ze beet op haar lip. Ze was vastbesloten. Haar eerdere instinctieve angst dat ze overstag zou gaan was resoluut verdwenen.

Gareth zei: 'Dus halen we de kinderen gewoon uit hun vertrouwde omgeving weg, van de school af waar ze zich thuis voelen...'
'Ze wennen wel weer,' zei Debbie. 'Net zoals wij.'
Gareth kwam vlak voor haar staan en duwde zijn gezicht bijna tegen het hare aan.
'Maar jij hebt het vuile werk niet hoeven opknappen, hè! Dat moest ik doen. Ik moest naar Robin met die leugens dat we het er samen over eens waren dat we weg wilden. Terwijl ik helemaal niet weg wil, maar jij. En ik moet een baan verlaten die me op het lijf is geschreven, waar ik me prettig bij voel en nu in dat verdomde Leicestershire opnieuw beginnen. Jij wil het zo, maar jij hoeft er verder niets voor te doen. Jij hobbelt gewoon mee.'
Debbie mompelde met gebogen hoofd: 'Ik doe het toch niet alleen voor mezelf.'
'Hoe durf je dat te zeggen? Hoe durf je dat tegen mij te zeggen?' Hij haalde diep adem. 'Iedereen zal denken dat we gek zijn,' zei hij. 'Gek! Voor je het weet is alles weer normaal hier. Ik had me nooit zo moeten laten opjutten.'
Ze gaf hem een scherpe blik.
'Wat bedoel je daarmee?'
'Lindsay is weer teruggekomen. Velma heeft haar gezien. En Judy is ook weer thuis.'
'Wat maakt dat nu voor verschil?'
'Omdat ik denk dat ze voorgoed zijn gekomen. Om hier te blijven.'
Debbie snoof.
'Laat me niet lachen. Wat kunnen die twee nu uitrichten? Van de hele familie zijn die twee de meest nutteloze mensen die ik ken en Robin en Judy kunnen trouwens helemaal niet met elkaar opschieten. Dat hebben ze nooit gekund.' Ze bukte zich om de wasmand weer te pakken. 'Het wordt een nog grotere chaos dan het al was, als die twee hier blijven. Let maar op mijn woorden.' Ze zweeg even en zei toen nadrukkelijk: 'En dan heb je ook nog die Zoe, waar of niet?'

Zoe zat rechtop in bed. Ze had een van Robins oude flanellen hemden zonder boord aan, die ze achter in een kast had gevonden toen ze een keer op zoek was naar een oude handdoek voor het verven van haar haar. Het was een enorm groot en versleten hemd en ze had de mouwen opgerold die nu als kussentjes om haar ellebogen zaten. Ze had haar schemerlamp op de grond gezet en de kamer kreeg daardoor vreemde,

spookachtige sfeer door vervormde afmetingen en door de vreemde lichtval en schaduwen op het plafond. Ze zat met een tekenblok op haar opgetrokken knieën en was met een zacht zwart potlood, bezig aan een tekening van de kop van een koe.
Het was ver na middernacht. De avond was moeizaam geweest, zoals trouwens elke avond nu Judy terug was. Zoe kreeg het gevoel als ze naar Judy keek, dat Judy op het punt van uitbarsten stond, dat ze een heleboel wilde vragen of vertellen, maar het toch niet deed. Zoe deed geen stap om haar te helpen. Tenminste, ze wilde geen stap doen voordat Judy zich met Robin in het reine had gebracht. Ze had geen idee hoelang dat zou gaan duren. Je kon Robin nu eenmaal niet haasten, je kon hem niet klemzetten met de mededeling dat je iets met hem wilde bespreken. Je moest wel wachten tot hij er klaar voor zou zijn. Hij deed Zoe op een bepaalde manier aan het weer denken, aan het juiste moment, net zoals de tijd van de maan enzo.'
Ze schoof iets op in bed en hoorde tegelijkertijd het zachte, bijna geheimzinnige gekraak van de planken op de overloop. Er liep iemand. Zoe hield haar adem in. Toen hoorde ze het klopje op haar deur.
'Kom binnen,' zei Zoe.
De deur werd zachtjes opengedaan en ze zag Robin in zijn blauwgestreepte pyjama, waar ze hem altijd mee pestte.
'Hi,' zei Zoe, 'ik dacht dat je Judy was.'
Robin sloot de deur zachtjes achter zich.
'Heeft ze nog iets tegen jou gezegd?'
'Nauwelijks,' zei Zoe. 'Hoewel ze het bijna niet meer in kan houden. Ik zit er gewoon op te wachten.'
Robin ging op de rand van haar bed zitten en nam Zoe onderzoekend op.
'Je ziet er uit als tien.'
'Mensen zeggen dat altijd, maar ik ben ouder dan jullie allemaal.'
Hij grinnikte.
'Dat weet ik.'
Ze legde haar tekenblok en potlood op de vloer naast de lamp. Toen kroop ze op zijn schoot en sloeg haar armen om zijn nek.
'Robin...'
'Ja,' zei hij, met haar dicht tegen zich aan.
'Robin, ik moet weer weg.'
Er viel even een stilte, toen zei hij: 'Ja, dat weet ik.'
'Ik heb daar nooit geheimzinnig over gedaan,' zei Zoe. 'Vanaf het begin

dat ik hier kwam wist ik dat ik ooit weer weg zou gaan. En dat wist jij ook.'
Hij hield haar stevig vast.
'Het was fijn,' zei Zoe. 'Maar het kan niet eeuwig duren.'
'Dat weet ik wel, maar ik wil niet dat het voorbij is.'
'Het is voorbij. Alles is veranderd. Het is door de komst van Judy veranderd.'
'Ze heeft haar baan opgezegd,' zei Robin met zijn gezicht in haar schouder.
'Ik dacht al dat ze dat zou doen. Het is een goed teken.'
'En ze heeft me een zoen gegeven.'
'Ja?'
'En gezegd dat het haar spijt, hoewel ik geen idee heb wat ze bedoelde.'
'Ze heeft spijt van alles,' zei Zoe.
'Ze heeft nog nooit in haar leven zoiets gezegd.'
'Misschien had ze daar nooit de behoefte toe.'
'Zoe,' zei Robin, terwijl hij haar hals begon te kussen, 'jij bent als een vakantie voor me geweest.'
'Wanneer heb jij het laatst zo'n vakantie gehad?'
'Nog nooit.'
'Ben je van plan om weer zo'n vakantie te nemen?'
'Misschien. Maar niet zo vlug. Voorlopig heb ik dat niet nodig.'
'Fijn.'
Hij legde zijn handen onder haar ellebogen en hield haar een stukje van zich af.
'Waar ga je naartoe?'
'Londen,' zei Zoe. 'Terug naar Londen.'
'Wat ga je daar doen?'
'Wat ik vroeger deed. En meer. Ik ben ook van plan om te gaan reizen. Ik ga foto's nemen van plaatsen en dingen waaraan ik tot nu toe alleen nog maar over heb gedacht.'
'Zwerven dus...'
'Nee,' zei Zoe. 'Dat niet. Dat heb ik inmiddels wel geleerd. Ik weet dat ik me nog niet kan vastleggen, maar ik weet ook dat ik niet wil gaan zwerven. Ik ga op zoek naar mensen die me nodig zullen hebben.'
'Bofkonten.'
Ze pakte hem zachtjes bij zijn oren beet.
'Gaat het vanaf nu bergopwaarts met je?'
Hij knikte.

'Ja, hoewel ik nog niet weet hoe, maar in ieder geval: ja.'
Ze ging, terwijl ze nog steeds zijn oren vasthield, tegen hem aanliggen en kuste hem.
'Ik heb het hier heerlijk gevonden,' zei Zoe. 'Echt heerlijk bij jou.'

Judy hoorde de deur van Robins kamer dichtgaan. En daarna stilte. Het hele huis was ineens zwaar van de stilte. Toen hij in Zoe's kamer was geweest dacht zij zacht gemurmel te kunnen horen, continu, zacht privé-gemurmel, maar ze was er niet zeker van. Misschien hadden ze wel... Hou ermee op, Judy, hield ze zichzelf voor. Daar heb jij niets mee te maken. Dat had Dilys pas nog tegen haar gezegd, recht in haar gezicht. Dat had haar wel verbaasd.
'Het is je vaders leven,' had Dilys gezegd, 'en jij bent geen kind meer. Je hebt het trouwens duidelijk gemaakt dat je niets met hem te maken wilde hebben, al vanaf dat je heel klein was en als je nu van gedachten bent veranderd en er zijn dingen die je niet bevallen, nou, dan is dat jouw probleem. In ieder geval niet het zijne.'
Judy was ontsteld geweest. Ze was naar Dean Place Farm gegaan om hen te vertellen dat ze haar baan in Londen had opgegeven en dat ze weer thuis wilde komen wonen. Ze had een welkom als voor een verloren dochter verwacht, maar ze waren er met hun gedachten niet bij geweest en hadden humeurig tegen haar gedaan. Ze hadden haar verteld dat het geen goed idee was, dat er voor haar hier niets te zoeken viel.
'Wij verhuizen ook,' zei Dilys. 'Wij verhuizen naar Stretton. Lindsay heeft ons verteld dat zij hier gaat wonen. Ze beweert dat zij het bedrijf gaat leiden. Ik weet niet wat je vader hiervan vindt.'
'Die zal er niet veel van vinden,' zei Judy hatelijk, 'die heeft het veel te druk met...'
Dilys had haar scherp aangekeken.
'Als je Zoe bedoelt...'
'Ja, die bedoel ik.'
'Er is helemaal niets mis met Zoe,' zei Dilys.
'Ze heeft hem helemaal veranderd...'
'Ze heeft hem zijn gevoel weer teruggegeven,' zei Dilys. 'Als je dat bedoelt.' Ze had toen kort en hard gelachen, alsof ze blafte, alsof ze de scherpte van hetgeen ze wilde zeggen, wilde afnemen. 'Gevoel,' zei ze, 'nou daar kunnen we hier allemaal wel een beetje meer van gebruiken.'
Judy draaide zich nu op haar zij. Ze had de gordijnen niet helemaal

dichtgedaan en ze kon nog net een stukje van de heldere nacht buiten zien, schemerig, niet echt donker. Daarbuiten lag het erf en stonden de koeien, sommige in de stal en de kalveren buiten in de wei vlakbij de boerderij en een beetje verderop stond het huis van Gareth. Misschien lag hij net zoals zij nu, over de toekomst na te denken, bang of hij wel de juiste keus had gemaakt, bang voor de verandering.

'Hij had geen enkele keus,' had Robin tegen haar gezegd. 'Hij wilde helemaal niet weg, maar Debbie stond erop. Dat heeft hij me nooit verteld, maar dat kon je zo zien. Hij wilde gewoon niet weg.'

Maar hij ging toch en oma en opa ook. En Lyndsay trok weg van de afhankelijkheid die ze haar hele leven had gehad. Weg van de mensen die altijd alles voor haar beslisten en ook weg van de sterke band met het verleden die haar net zo veel kwaad als goed had gedaan. Zoals ik, dacht Judy, zoals ik. Of tenminste, zoals ik het moet doen.

19

'Kom eens hier,' zei Lindsay.
Ze duwde de deur open en Hughie zag een grote kamer met veel ramen en een bed. Hij bleef er in de deuropening naar staan kijken. Er hingen veel foto's aan de muur, wel duizend, en er stond een gekke kast en er zoemde een bij tegen het raam. Hughie hield niet van bijen.
Lindsay liep voorbij Hughie de kamer in en begon er langzaam doorheen te wandelen. Soms bleef ze voor een foto staan kijken. Foto's met allemaal rijen mensen, dacht Hughie, een heleboel rijen achter elkaar, met de kleinste rij voorop, net zoals de foto van de crèche die met kerstmis van zijn speelgroepje was gemaakt. Hij hield Zeehond vast en bleef wachten.
Lindsay bleef maar naar de foto's kijken. Ze liep heel langzaam door de kamer en haar rok bewoog langzaam met haar mee. Hughie wist hoe het voelde als hij net zoals Rose in haar rokken zou gaan hangen, maar Rose liet vlekken achter. Rose maakte overal vlekken op. Haar handjes hadden altijd eerst ergens anders in gezeten.
'Kom hier eens kijken,' zei Lindsay.
Hughie liep langzaam naar haar toe.
'Leg Zeehond even weg.'
Hughie hield hem nog steviger vast.
'Nee,' zei Lindsay. 'Leg hem maar even neer. Ik wil je iets laten zien dat speciaal voor jongen is. Een echte jongen.'
Hughie aarzelde.
'Zeehond is voor als je naar bed gaat,' zei Lindsay. 'Niet om de hele dag mee rond te lopen. Er zijn vanaf nu andere dingen om de hele dag te doen.'
Hughie draaide zich om en begon naar de deur te lopen. Lindsay wachtte tot hij er bijna was en zei toen: 'Er hangt hier een foto van papa, ik denk dat hij hier iets groter is dan jij, maar niet veel. Hij heeft een cricket-slaghout in zijn hand.'
Hughie stopte, maar draaide zich niet om.
'Deze kamer was van papa toen hij klein was. En ook nog toen hij groter werd. Het was altijd zijn kamer. En papa staat op al deze foto's.'

Hughie draaide zich een kwartslag om en stond nu met zijn gezicht half naar haar toe.
'Als je wilt mag jij deze kamer nu hebben,' zei Lindsay. 'Helemaal alleen voor jou. Je mag alle foto's van papa hebben en je mag je eigen foto's hier ook ophangen. En je mag ook in zijn bed slapen.'
Hughie keek ernaar; het leek ontzettend hoog en het had zwarte poten en er lang een sprei over die op een rups leek.
'Of,' zei Lindsay, 'we kunnen ook jouw eigen bed hier neerzetten en dan zetten we dit bed wel ergens anders.'
'Haal die bij weg,' zei Hughie.
'Alsjeblieft, mama.'
'Alsjeblieft.'
Lindsey opende het raam en dreef de bij met haar hand naarbuiten.
'Zo, die is weg, hij was een beetje slaperig.' Ze keek naar Hughie, die een beetje op zijn benen stond te wiebelen alsof hij over iets nadacht.
'Vind je het een mooie kamer?'
Stilte.
'Ik slaap hiernaast, weet je. Ik slaap in de kamer van oma. Daar ga ik mijn bed neerzetten. En Rose krijgt de kamer naast de badkamer.'
Hughie liep naar de dichtsbijzijnde muur en keek omhoog. Er hinger vier foto's van mannen in sportkleding. Ze leken allemaal op elkaar. Hughie kon niet zien wie Joe was, maar hij was er wel bij, want hij was de beste. Naast de muur was een raam, een groot raam en zonder de tralies, die hij tot nu toe voor zijn raam had gehad. Het glas in het raam zag er heel schoon en leeg uit. Hij draaide zich om. Lindsay stond hem doodstil in de gaten te houden. Hij liep ineens vlug op het bed af en klom op de houten stoel die ernaast stond. Toen hij erop zat bleef hij even stil zitten en strekte toen zijn handje uit om Zeehond op het kussen te leggen. Toen klom hij er weer af en rende de kamer uit naar de overloop.

Zoe was aan het pakken. Haar kleine beetje kleren lag in stapeltjes op de vloer en ze zat ernaast gehurkt om de paar vergeten dingen uit haar rugzak te halen: sokken, een extra filmrolletje en een verlopen bustijden-foldertje. Toen begon ze alles in te pakken.
'O,' zei Judy. Ze stond met twee bekers koffie in de deuropening.
Zoe zakte een beetje achterover, op haar hielen. Ze vroeg zonder een spoortje wrok in haar stem: 'Was je van plan om me te vertellen dat ik moest verdwijnen?'

Judy slikte.
'Ja.'
'Nou, dat hoeft dus niet, want ik ga al uit mezelf.'
'Ik wilde je het niet vertellen, ik wilde je het vragen. Ik dacht...'
'Wat?'
'Ik dacht dat we gewoon niet zo met z'n allen in een huis zouden kunnen leven. Nu ik voorgoed ben teruggekomen.'
'Dat wist ik al voordat jij eraan dacht,' zei Zoe.
'Alsjeblieft,' zei Judy, 'doe nu eens niet een keer alsof je altijd alles beter weet.'
'Ik weet niet alles beter, ik ben alleen niet zo star.' Ze keek Judy aan. 'Wil je je vader nog wel als ik weg ben?'
'Doe niet zo stom...'
'Nee, geef nu eens antwoord?'
Judy zette de koffie op de kleine kast naast het bed. Ze probeerde niet kwaad te worden en zei voorzichtig: 'Er was een boel dat ik niet wist.'
'Je mag je verdomd gelukkig prijzen dat je een vader hebt,' zei Zoe. Ze pakte een stapeltje T{-shirts en stopte ze in haar rugzak. 'Feitelijk,' zei ze in een stem die ongewoon aangeslagen klonk, 'kun je je op alle gebied verdomde gelukkig prijzen. Je bent gewoon een verdomd verwend kreng.'
Judy liet zichzelf voorzichtig op het bed zakken.
'Ik heb nooit iets van jou afgenomen,' zei Zoe en haar stem klonk nog steeds aangeslagen. 'Ik had je al gezegd dat ik dat nooit zou doen en dat heb ik ook nooit gedaan. Maar dat betekende niet dat ik dat niet had gewild. De dingen die jij allemaal hebt. Dingen die ik nooit zal kunnen krijgen. Je kunt jezelf wel wijsmaken dat jij niets van dit alles wil hebben, dat je je hele familie niet ziet zitten, je kunt jezelf wel wijsmaken...' Ze stopte, draaide zich abrupt van Judy af en verborg haar gezicht in haar arm.
'Zoe...'
'Houd je kop,' zei Zoe. 'Maak het nu niet nog erger door te zeggen dat het allemaal wel goed komt.'
'Dat zeg ik ook niet,' zei Judy. 'Maar het spijt me...'
'Natuurlijk spijt het je, natuurlijk. Het was helemaal jouw bedoeling niet dat dit zou gebeuren. Noch mijn bedoeling, noch die van je vader.' Ze hervond haar balans en diepte uit haar zak een tissue op en snoot haar neus hard. 'Maar ja, het is nu eenmaal gebeurd en op naar het volgende.'

Judy boog zich naar haar toe,
'Heb je wel geld?'
'Nee,' zei Zoe, 'maar dat geeft niet. Ik geef niets om geld. Ik kom er wel op een of andere manier aan.'
'Je kunt de flat wel gebruiken,' zei Judy verlegen. 'Ik heb pas voor volgende maand opgezegd en de huur is deze hele maand betaald. Dus als je wilt kun je er nog een maand wonen. En... en de reigers zijn er nog en je quilt.'
Zoe veegde met een grijsT-shirt haar ogen af. 'Bedankt.'
'Je kunt ook wel wat geld van me lenen...'
Zoe schudde haar hoofd.
'Ik heb al wat van Robin geleend.'
Judy sloot haar ogen.
'Hou je van hem?'
'Misschien,' zei Zoe. 'Maar ik weet het niet. Ik heb geen maatstaf.'
'Nee.'
'Hij is goed voor me geweest en ik voor hem.'
'Ja.'
'En het is moeilijk om dat allemaal op te geven.' Ze keek naar Judy en haar gezicht was smal en weggetrokken. 'Maar dat is precies wat ik ga doen.'

Judy bood haar later aan om haar naar het busstation in Stretton te brengen maar ze zei dat het oké was, bedankt, en dat Gareth haar wegbracht. Robin leende Gareth de Land Rover omdat hij dan meteen verschillende boodschappen in Stretton kon meenemen als hij Zoe naar het busstation bracht. Als hij niet op tijd voor het melken terug zou zijn, zou Robin daar vast mee beginnen. Robin had toen even naar Judy gekeken alsof hij overwoog haar hulp in te roepen, maar had het daarbij gelaten. Judy was naar binnen gegaan om hen, zonder dat zij erbij zou staan, van elkaar afscheid te laten nemen.
Toen ze de Land Rover het erf af hoorde rijden liep ze Caro's kamer binnen om hem daar uit het raam na te kunnen kijken tot hij uit het zicht was verdwenen. Ze kreeg er geen opgelucht gevoel door, eerder pijn, omdat ze zich ineens bewust werd dat ze meer aan Zoe had te danken dan ze ooit had geweten en dat het nu te laat was om de zaken te veranderen, om haar houding te veranderen.
Ze draaide zich om en staarde naar het bed met de roodwit geblokte Amerikaanse quilt. Het was gewoon een bed. Wat idioot dat Caro's bed

nu, na al die obsessieve jaren, een gewoon bed bleek te zijn. Niets meer. Misschien, dacht Judy, moet ik erin gaan slapen. Misschien moet ik de meubels anders zetten en het mijn kamer maken. Als pap... Als pap het goed vindt.
Ze hoorde beneden de telefoon rinkelen. Robin had hem duidelijk niet naar zijn kamer overgeschakeld. Judy wachtte en telde de keren dat hij overging. Het antwoordapparaat stond ook niet aan. Ze nam een grote sprong en rende de trap af.
'Hallo? Hallo, met Tideswell Farm.'
'Is dit Judy?' vroeg Velma.
'Velma...'
'Je bent dus weer thuis?'
'Ja.'
'Voorgoed?'
'Ik ben er pas drie dagen en ik heb er met pap niet over gesproken. Nog niet tenminste,' zei Judy.'
'Nee, niet zolang zij er was,' zei Velma. 'Die madam.'
'Wat?'
'Ik wist wel dat ze er weer vandoor zou gaan,' zei Velma. 'Dat wist ik al van tevoren. Ik zag nog geen drie minuten geleden dat ze door Gareth werd weggebracht. Ze is zeker weer naar Londen toe, hè!'
'Ja, ja, dat denk ik wel...'
'En ze komt zeker niet meer terug hè!'
'Velma,' zei Judy, 'dat gaat jou toch niets aan.'
'Ik belde niet omdat ik jou wilde spreken,' zei Velma. 'Ik wil met je vader spreken.'
'Hij is in het melkhuis bezig.'
'Geef even een boodschap aan hem, wil je? Zeg maar dat ik er morgenochtend op de gewone tijd weer ben.'
'O...'
'Zeg dat maar tegen hem.' Haar stem klonk vol zelfgenoegzaamheid.
'Sorry,' zei Judy.
'Wat bedoel je met sorry?'
'Ik bedoel dat die baan er niet meer is,' zei Judy. 'Ik bedoel dat je hier niet meer terug hoeft te komen.' Ze haalde diep adem en sloot haar ogen en zag in gedachten Zoe uit het raam van de bus naar buiten zitten staren. 'Jij bent weggelopen en nu hoef je niet meer terug te komen.'

'Pap?'
Robin draaide zich om. In het schemerige licht van de stal kon hij haar nauwelijks onderscheiden, helemaal niet omdat ze tegen het licht van de deuropening stond.
'Hallo.'
'Pap, ik heb net iets gedaan. Ik heb Velma de zak gegeven.'
'Velma!'
'Ze zag dat Gareth Zoe wegbracht. Dus belde ze om te zeggen dat ze er morgenochtend weer zou zijn en ik heb gezegd dat dat niet meer hoefde.'
Hij glimlachte.
'Goed van jou.'
'Vind je het niet erg?'
Hij schudde zijn hoofd.
'Ik doe voortaan haar werk wel.'
Hij glimlachte weer.
'Dat niemand ooit deed...'
'Pap,' vroeg Judy. 'Gaat het een beetje?'
Hij bukte zich om iets op te rapen.
'Dat zal langzamerhand wel lukken.'
'Ik weet niet of het wel het juiste moment is om het je te vragen, maar...'
Ze stopte.
'Nou?'
'Mag ik iets vragen? Mag ik je alsjeblieft iets vragen?'
'Natuurlijk,' zei hij. Hij stak zijn hand naar haar uit. 'Kom mee naar buiten, in het licht.'
'Ik denk niet dat het mijn zaken zijn, en dat ik het recht niet heb, maar...'
'Zeg het nu maar.'
Hij stuurde haar over het erf, naar de overdekte schuur waar Gareth altijd zijn fiets stalde.
'Mag ik blijven?' vroeg Judy.
Hij staarde naar haar.
'Blijven?'
'Ja, hier, met jou. Ik bedoel hier blijven wonen.'
Hij liet haar los en zijn arm viel langs zijn lichaam. Hij keek even naar de lucht en zei toen: 'Judy, lieverd, ik moet de boerderij verkopen.'
'Verkopen?'
'Ja,' zei hij. 'Verkopen. Ik hoop dat ik hem aan een coöperatie kan verkopen en hem dan weer terug kan pachten. Ik weet niet of het me lukt,

maar ik ga het wel proberen.' Hij keek even vluchtig naar Judy en vervolgde: 'Ik kan geen nieuwe kracht in Gareths plaats meer aannenemn, er is geen geld meer voor, zie je. En de schuldenlast... Nou ja, beter om daar maar niet over na te denken. Die nieuwe smurriekuil is maar een klein detail. Ik heb het al een hele tijd zien aankomen, maar ik heb het niet willen weten. Ik wilde niet weg. Ik moet weer helemaal terug naar waar ik begon, moet zelf weer fulltime gaan melken. Dat is de enige manier.' Hij keek weer naar de lucht. 'In ieder geval geef ik je opa nu de gelegenheid om "dat heb ik je toch verteld" te zeggen.
Judy leunde met platte handen tegen de warme grijze muur van de voederopslag. 'Ik had geen idee...'
'Nee, waarom zou je ook?'
'Ik heb altijd gedacht dat het hier van een leien dakje ging en dat het altijd zo door zou gaan. Iets dat blijvend was.'
'Iets blijvends bestaat nergens.'
'Als je het verkoopt, kun je dan niet ergens anders heen?'
'Ik wil helemaal nergens anders heen.'
'Misschien is een verandering juist goed.'
'Het is misschien niet veel waard,' zei Robin, 'maar hoe dan ook, ik heb dat bedrijf met mijn eigen handen opgebouwd en...' Hij zweeg even en zei toen: 'en dat ben ik me zeer bewust.'
'Zelfs als je weet hoe moeilijk je het hier hebt gehad?'
'Ja.' Hij bukte zich om een polletje onkruid uit een scheur in de betonvloer te trekken. 'Ik denk ook niet dat het op een of andere manier nog zwaarder zal worden. Fysiek misschien wel omdat ik ouder word, maar op andere manieren, ik... eh, ik maak veel minder fouten.' Hij gooide het polletje onkruid in een hoek. 'Ik zou niet eens meer anders willen leven. Er zal wel een dag komen dat het wel zal moeten, maar ik zal doorgaan zolang ik kan.' Hij draaide zijn hoofd langzaam naar Judy toe. 'Er zal hier, of waar ik ook ben, altijd een kamer voor jou zijn, Judy. Wanneer je maar wilt. Maar er is geen geld. Boeren betalen zichzelf geen salaris uit en ik zou jou ook niet kunnen betalen.'
'Maar als ik dat nu niet hoef...'
Hij glimlachte naar haar. Een vermoeide, afstandelijke glimlach.
'Denk er maar eens over na. Doe niets overhaast. Zo'n impuls...' Hij zweeg weer.
'Wat?'
'Impulsen zijn vaak niet reëel.'
'Ik meen het.'

'Ja.' Hij boog zich naar haar toe en kuste haar heel licht op haar wang. Zijn wang voelde ruw aan. 'Ik moet weer door, Judy,' zei hij. 'Er is zoveel te doen. Je weet hoe het is.'

Lindsay had een opengevouwen plattegrond van Dean Place Farm voor zich op de keukentafel liggen. De akkers, in allerlei afmetingen en schots en scheef met elkaar verbonden, waren met de hekken en tourniquets, in aren en hectaren aangegeven. Die tourniquets behoorden tot twee lokale voetgangerspaden, met recht op overpad, maar Joe had altijd een hekel aan wandelaars en aan wandelclubs gehad en het was hem gelukt zonder ze echt af te sluiten, beide paden met de tourniquets voor de wandelaars op een subtiele manier onaantrekkelijk te maken. Er was wel een heisa over geweest, ingestuurde brieven in de lokale pers en een schreeuwende demonstratie van twee dijken van vrouwen gewapend met hun rechten en draadscharen. Maar Joe, die vlakbij de plaats van onheil woonde en absoluut niet van zijn standpunt wilde wijken, had uiteindelijk gewonnen. Terwijl Lindsay naar de stippellijntjes van de voetpaden op de plattegrond keek bedacht ze dat zij ze misschien weer in ere zou moeten herstellen; ze zou zelfs een hele wandelroute voor de eventuele gasten kunnen uitstippelen. Misschien wilde Robin wel meedoen met zijn koeien en het melkhuis als bezoekpunt. Ze kon zich niet voorstellen dat akker na akker vol gerst en koolzaad interessant voor bezoekers zou kunnen zijn.
In de keuken was het rustig. Rose lag boven te slapen en Hughie was voor de eerste keer sinds weken weer naar de crèche gegaan. Zónder pet en zónder Zeehond. Zeehond lag in Hughie's pyjama gewikkeld bovenop het bed, met een uitdrukking van opluchting op zijn snuit, daar zou Lindsay op kunnen zweren. Ze had hem eerst in de wasmachine willen stoppen – hij was zo vies – maar had het toch maar niet gedaan. Hughie kwam langzaam uit de put vandaan, centimeter voor centimeter, en ze moest hem nu niet, alleen uit een hygiënisch oogpunt, weer terugduwen.
Ze hoorde een auto aankomen. Ze keek van de plattegrond op en door het raam. Het was Robin. Die had ze al in geen weken meer gezien en zeker niet sinds zij hier weer terug was. Ze ging rechtop zitten en volgde zijn silhouet door de matglazen deuren van de hal naar de keukendeur. Hij kwam zonder te kloppen binnen.
'Hallo,' zei hij.
Ze knikte.

'Ik ben blij om je weer te zien,' zei Robin. 'Blij dat je weer terug bent.' Hij droeg een oud geruit overhemd met een rafelige boord en een ribfluwelen broek.
'Judy is ook weer terug,' zei Robin.
'Dat weet ik.'
'Is ze al bij je langs geweest?'
'Nee...'
'Dan zal ze wel gauw komen,' zei Robin. Hij keek de keuken rond. 'Geen kinderen?'
'Een slaapt en een is naar de crèche,' zei Lindsay.
'En jij zit je hectaren te bekijken?'
'Zo ongeveer, ja.'
Hij ging naast haar staan en keek op de plattegrond. 'Wat ga je met het land doen waar je geen subsidie voor kan krijgen?'
Haar hart sloeg een slag over.
'Ik weet het niet.'
'Bomen?'
Ze gaf geen antwoord.
'Dat zou ik dus niet adviseren,' zei Robin. 'Vee?'
Ze bleef zwijgen.
'Te veel investering plus dat je dan mankracht nodig hebt. Grasland?'
Ze zweeg nog steeds.
'Dat is misschien wel het beste idee. Ik kan je wel een naam van iemand geven met wie je kunt overleggen.'
'Om mee te beginnen,' zei Lindsay stug, 'ga ik een manager aanstellen.'
'Hij zal aandelen willen...'
'Dat weet ik, dat weet ik. Misschien weet ik wel niet zoveel, maar ik ben niet helemaal gek.'
'Ik ook niet,' zei Robin.
Ze schoof een stukje van hem af.
'Wat wil je daarmee zeggen?'
'Ik ben niet zo gek dat ik niet weet waarom je nog nauwelijks tegen me praat,' zei Robin.
Ze legde haar handen plat op de plattegrond en bleef strak naar beneden kijken.
'Zoe, nietwaar?' zei Robin.
Er viel een stilte en toen zei Lindsay: 'Ik voelde me daardoor zo eenzaam...'
'Je was al eenzaam,' zei Robin. 'Net zoals ik. We zijn beiden eenzame

mensen. En dat kan nog wel een tijdje zo blijven.'
Ze knikte kort.
'Ik dacht... Ik dacht dat je misschien met mij, dat wij...'
'Nee,' zei Robin vriendelijk. 'Dat zou nooit werken.'
Ze ging rechtop zitten en gooide haar haar naar achteren.
'Hughie begint zich een klein beetje beter te voelen. Hij is zonder Zeehond naar de crèche gegaan.'
'Goed zo.'
'Mijn ouders praten bijna niet meer met mij...'
'Dat komt wel weer goed,' zei Robin. 'Het is nu eenmaal moeilijk als je hulp aanbiedt en het wordt geweigerd...'
Lindsay keek hem, voor het eerst sinds zijn binnenkomst, aan.
'Maar was dat nu echte hulp? Zou dat nu hen of mij hebben geholpen?'
Hij haalde zijn schouders op. Ze vond dat gebaar ineens zo grappig en aantrekkelijk dat ze uitbarstte: 'O, Robin, het spijt me zo dat ik, ik ben zo...'
Hij hield zijn hand op en begon te lachen.
'Begin jij nu ook nog niet een keer.'
'Wat?'
'Je te verontschuldigen. Eerst Judy en nu jij. Ze zegt de hele tijd dat het haar spijt en ik kan jullie niet alletwee...'
'En als we het nu menen?' vroeg Lindsay verontwaardigd. 'Als we het nu eerlijk menen?'
'Nou, dan weet ik het toch,' zei Robin. 'Of denk je van niet? Ik bedoel, als ik denk dat jullie daar een reden toe zouden hebben. Ik denk trouwens dat niemand van ons zich hoeft te verontschuldigen, wat we ook deden, we hadden allemaal onze eigen redenen.' Hij stopte zijn handen in zijn broekzakken. 'Judy is van plan om voorgoed te blijven.'
'Thuis? Op Tideswell. Jij en zij?'
'Ja.'
'Goeie god,' zei Lindsay.
'En juist nu terwijl ik op het punt sta de hele boel te verkopen.'
'Is dat nodig?'
'Ja.'
'O, Robin...'
'Misschien hebben jouw eigenaren wel interesse. Dan blijft het hele boeltje bij elkaar. De bedoeling is dat ik het dan probeer terug te pachten.'
Onzeker zei ze: 'Dat zou ik wel fijn vinden.'

'Ja?'
'Het is angstaanjagend, weet je, om dit hele bedrijf op me te nemen.' Ze zweeg even. 'Met de schulden die Joe heeft gemaakt, die leningen. Weet je dat hij daar met niemand over heeft gesproken...'
'Nee, maar dat verbaast me niets.'
'De bank wist ook van niets. Ze hebben die schulden voorlopig van ons overgenomen, maar dat doen ze natuurlijk niet voor eeuwig.'
Robin bromde iets.
'Ik ga een avond-accountantscursus volgen,' zei Lindsay. 'En boekhouden.'
'Goed zo, meisje.'
'Praat alsjeblieft niet op zo'n toon tegen me,' zei Lindsay.
'Sorry. Slechte gewoonte.'
'We hebben vanaf nu geen slechte gewoontes meer,' zei Lindsay. Ze stond op en liep naar het raam en keek over het dak van Robins Land Rover heen naar de glooiende akkers erachter waar Joe alweer maanden geleden, gerst op had geplant. Dezelfde velden die hij zo nodig op hun eerste kerstdag samen, moest bemesten, terwijl zij gefrustreerd en als verlamd thuis had zitten wachten. In een, wat ze zichzelf nu niet meer kon voorstellen, rode, fluwelen jurk met brandende kaarsen en groene klimop op de gedekte tafel. 'We hebben geen slechte gewoontes meer, we maken gewoon nieuwe.' Ze draaide zich van het raam naar hem toe. 'We moeten vanaf nu onze eigen gewoontes gaan maken.'

20

Je kon niet anders zeggen dan dat Debbie het huis keurig had achtergelaten, dacht Dilys. Toen Robin en Lindsay erover waren begonnen en hadden gevraagd waarom zij en Harry niet in het huis van Gareth gingen wonen, was ze ontsteld geweest, zelfs meer dan ontsteld. Ze had zich beledigd gevoeld. Om uit een grote boerderij als Dean Place Farm naar het huis van een veeknecht te verhuizen was zo'n grote belediging, dat ze er niet eens over wilde nadenken. Het hoorde niet, het was onfatsoenlijk. En het ergste van alles was dat Harry het voorstel met beide handen had aangegrepen. Ze had aan de keukentafel, waar ze meer dan veertig jaar het hele hebben en houwen van Dean Place Farm had geregeld, tegenover hem gezeten en had zijn gezicht zien oplichten. Hij straalde gewoon. Hij had er net zoals Rose uitgezien als die een koekje kreeg: verrukt.

Ze had meteen gezegd dat ze er niet over dacht om dat te doen en dat ze er niets meer over wilde horen. En toen was er iets veel ergers gebeurd, toen Lindsay – juist Lindsay – hen vertelde dat er geen geld was om een bungalow in Stretton te kopen en Harry had eruit gezien alsof hij haar wel had kunnen omhelzen.

'De zakelijke kant van het bedrijf,' had Lindsay, zonder hen aan te kijken, gezegd, 'is één grote puinhoop. Er is gewoon geen geld om een bungalow te kopen.'

Dilys staarde haar aan.

'Onzin.'

'Nee,' zei Lindsay. Haar stem klonk toonloos alsof ze iets saais voorlas. 'Het is echt waar. Joe had schulden gemaakt. Ontzettend veel schulden. Leningen afgesloten waar jullie niets vanaf wisten. Privé-leningen die niet in de boeken voorkwamen.'

Dilys kneep haar handen samen.

'Hoeveel?'

Lindsay keek haar voor de eerste keer recht aan.

'Dat hoeven jullie niet te weten. Het enige wat jullie moeten weten is dat we niet eens een konijnehok kunnen kopen, laat staan een bungalow.'

Dilys was toen opgestaan en naar boven gelopen. Ze had tot zonson-

dergang voor haar slaapkamerraam zitten wachten tot een van hen – Lindsay, Robin, Harry of Judy – naar boven zou komen om hun verontschuldiging aan te bieden. Maar niemand kwam. Ze zat stijf rechtop met haar handen in haar schoot te denken aan al die jaren die ze aan de boekhouding had gespendeerd, uur na uur met haar precieze kolommetjes, haar gedetailleerheid en haar meegaandheid voor wat betreft Joe's moderne ideeën. Ze kon het gewoon niet geloven, het was belachelijk om te denken dat ze al die jaren een verkeerde boekhouding had bijgehouden en dat Joe achteraf niet had geweten wat hij deed. Absoluut niet mogelijk, net zoals die verhuizing naar het huis van die veeknecht. Het familiaire landschap buiten verdween langzaam in de duisternis en ze kon de lange duikvluchten van de zwaluwen niet langer onderscheiden; de zwaluwen die elk jaar weer terugkwamen en zo trouw onder dezelfde dakgoten nestelden. Uiteindelijk was ze toch naar beneden gegaan en ze hadden er allemaal gezeten, vastbesloten. Judy had naar haar geglimlacht. Dilys vermoedde dat het was om haar beter te stemmen, om haar sympathie voor het onvermijdelijke te tonen. Maar Dilys wilde geen sympathie. Ze had met veel lawaai een ketel water opgezet en de kopjes met een harde klap op tafel gezet.
Maar nu stond ze dan toch in de slaapkamer die eens van Eddie was geweest, stickers van oorlogen tussen planeten van de muren af te pulken. Debbie had de kamer ontzettend schoon achtergelaten maar er hingen vreemde gordijnen, het leek wel alsof er met bleekwater overheen was gespoten. De kamer was behangen met twee verschillende soorten behang, Debbie was duidelijk gek op behang geweest. Ze had alles behangen, zelfs de badkamer had een patroon van schelpen en zeepaardjes. Maar hoezeer Dilys het ook probeerde, ze kon geen hekel aan het huis krijgen. Ze had het echt geprobeerd, maar het lukte niet. Ze had ook geprobeerd zich zielig te voelen, alsof ze een aalmoes hadden ontvangen, maar dat lukte haar ook niet.
Ze legde de stickers naast elkaar op de vensterbank. Misschien wilde Hughie ze wel hebben. Aan de andere kant moest ze hem maar niet blootstellen aan die lelijke en geweldadige plaatjes. Tenslotte had Hughie geen greintje geweldadigheid in zich, eerder het tegenovergestelde. Als Dilys, zoals ze tegenwoordig vaak deed, naar boven ging in Dean Place om Hughie een verhaaltje voor het slapengaan voor te lezen in Joe's oude kamer, kwam er zo'n vredig gevoel over haar dat ze nooit eerder had gehad, dat ze helemaal niet kende. Ze had zich triomfantelijk gevoeld, tevreden gevoeld en trots, als ze bepaalde dingen had

bereikt, maar ze had zich nooit vredig gevoeld. Als ze op Hughies bed zat en hem de grappige verhaaltjes voorlas waar hij zo gek op was, voelde ze zich ongelooflijk ontspannen. Dan kwam er een rust over haar, de druk die ze altijd had gevoeld verdween, de spanning viel weg. Ze begreep niet waarom, maar het was een feit, als ze op het bed zat hing er een speciale sfeer om Hughie en haar heen, als rimpelloos water of een veld vol sneeuw, heel stil en ongerept.
Ze draaide de dop van de fles spiritus af die ze mee naar boven had genomen en begon de restjes plaksel die de stickers hadden achtergelaten, van de ramen af te vegen. Over twee weken zou de nieuwe manager van Lindsay zijn intrek nemen in haar oude huis waar ze met Joe had gewoond. Het was een jongeman, hij had nog maar twee jaar geleden de landbouwhogeschool afgemaakt en had van Lindsay een kontrakt voor drie jaar gekregen. Hij was niet getrouwd maar woonde met zijn vriendin samen die ook iets deed in het boerenbedrijf; ze was een specialiste in het kweken van a-klasse sla, of zoiets. Dilys bedacht dat zij vroeger fel tegen ongetrouwde, samenwonende stellen was geweest. Die kwamen er bij haar niet in. Maar zo dacht ze niet meer, niet sinds Zoe en niet sinds dat vreemde, kalme gevoel over haar was gekomen. Ze hoefde niet meer fel over iets te zijn, ze hoefde eigenlijk niets meer.
Daar, helemaal aan het einde van het veld met maïs, zag ze het huis van Robin liggen. Ze had al meer dan vijfentwintig jaar niet in het gezichtsveld van Robin gewoond. Ze bedacht dat ze nooit anders naar dat huis had kunnen kijken dan met een afkeurende blik en met de gedachte dat als zij daar de scepter had gezwaaid het er heel anders voor Robin had uitgezien. Maar zo dacht ze niet langer. Hij was bezig om alles te verkopen, de boerderij, het land en het huis waar zij nu in woonde en ze hoopte maar voor hem dat het hem zou lukken. Het zag er goed uit, maar je kon nooit weten. Als ze de laatste zes maanden iets had geleerd, dacht Dilys, was het wel dat er van alles kon gebeuren, dat de toekomst nooit zeker was.
Dilys keek op haar horloge. Tien voor twaalf. Over tien minuten zou Harry voor de lunch thuiskomen, haar getransformeerde Harry, die, zolang ze hem had gekend fel tegen het houden van vee was geweest en die nu ontzettend gelukkig was om met Robins koeien te werken. Hij was Robins rechterhand geworden, liep wel een keer of zes per dag over het smalle pad door het maïsveld om elke keer weer thuis te komen met zo'n tevreden uitdrukking op zijn gezicht dat Dilys zich niet kon herin-

neren dat de laatste jaren gezien te hebben. Hij kon werken wat hij wilde, zonder de verantwoordelijkheden ervoor te dragen. Die droeg Robin. Zoals Robin zijn hele leven al had gedaan, dacht Dilys. Er braken voor hem ook betere tijden aan met Judy die in september naar de landbouwhogeschool zou gaan, half door de bank betaald en de andere helft door haar tante Lindsay. Wat zou mijn vader daar nu van gevonden hebben, vroeg Dilys zich af terwijl ze voorzichtig de trap naar beneden afliep, wat zou die gedacht hebben van die meisjes op een boerenbedrijf. Méísjes! Judy in een ketelpak en Lyndsay die het over de aanschaf van een computer had...

Dilys liep haar kleine keuken in. De zon scheen door haar raam op het zuiden precies op de pot peterselie die ze daar had staan en op de omgekeerde, schoongewassen lege jampotjes op de theedoek. Ze had nog nooit een raam in haar keuken gehad die op het zuiden uitkeek, noch een kamer gehad waar de zon zo uitbundig naar binnen scheen. Ze draaide de kraan open en begon haar handen te wassen; ze keek dromerig over de lange wiegende maïsstengels heen naar de daken van Tideswell met de schuren en bijgebouwen. Verandering en verlies, zei ze tegen zichzelf. Verandering en verlies... als een regel uit een liedje bleef het in haar hoofd zitten. Het leven dat je ergens neerzette, het leven dat je dingen ontnam, dat je andere dingen gaf, kleine dingen, die je niet in de gaten had, waar je nooit acht op sloeg. Omdat je er nog niet rijp voor was. Omdat je nog nooit een groot verlies had gekend. Dilys draaide de kraan dicht en begon langzaam haar handen af te drogen. Ze wreef haar dunne, oude trouwring op tot hij glom. Toen opende ze een kast en pakte de broodplank, een brood en een mes.